KU-470-512

LE BONHEUR À SAN MINIATO

Le Vent du soir ***

Né en 1925, Jean d'Ormesson est ancien élève de l'Ecole normale supérieure et agrégé de philosophie. Secrétaire général du Conseil international de la philosophie et des sciences humaines à l'Unesco. Ecrivain et journaliste. De l'Académie française depuis 1973.

Paru dans Le Livre de Poche :

Mon dernier rêve sera pour vous.
Le Vent du soir.
Tous les hommes en sont fous –
*(Le Vent du soir **)*

JEAN D'ORMESSON
de l'Académie française

Le Bonheur à San Miniato

ROMAN

J.-C. LATTÈS

En souvenir
des escaliers de Todi,
de la cathédrale d'Orvieto
et du lac d'Udaipur

Nul homme n'est une île complète en soi-même. Tout homme est un morceau du continent, une part du tout.

JOHN DONNE.

Souvenir, souvenir, que me veux-tu?
L'automne...

PAUL VERLAINE.

Ce qui nous distinguait de nos maîtres à vingt ans, c'était la présence de l'histoire. Pour eux, il ne s'était rien passé. Nous, nous naissions au cœur de l'histoire qui a traversé notre champ comme un char.

ANDRÉ MALRAUX
(à Jean Lacouture).

LE FIL DE L'HISTOIRE

SUR la terrasse de sa maison de San Miniato, en Toscane, le narrateur évoque le souvenir des quatre sœurs O'Shaughnessy et des quatre frères Romero. Les aventures de leurs parents, de leurs grands-parents, de leurs arrière-grands-parents, au temps de la douceur de vivre et de la naissance du monde moderne, sont retracées dans *Le Vent du soir.* Le récit de leur enfance et de leur jeunesse, à l'époque de la grande crise économique et de la montée du fascisme, constitue l'essentiel de *Tous les hommes en sont fous.* On ne saurait assez conseiller au lecteur de se reporter à ces deux volumes.

A ceux qui, pour un motif ou pour un autre, s'obstineraient à s'en passer, il suffit de savoir que les quatre sœurs s'appellent Pandora, Atalanta, Vanessa et Jessica. Elles ont suivi des chemins différents et déjà connu beaucoup de passions. Liée à Winston Churchill, amie d'Ernest Hemingway, Pandora, l'aînée, et peut-être la plus belle, a un fils du romancier Scott Fitzgerald. Vanessa est amoureuse de Rudolf Hess, le second de Hitler. Jessica, la dernière, est morte, à la fin de la guerre d'Espagne, dans Barcelone assiégée. Atalanta, en apparence, est la seule sans histoire.

L'aîné des frères Romero s'appelle Carlos. Il sort de Cambridge. Il est de gauche. Son frère cadet, Agustin, est un champion automobile tenté par le fascisme. Il y a aussi les jumeaux : Luis Miguel et Javier. Et un oncle, un métis au charme un peu inquiétant et la séduction même, qui a participé, dans son adolescence – et il lui en reste quelque chose –, à la révolution mexicaine : Simon Finkelstein.

Le rideau de ce troisième tome se lève à la veille de la Seconde Guerre mondiale.

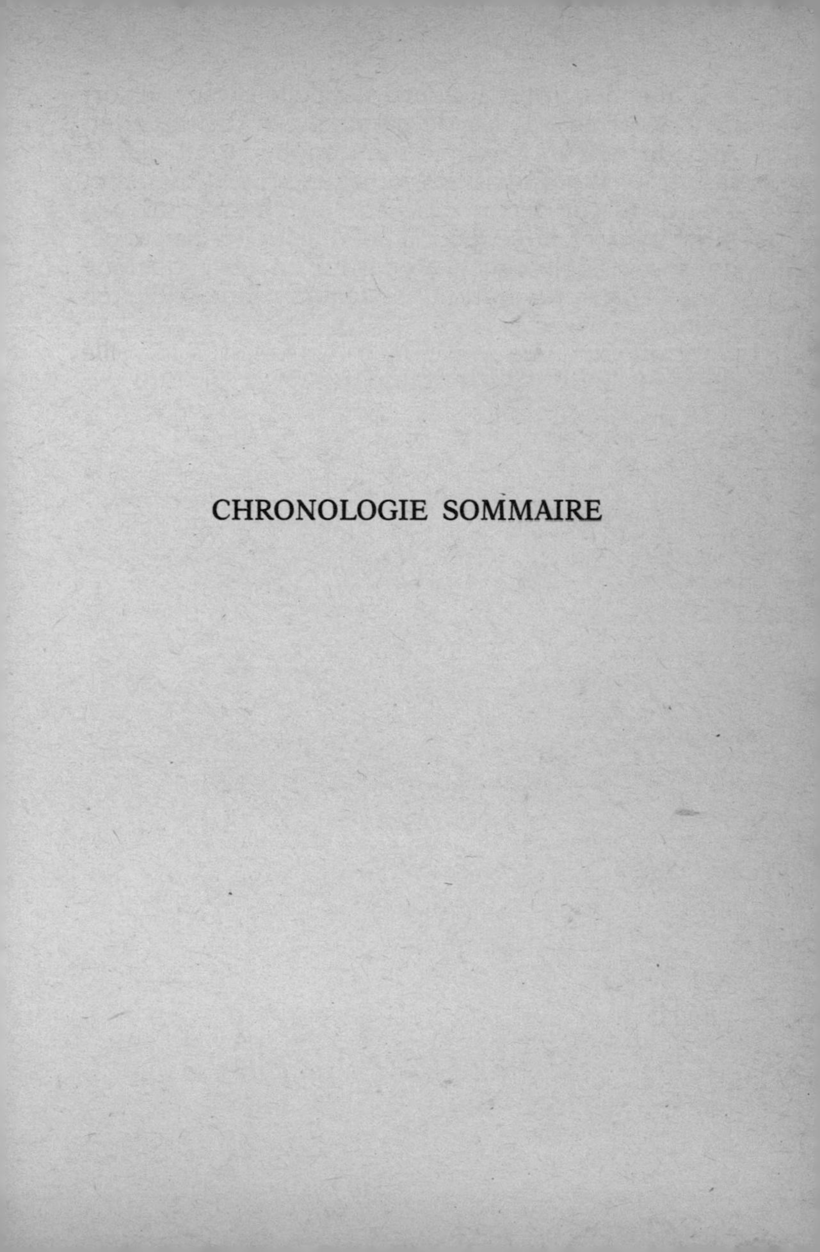

CHRONOLOGIE SOMMAIRE

1929	24 octobre	*Black Thursday* à Wall Street. Début de la crise.
1933	30 janvier	Hitler chancelier du Reich.
1934	30 juin	La Nuit des longs couteaux. Massacre des SA à Bad Wiessee.
1935	octobre	Début de la guerre d'Ethiopie.
1936	7 mars	Occupation de la Rhénanie.
	avril-mai	Victoire du Front populaire.
	juin	Léon Blum président du Conseil.
	juillet	Début de la guerre d'Espagne.
1938	mars	Occupation de Vienne et de l'Autriche. L'Anschluss.
	septembre	Crise des Sudètes.
	30 septembre	Accords de Munich.

1939	26 janvier	Chute de Barcelone.
	14 mars	Occupation de Prague.
	mars	Fin de la guerre d'Espagne.
	23 août	Pacte germano-soviétique.
	1er septembre	Invasion de la Pologne.
	3 septembre	L'Angleterre et la France déclarent la guerre à l'Allemagne.
1940	10 mai	Invasion de la Belgique et de la Hollande.
	14 juin	Chute de Paris.
	18 juin	Appel du général de Gaulle.
	25 juin	Fin des hostilités en France.
	10 juillet	L'Assemblée nationale, réunie à Vichy, accorde les pleins pouvoirs à Pétain.
	août-septembre	Bataille d'Angleterre.
1941	février	Rommel en Libye.
	10 mai	Rudolf Hess en Ecosse.
	22 juin	Opération Barbarossa. Invasion de l'URSS Disparition de Staline.
	3 juillet	Discours de Staline.
	7 décembre	Pearl Harbor.
1942	15 février	Capitulation de Singapour.
	juillet	Rommel à El-Alamein.
	août	Les Allemands dans le Caucase et à 100 kilomètres de la Caspienne.
	20 octobre	Débarquement allié en Afrique du Nord.

1943	janvier	Conférence de Casablanca.
	février	Capitulation de Stalingrad.
	18 avril	Mort de l'amiral Yamamoto.
	10 juillet	Débarquement allié en Sicile.
1944	6 juin	Débarquement en Normandie.
	25 août	Libération de Paris.
1945	13-14 février	Bombardement de Dresde.
	22 avril	Les Russes pénètrent à Berlin.
	27 avril	Mussolini exécuté et pendu.
	30 avril	Suicide de Hitler.
	7 mai	Capitulation allemande à Reims.
	2 juillet	Victoire des travaillistes en Angleterre.
	6 juillet	Bombe atomique sur Hiroshima.
	15 août	Discours de Hiro-Hito.
	2 septembre	Capitulation japonaise à bord du *Missouri*.
	20 novembre	Ouverture du procès de Nuremberg.
1946	20 janvier	Démission du général de Gaulle.
	24 février	Perón président.
	1er octobre	Condamnation de Rudolf Hess à la prison à perpétuité. Acquittement de Franz von Papen.
	16 octobre	Pendaison de Joaquim von Ribbentrop.
1953	5 mars	Mort de Staline.

1956	février	XXe Congrès du parti communiste de l'URSS. Rapport Khrouchtchev.
1958	13 mai	Insurrection à Alger.
	1er juin	De Gaulle investi par l'Assemblée nationale.

I

Le temps des épreuves

VERS la fin d'août 39, le coup de tonnerre du pacte germano-soviétique bouleversa Carlos Romero. Malgré une méfiance croissante à l'égard du Kremlin, malgré les reproches qu'il adressait en privé, et parfois en public, à la politique de Staline, l'ancien combattant des Brigades internationales avait gardé des relations assez étroites avec les dirigeants soviétiques. Il restait attaché à la patrie du communisme. Il se rendait régulièrement à Moscou et il avait fini par se lier avec le camarade Maxim Maximovitch Litvinov qui dirigeait, au temps de la guerre d'Espagne, la diplomatie soviétique. Dès le printemps 39, le remplacement de Litvinov par Molotov avait inquiété Carlos.

– Qu'est-ce que ça signifie? demandait-il à Victor Serge, qui était son ami.

– Ce que ça signifie? répondait Victor Serge. C'est bien simple : vous êtes foutus.

Victor Serge était un communiste russe. Il venait de finir un livre qui allait faire du bruit dans les milieux de gauche et d'extrême gauche. Le livre portait un beau titre : *S'il est minuit dans le siècle.* Bien avant Koestler et Kravchenko et Souvarine et Soljenitsyne, Victor Serge y dépeignait la vie en Russie sous le régime de Staline et démontait les mécanismes politiques et psychologiques qui avaient mené à la délation comme instrument du pouvoir, à la déportation de centaines de milliers ou de millions de Soviétiques, à la multiplication des camps de travail et à leur acceptation par le peuple. C'était l'époque de Gide, de Jules Romains, de Martin du Gard, de Claudel, de Valéry. La France était une démocratie radicale-socialiste, merveilleusement policée, qui sortait des tourmentes opposées et successives du 6 février 34 et du Front populaire. Elle étincelait de faiblesse. Elle brillait de tous les feux d'une décadence délicieuse, encore vaguement incertaine. L'ombre d'Adolf Hitler, qui traitait Paris de lupanar de l'Europe, s'étendait sur l'Occident et, du même coup, sur le monde. Les Français n'avaient pas vraiment le temps ni le goût de s'occuper sérieusement de ce qui se passait là-bas, du côté de l'Oural et de la Sibérie. Les riches se contentaient de veiller jalousement sur des plaisirs et sur un argent que les pauvres rêvaient de leur prendre. Cette double préoccupation ne les empêchait pas de se livrer à ces jeux de l'esprit qu'ils ont toujours cultivés. Giraudoux écrivait *La guerre de Troie n'aura pas lieu.* La gauche poussait à la grève dans les usines d'armement. La droite nourrissait en secret une admiration un peu honteuse pour le national-socialisme. Et, pendant que le communiste et le Russe Victor Serge traçait un tableau effroyable de Staline, il ne manquait pas en France de bourgeois non communistes pour tresser des lauriers au Petit Père des Peuples.

Nous étions assis tous les quatre à la terrasse d'un café du côté de la rue Soufflot. Il avait plu beaucoup pendant les semaines précédentes. Le beau temps était arrivé d'un seul coup et les gens descendaient dans la rue pour profiter du printemps, du retour du soleil et de la douceur de l'air. En face de nous, à une table, était assis un type qui louchait assez fort.

– C'est Jean-Paul Sartre, dit Carlos.

Il paraît qu'il venait d'écrire un recueil de nouvelles qui avait eu beaucoup de succès et qui s'appelait *Le Mur*. On y trouvait des communistes, des anarchistes, des putains et de jeunes fascistes. Agustin, qui venait encore de gagner le Grand Prix de Monaco et qui détestait Staline, le Komintern, le communisme, écoutait avec délices les attaques de Victor Serge contre le régime stalinien.

– Ne t'emballe pas, disait Carlos à son frère. Victor dénonce Staline. Mais il dénonce aussi les fascistes pour qui tu as tant d'indulgence. Ne t'imagine surtout pas que tu as trouvé un allié.

– Je ne m'imagine rien du tout, répondait Agustin. Je constate simplement que Victor et ses amis sont traités de fascistes ou d'alliés des fascistes par les gens de la Guépéou, par les agents de Staline. N'est-ce pas, Victor, que vous étiez accusé de collusion avec le fascisme, de complicité au moins objective? C'est ce que vous venez de nous dire, n'est-ce pas?

– C'est vrai, disait Victor. C'est vrai et ce n'est pas vrai. C'est vrai qu'on nous accusait de liens avec le fascisme. Et c'était faux, naturellement. Ils savaient très bien que c'était faux. Mais il fallait servir le Chef, lui plaire, lui obéir... Dites donc, ajoutait-il à l'intention d'Agustin, ça ne vous rappelle rien, ce culte de l'autorité et cette soumission au Chef?

– Allons bon! disait Agustin en riant, voilà Staline qui devient fasciste!

– Qui sait? disait Victor.

Dans son livre comme à nous, Victor Serge racontait des histoires qui faisaient dresser les cheveux sur la tête. Un réseau de détection et de répression de la moindre velléité d'indépendance d'esprit s'était abattu sur la Russie. Les hétérodoxes, les réfractaires, ceux qui refusaient la ligne générale et les mots d'ordre venus d'en haut étaient exécutés ou envoyés dans des camps de travail et de redressement où les conditions de vie défiaient l'imagination. A travers les récits de Victor Serge passaient, par centaines, par milliers, par centaines de milliers, des fantômes affamés et décharnés, minés par la maladie, roués de coups, brisés par les interrogatoires poussés et les mauvais traitements.

– Et la révolution? demandait Carlos Romero.

– Ils disent qu'ils la font, répondait Victor Serge, mais ils l'ont arrêtée sur eux-mêmes. Nous, nous voulons la poursuivre et la rendre permanente. C'est pour cette raison qu'ils nous détestent et nous chargent de tous les maux.

– Peut-être, disait Carlos, ont-ils le sentiment qu'il n'y a que Staline pour sauver ce qui est devenu la patrie du communisme?

– L'argument est très fort, disait Victor. En gros, c'est un raisonnement de cet ordre qui explique le mieux les aveux des inculpés aux fameux procès de Moscou. Bien sûr, il y a aussi les coups, la faim, la fatigue, les drogues, le chantage à la famille... Mais le sort du communisme joue aussi un grand rôle – et peut-être un rôle essentiel. Nous sommes pour le communisme avant d'être contre Staline. Ce sont des choses que vous autres, démocrates de l'Ouest, libéraux de tout poil, vous avez, j'imagine, un peu de mal à comprendre.

– Vous êtes trotskiste? demandait Agustin.

– Si vous croyez comme eux que nous sommes fascistes, disait Victor Serge, vous pouvez croire n'importe quoi. Mais si vous croyez que nous sommes trotskistes, ne le dites surtout pas à Moscou. Etre trotskiste ici, ça ne fait ni chaud ni froid à personne. Etre trotskiste, là-bas, c'est être candidat à la mort.

Litvinov, d'après Victor Serge, était plutôt favorable aux démocraties occidentales dans leur lutte contre le national-socialisme. D'origine juive, mari d'une Anglaise, ancien ambassadeur des Soviets à Londres, il s'appuyait à l'Ouest sur les progressistes d'extrême gauche et il était l'ami de Carlos qu'il avait connu en Angleterre. Molotov mettait dans le même sac capitalisme et nazisme. Carlos Romero s'en indignait.

– Il faut bien reconnaître, dit Victor Serge, que la lâcheté des démocraties ne laisse pas beaucoup de choix à Staline. Je ne suis pas suspect de lui être favorable ni d'avoir de l'indulgence pour sa politique. Mais qu'est-ce que vous voulez qu'il fasse ? Munich, l'année dernière, a été une capitulation que nous paierons tous très cher. Staline est un réaliste. Si vous êtes si faibles, pourquoi diable rechercherait-il votre alliance ?

– Vous auriez voulu, coupa Agustin, agacé par le cours de la conversation qui ne suivait pas exactement les chemins qu'il aurait souhaités, que la France et l'Allemagne s'affrontent pour que le communisme en profite ?

– J'aurais surtout voulu, répondit Victor Serge, que les démocraties libérales et l'Union soviétique s'entendent pour faire ensemble ce qu'elles auraient pu faire, sans trop de peine, et ce qu'elles n'ont pas fait, à la stupeur, je crois, du principal intéressé : empêcher Hitler de s'emparer de l'Allemagne.

Quelques semaines plus tard, à Plessis-lez-Vaudreuil, où mon grand-père l'avait invité à venir passer avec moi la deuxième quinzaine d'août –

« Est-ce que ton ami n'aurait pas ce qu'on appelle des idées avancées? – J'ai peur que oui, grand-père. – Ça ne fait rien, ça ne fait rien. Il n'est pas mal, ce garçon... » – Carlos, effondré, lisait dans les journaux que Molotov et Ribbentrop avaient signé à Moscou un pacte de non-agression.

Le 23 août, Ribbentrop atterrit à Moscou dans un quadrimoteur Condor. Aux commandes, Hans Bauer, pilote personnel de Hitler.

Lorsqu'il apprend à Paris que Ribbentrop a débarqué à Moscou et qu'il compte assister, au Bolchoï, à une représentation du *Lac des cygnes*, Daladier, président du Conseil, téléphone à Georges Bonnet, ministre des Affaires étrangères :

– Vérifiez s'il ne s'agit pas d'une farce de journaliste.

Il ne s'agit pas d'une farce. Au Kremlin, Staline porte un toast :

– Je sais combien le peuple allemand aime son Führer. Je souhaite donc boire à sa santé.

Le cigare enfoncé dans sa face de bouledogue sur une absence de cou, Winston Churchill était venu, comme souvent, se reposer quelques jours, au cœur d'un été étouffant, chez ses amis O'Shaughnessy. Il aimait le calme de Glangowness et il avait de l'affection pour les habitants de la vieille demeure outrageusement retapée. Il marchait lentement autour du château en évoquant avec Brian les souvenirs d'un autre monde : la bataille d'Omdurman aux côtés de Kitchener, leurs aventures communes en Afrique australe, les souffrances et les déboires des Dardanelles et de Gallipoli. Je l'avais souvent accompagné, en parlant des quatre sœurs, dans ces promenades où il s'arrêtait soudain pour grommeler des phrases indistinctes ou pour arracher de mauvaises herbes du bout de sa canne armée d'un tranchant, comme le faisait mon grand-père dans les allées de Plessis-lez-Vaudreuil. Pandora, Atalanta, Vanessa étaient à Glangowness en cette fin du sursis de la douceur de vivre. Je reçus d'elles – et surtout de Pandora – plusieurs lettres que je lisais à Carlos avant de les ranger dans un grand dossier bleu où j'avais écrit à l'encre rouge le nom de Pandora. Elles figurent encore dans la malle, sauvée de toutes les tempêtes, où dorment tant de souvenirs de ces temps évanouis. Une longue lettre de Pandora qui ne porte aucune date est évidemment écrite de Glangowness dans les derniers jours du mois d'août 39.

Il fait très chaud, mon chéri, et je pense à la Californie. Te souviens-tu encore du Jardin d'Allah et de cette piscine ridicule qui avait la forme de la mer Noire? Nous avons traversé ensemble beaucoup de temps et d'espace. C'est peut-être pour cela – pour cela ou pour autre chose – que tu me manques et que je pense à toi. Je ne vois personne à Glangowness – si ce n'est mes parents, mes sœurs, le pasteur et sa fille, les fermiers et leurs épouses, et Winston Churchill, qui vient ici comme aux eaux se refaire une santé à coups de colère et de cigares corrigés par la sieste. Francis va bien. Il grandit. Il va avoir cinq ans. Je me demande déjà ce qu'il fera *in the fifthies, in the sixties* – dans quinze ans, dans vingt-cinq ans. Papa m'a demandé, avec beaucoup de précautions, s'il n'était pas tourneboulé par l'absence d'hommes autour de lui. Je lui ai répondu que c'était plutôt sa mère qui en était tourneboulée. Sais-tu que je n'ai pas touché un homme depuis la mort de Jessica? Barcelone me paraît si loin, si loin – mais Jessica si proche. Je m'imagine souvent qu'elle va reparaître devant moi – et se mettre à pleurer silencieusement comme elle le faisait si souvent en se prenant la figure entre les mains. C'est moi qui pleure : elle n'est plus là. Oh! Jean! nous avons perdu ce que nous avions de meilleur. Qu'allons-nous devenir sans elle qui était la plus pure, la plus vraie, la plus généreuse d'entre nous?

Je me sens si seule, mon chéri. C'est ma faute, naturellement. Je me souviens de ce jour où tu m'as dit que je n'étais pas faite pour le bonheur. Je me demande pour quoi je suis faite. Je voudrais bien te revoir et repartir avec toi pour des îles, pour des forêts, pour de longues plages de sable ou de petites villes de province, où nous nous promènerions ensemble, loin des autres et de tout. Je sais que je suis odieuse : alors, peut-être, tu ne voudras plus.

Oncle Winston est le seul homme qui s'occupe encore de moi. Mais il est si agité par le rapprochement entre Staline et Hitler qu'il me néglige un peu. Il dit que la guerre est maintenant sûre et que nous nous sommes déshonorés pour rien. Il dit que si nous avions résisté à Hitler en 34, en 35, en 36, peut-être encore en 37, nous aurions sauvé à la fois notre honneur et la paix. En reculant en 38, en reculant en 39, nous avons perdu à la fois notre honneur et la paix. Il en veut terriblement à tous ceux qui ont laissé faire Hitler sans bouger le petit doigt. Je crois qu'il déteste Staline tout autant que Hitler. Il dit que rien n'est plus naturel que de les voir s'embrasser et s'entendre comme larrons en foire. Et que c'est bien fait pour notre pomme. Il dit que la seule chance qui nous reste, c'est de nous préparer à la plus grande guerre de tous les temps. Il dit que Hitler a eu six ans pour transformer un pays ruiné en une machine à conquêtes. Nous avons quelques mois, et peut-être quelques semaines, pour passer d'une prospérité molle à une volonté de résistance. Si nous ne le faisons pas, Hitler réussira là où votre Napoléon a échoué grâce à nous.

Vanessa, qui s'obstine, en dépit d'oncle Winston, à

partir ce soir pour la Bavière et qui lit par-dessus mon épaule avec son sans-gêne habituel, me charge d'abord de t'embrasser et ensuite de te faire part de quelques-uns de ses délires. Elle croit dur comme fer que la mission de Hitler est de reprendre les choses là où, non pas Napoléon, mais Charlemagne les a laissées et d'unir toute l'Europe contre le bolchevisme. Devine qui lui a soufflé toutes ces jolies idées? L'alliance du patron de son grand homme avec l'incarnation du diable l'a contrariée un peu. Autant, j'imagine, que Carlos dans l'autre sens. Mais elle est convaincue – et Carlos aussi, je pense? – que ce ne sont que ruses et mensonges. L'histoire est bien amusante. Pour s'en tirer tant bien que mal, Carlos et Vanessa sont contraints d'espérer que leurs héros, leurs idoles, leurs bâtisseurs d'épopées sont d'abord des menteurs. Je crois que Jessica aurait une bonne occasion de se mettre à pleurer.

Je te raconte tout cela parce que nous ne parlons de rien d'autre. Les fleurs, les fruits, les arbres, les renards, les orages qu'on annonce et les bruits de la cour sont passés au deuxième plan. On dirait que ni Kitchener, ni Wallis Simpson, ni Simon Finkelstein, dont on nous a rebattu les oreilles et dont nous nous sommes tant occupés, n'ont jamais existé. Il n'y en a que pour Hitler, pour Staline, pour Ribbentrop, pour Molotov. J'ai pensé que les humeurs d'oncle Winston t'amuseraient. Ou peut-être même – tu es si bizarre! – peut-être t'intéresseraient. Moi, j'ai envie de partir, de me promener, de voir des gens normaux qui n'auraient pas le visage à lorgnon et boudeur de M. Molotov ni – chut! chut! je profite d'un instant de distraction de Vanessa et de ce qu'elle n'a pas l'œil rivé sur ma feuille de papier – ni celui trop familier des amis de Vanessa, qui sont aussi nos ennemis.

J'ai vingt-quatre ans, mon chéri. J'ai eu un mari, un enfant, des amants en pagaille et plus de tristesses, en fin de compte, que de plaisirs et de bonheurs. Est-ce que ma vie est finie? Oncle Winston m'a conseillé d'être moins égoïste. Il prétend que je ne pense qu'à moi. J'ai essayé de lui faire comprendre que nous avions appliqué en famille la fameuse théorie de la division du travail et que nous avions soigneusement partagé les tâches entre nous. Atalanta, avec Geoffrey, avait choisi la tradition, sa grandeur, ses rigueurs. Vanessa, avec Rudi – tu sais qui est Rudi, bien sûr ? – la contradiction sentimentale et la provocation. Moi, c'était le vertige et tous les chagrins du plaisir. Il a froncé les sourcils :

– Et personne, chez vous, n'a pensé à la générosité, au service des autres, à une forme, quelle qu'elle soit, de la conviction ou – pardonne-moi ! – de l'idéal ?

– Oh ! si ! oncle Winston : c'était le lot de Jessica. C'était son affaire à elle. Vous vous rappelez : elle pleurait souvent parce qu'elle pensait aux chats qui recevaient des pierres, aux oiseaux poursuivis par les chats, aux pauvres écrasés par les riches, aux vaincus, aux infirmes, à tous ceux qui souffrent. Elle aimait les autres plus qu'elle-même.

– Ce n'est pas de chance. Elle est morte.

– Elle est morte, oncle Winston. Vous savez bien : ce sont les moins bonnes qui restent.

Oncle Winston a bougonné. Il a tiré sur son cigare. Il a murmuré quelque chose d'indistinct. Il a cru que je me moquais de lui. Et peut-être de Jessica. Ce n'est pas vrai, naturellement. Tu sais si j'aimais Jessica. C'était la quatrième, la petite, la dernière – et moi, j'étais l'aînée. Je la protégeais, je la défendais contre Vanessa. Elle était un peu le salut et la gloire des Altesses du placard. Vanessa et moi, nous étions folles pour quatre. Jessica, en retour, était généreuse pour tout le monde. L'ordre du Royal Secret aura bien du mal à lui survivre. Jessica... On pourra toujours faire comme si elle était partie en voyage, comme si elle se battait encore dans une Espagne de rêve. Je crains que les sandwiches aux concombres n'aient plus jamais le même goût et que les grandes salles du Ritz nous paraissent un peu vides.

Oh ! Jean ! qu'est-ce que c'est que cette vie où tout marche de travers, où les plus jeunes meurent les premières, où les amants se quittent, allez savoir pourquoi, où on n'aime pas ceux qu'on aime et où on aime ceux qu'on n'aime pas ? Est-ce que tu crois, comme l'oncle Winston, qu'il va y avoir la guerre ? Est-ce que tu crois surtout qu'un jour, un beau jour, après tant de plaisirs et de détresse, nous finirons par apercevoir, là-bas, au loin, quelque chose d'obscur et de calme qui sera le bout du chemin?

Les Alpes bavaroises brillent dans le ciel transparent. La vue s'étend très loin sur l'Autriche et sur la Bavière. On devine la Suisse, vers le sud, avec ses voitures de poste jaunes et ses chocolats aux noisettes. On peut imaginer à la douceur de l'air les jardins des grands-ducs et des chanteuses d'opéra qui se dissimulent, là-bas, derrière les hautes montagnes couvertes d'une neige éternelle, le long des lacs italiens. Le roi fou et Wagner sont venus ici parler de choses vagues et secrètes. La splendeur du paysage incline à la rêverie et à l'exaltation. Sur une terrasse écrasée de soleil, une douzaine d'hommes et de femmes conversent très tranquillement. De temps en temps, une des jeunes femmes se détache du groupe, s'éloigne de quelques pas et prend une photographie en demandant à l'un ou à l'autre de se rapprocher ou de se reculer. On entend : « *Joseph! Etwas mehr nach rechts, bitte!* » ou « *Hermann! Guck'her!* » Des exclamations et des rires jaillissent à l'intention de la jeune photographe. Elle est mince et élégante, avec des cheveux châtain clair et de très jolies jambes. Elle a un sourire charmant. Elle porte le nom d'Eva. Les femmes sont en jupes blanches ou bleues et en tricots de cachemire qui viennent de Paris ou de Londres. Deux ou trois hommes portent un uniforme d'été avec des ceinturons de cuir et de lourds baudriers. Deux autres au moins exhibent des culottes de peau typiquement bavaroises dont les larges bretelles se découpent sur la poitrine et sur la chemise à carreaux. L'un d'entre eux, taille moyenne, petite moustache, mèche sombre sur le front, esquisse avec gaieté une espèce de pas de danse, en levant haut les genoux.

– Adolf!... dit Eva en riant.

Adolf est de bonne humeur. Il boit un verre de lait pendant que les autres, autour de lui, se versent du schnaps ou du whisky. Tout est calme et beau. On dirait que le monde s'est arrêté de tourner et qu'un peu d'éternité s'accroche aux pics déchiquetés de Garmisch-Partenkirchen et de Berchtesgaden. Un promeneur naïf ne remarquerait rien de particulier, à l'exception de la grandeur et de la sérénité du paysage – et peut-être aussi de quelques piquets de soldats, armés de fusils et de mitrailleuses, qui veillent autour du nid d'aigle, à des points stratégiques. Un de leurs lieutenants ou de leurs capitaines vient de pénétrer sur la terrasse, un pli cacheté à la main.

– *Heil Hitler!*

– *Heil Hitler!* répond, en levant brièvement le bras, un des hommes en uniforme qui s'est détaché du petit groupe.

Le pli confidentiel circule de main en main. Son destinataire l'ouvre. Il le lit. Un sourire se dessine sur son visage. Il tend le papier déplié à l'un des compagnons.

– Tenez! Rudolf. Voilà de bonnes nouvelles.

La dépêche est de Ribbentrop. Elle fournit des détails sur les intentions de Staline après la signature du pacte germano-soviétique. Elle confirme l'opinion, bien souvent exprimée, du ministre des Affaires étrangères, ancien ambassadeur à Londres : l'Angleterre ne bougera pas.

– Rudolf!

– *Ja, mein Führer!*

– Nous partons tous pour Berlin. Immédiatement. Donnez les ordres nécessaires.

– *Ja, mein Führer!*

L'homme à la mèche et à la petite moustache se tourne vers le personnage appelé Hermann, tout à l'heure, par la jeune photographe. C'est un grand et fort gaillard, d'une corpulence épanouie, aux yeux bleus, à la mine réjouie. Il porte une chemise à grands plis, d'une blancheur éclatante, avec des manches très larges. Et, par-dessus, un gilet verdâtre, dont tous les boutons sont des dents de sanglier. Un pantalon, toujours verdâtre, révèle en haut des fesses énormes, en bas des bottines en antilope d'où surgissent des mollets dans des bas de soie beige qui ressemblent à des bas de femme. Le pantalon est tenu par une ceinture dorée à laquelle est attaché un minuscule poignard. Il traîne derrière le gros homme une odeur de verveine et de citronnelle – dans le genre sels de bain.

– Hermann, dit l'homme à la mèche, mobilisation générale des forces terrestres et aériennes.

Tout le monde s'ébranle sur la terrasse. Les femmes se lèvent. Le cercle des hommes se resserre autour du personnage qui vient de parler et qui exerce, de toute évidence, un ascendant qui va peut-être jusqu'au magnétisme sur le groupe qui l'entoure.

– Vous avez beaucoup de chance, messieurs, de vivre dans ce temps qui va voir de grandes choses et la gloire du IIIe Reich. Tenez-vous prêts. Je compte sur vous.

Une rumeur assez mince – puisqu'elle n'est faite que de quelques voix – et pourtant impressionnante s'élève sur la terrasse :

– *Heil Hitler! Deutschland über Alles!*

– Il y a sept ans, reprend le Chef, l'Allemagne

était misérable, déchirée, méprisée de tous, à la merci des juifs et des communistes. En six ans, je l'ai hissée au rang des premières nations du monde. Nous parlons d'égal à égal avec l'Angleterre, avec la France, avec l'Union soviétique. Et nous leur faisons peur. A défaut d'être puissants, nos ennemis restent nombreux. Mais ils sont divisés. Staline nous laisse les mains libres à l'Est. Il aura sa part de la Pologne comme nous aurons la nôtre. L'Amérique ne sortira pas de son isolement volontaire et de sa neutralité. Si la France et l'Angleterre veulent la guerre, elles l'auront. Et elles seront écrasées par la machine formidable que nous avons construite de nos mains, avec la sueur et les sacrifices de notre peuple. Mais rien n'est plus faible et plus instable que les démocraties : je ne suis pas sûr qu'elles réagissent. L'opération polonaise sera réglée en quelques jours. Nous nous retrouverons ici au printemps dans un monde bouleversé par les victoires allemandes. Je vous annonce une guerre éclair qui sera menée de bout en bout par nos panzers et nos stukas. Une Europe nouvelle en surgira. Elle régnera sur la planète.

Un cri jaillit de la poignée d'hommes qui entourent le Führer :

– *Sieg Heil! Sieg Heil!*

Le groupe se disperse lentement, en échangeant quelques mots. La terrasse se vide. Des mains se serrent, des bras se tendent. Les jours qui viennent seront rudes.

– Est-ce que je vous accompagne? demande Eva à voix presque basse.

Il hésite une seconde.

– Non. Il fait si beau ici! Si calme! Rejoignez-moi dans deux jours. Pour la fin du mois. J'aurai besoin de vous. En attendant, restez donc encore un peu en Bavière. Vanessa vous tiendra compagnie.

Simon Finkelstein arriva à Moscou le jour même de l'annonce du pacte germano-soviétique. Une voiture l'attendait dans une chaleur accablante. Le chauffeur, qui avait une bonne bouille avec deux dents en or, lui demanda ce qu'il voulait voir. Il décida de partir aussitôt pour Zagorsk dont lui avait parlé Carlos et où des popes orthodoxes, naturellement autorisés et sans doute contrôlés par le régime communiste, psalmodiaient encore de beaux chants à l'usage des rares touristes et répandaient autour d'eux un vague semblant de calme et de paix. En se promenant dans le monastère, Simon feuilleta son agenda où il avait jeté d'avance et à la hâte quelques idées destinées aux trois articles qu'il avait l'intention de rapporter de Moscou. Il ne parviendrait pas à voir Staline, c'était sûr. Mais peut-être, avec les lettres d'introduction que lui avait confiées Carlos Romero, réussirait-il à être reçu par Litvinov – la question était évidemment de savoir si le ministre au rancart accepterait encore de parler ? – et surtout par Molotov. Il avait aussi toute une liste de noms de hauts fonctionnaires et de personnages plus ou moins importants et plus ou moins subalternes qui pouvaient être utiles et nourrir les papiers de leurs informations, à la rigueur de leurs réticences, ou simplement de leur allure, de leurs tics et de leur binette.

Zagorsk était presque vide. On voyait quelques vieilles femmes qui couraient dans tous les sens avec un balai et un seau ou de vagues paquets entre les mains et un certain nombre de popes d'une saleté repoussante – à l'exception d'un seul qui était jeune et beau, vêtu avec une certaine recherche, et qui jeta Simon dans une rêverie romanesque : que pourrait donc devenir dans la Russie de Staline ce Fabrice del Dongo soviétique? Dans l'église, qui était sombre et fraîche, Simon s'attarda quelques instants. Est-ce que la guerre qui venait de s'éteindre – par la défaite – en Espagne allait renaître de ses cendres et s'étendre à toute l'Europe? Peut-être était-on à la veille du Grand Jeu final auquel il n'avait cessé de croire et dont les guerres d'Ethiopie et d'Espagne – et peut-être même, que c'était loin! la révolution mexicaine – n'étaient que l'annonce et la promesse? Il était temps. Dans l'odeur mêlée de l'encens et de la crasse, Simon se dit tout à coup qu'il n'était plus très jeune. Il avait même passé l'âge de ce qu'il aimait le mieux : l'aventure et la guerre. Il ne souffrait pas encore des reins, du dos, des hanches, il ne se déglinguait pas. Une espèce d'ardeur à vivre et de curiosité le possédait toujours. Mais il avait cessé de faire n'importe quoi, de mettre sa vie en cause à tout bout de champ, de se jouer à la roulette russe. Il aperçut en un éclair la silhouette trapue de Paco Rivera dans les collines de Guadalajara.

Il eut une pensée pour Jessica. Une autre – le monde n'était pas si simple – pour Carlos Romero. Que se serait-il donc passé, que seraient-ils devenus tous les trois si Jessica n'était pas morte? C'était peut-être pour ne pas répondre à cette question que Jessica était morte. La vie est commandée d'abord par la force d'inertie. On ne peut pas passer son temps à tout remettre en quetion comme il en avait si souvent la tentation. L'amour est une force d'inertie. La fidélité est une force d'inertie. La religion est une force d'inertie. Le patriotisme est une force d'inertie. Les convictions sont une force d'inertie. L'argent est une force d'inertie. Tous ces trucs-là, naturellement, sont autant de motifs d'action. On meurt ou on tue pour chacun d'entre eux. On s'abandonne aussi à leurs facilités. Jessica ne savait plus ce qu'il fallait garder ou changer dans sa vie. C'était comme ça, au moins, qu'il la voyait. Et peut-être avait-il tort. Maintenant elle était morte. Et c'était une page tournée. Il secoua la tête. Il pensa à Moscou et à ce qu'il était venu y faire.

Toute l'affaire avait commencé à Paris, du côté de Montparnasse, dans une boîte avec Jef Kessel. Il y avait Carlos Romero, Germaine Sablon et quelques autres. On avait parlé de l'Espagne, de Malraux, d'Hemingway, de Jessica. Un type assez grand était entré, suivi de toute une cour qui passait son temps à lui cirer les pompes. C'était Jean Prouvost. Il dirigeait *Paris-Soir*. Kessel, qui le connaissait bien, l'avait invité à prendre un verre. Simon avait continué à raconter des histoires sur les communistes et sur le POUM, sur le Mexique et sur l'Ethiopie. Prouvost avait rencontré Malraux, Hemingway, Corniglion-Molinier. Il n'était pas loin de s'imaginer qu'il avait rencontré Pancho Villa et Emiliano Zapata. Les aventures du Kid et cette façon de les ressortir d'un air absent et sans avoir l'air d'y toucher l'amusaient prodigieusement. Quand Simon évoqua le Grand Hôtel Colón et le bombardement de Barcelone à coups de miches de pain, Prouvost fut saisi d'une espèce d'enthousiasme.

– Vous avez le sens de la *story*, lui dit-il. La *story*, chez nous, c'est ce qui manque aux meilleurs. Ah! bien sûr, il y a Jef...

Il prenait Kessel par le cou en riant, il le secouait un peu, il lui donnait des bourrades.

– ... mais les autres n'ont aucune idée de ce que doit être une *story*. Vous savez, ajouta-t-il à l'intention de Simon, j'ai fait venir à *Paris-Soir* les plus grands écrivains. Il n'y a eu que Jef, qui est russe, pour comprendre la *story*. En Amérique, les écrivains ont la *story* dans le sang. Ici, il y a Jef. Ah!... peut-être aussi les Tharaud. Jérôme Tharaud est à l'Académie. Il faudrait bien que Jef aussi entre à l'Académie...

Jef faisait des grimaces affreuses dans le dos de Prouvost. Simon riait de bon cœur.

Jean Prouvost chassait, voyageait, courtisait les jeunes femmes, faisait du bateau et travaillait. Il avait pour principe de se coucher de bonne heure. En partant, il glissa à Simon :

– Venez me voir à *Paris-Soir*. J'aurai des choses à vous dire. Téléphonez-moi demain matin.

Simon Finkelstein n'avait rien de mieux à faire. Il téléphona. Quelques jours plus tard, il se rendait rue Réaumur où s'élevait l'immeuble flambant neuf de *Paris-Soir* dont les plans avaient été dressés dans le Nord du sucre, du papier et du textile. Il fut d'abord reçu par deux lieutenants de Prouvost qui se renvoyèrent le nouveau venu à la façon d'une balle de ping-pong. Le premier lieutenant était tout rond et il roulait les *r* si fort que Simon crut d'abord à une plaisanterie. Le second lieutenant était très chic, très élégant, plus réservé et caustique. Le premier s'appelait Gaston Bonheur. Il venait des Corbières, dans le Sud-Ouest profond. Le second s'appelait Hervé Mille. Il régnait sur Paris. Simon Finkelstein s'entendit bien avec eux.

– Eh bien, dit Bonheur, je crrrois que le moment est venu d'aller voirrr le Patrrron.

– Je le préviens, dit Hervé Mille.

Prouvost – que tout le monde dans la maison appelait Patron long comme le bras – reçut Simon

Finkelstein avec une extrême courtoisie. Il lui demanda ce qu'il avait lu.

– Presque rien, dit Finkelstein. Je ne suis pas très cultivé. *Le Capital* de Karl Marx...

– Je ne l'ai pas lu, dit Prouvost.

– ... *La Chartreuse de Parme, L'Espoir* de Malraux, *Le soleil se lève aussi* d'Hemingway...

– Vous êtes à gauche? demanda Prouvost.

– Je ne sais pas, dit Simon en riant. Plutôt. Je ne suis pas de droite.

– Ça ne fait rien, dit Prouvost. Les opinions des gens me sont indifférentes. Ce que j'aime, c'est le talent. Est-ce que vous parlez des langues étrangères?

– Je parle l'anglais, l'espagnol, le français. J'ai appris le russe et un peu d'allemand en Espagne : mon père était d'origine polonaise...

– Est-ce que ça vous intéresserait de partir pour la Russie?

– Pour quoi faire? demanda Simon naïvement.

– Pour en rapporter une *story*. On ne dit que des bêtises sur la Russie. Nous n'y comprenons rien. Je voudrais apprendre comment les gens vivent, ce qu'ils espèrent, comment Staline passe ses journées, ce que va faire Molotov, ce qu'est devenu Litvinov. Nous savons presque tout sur l'Allemagne. Hitler est un peintre autrichien. La femme de Ribbentrop est blonde. Elle s'appelle Anneliese Henckell. Elle est la fille du propriétaire du meilleur champagne d'Allemagne. Goebbels a une ribambelle d'enfants. Est-ce que Molotov est marié?

– Elle doit être moche, dit Simon.

– Tant pis pour vous, dit Prouvost. Peut-être a-t-il en revanche une secrétaire éblouissante?

Simon quitta Zagorsk à regret. Le calme, les chants, l'odeur d'encens lui avaient bien plu.

« Je dois vieillir », se dit-il.

En rentrant à Moscou, il regarda par la fenêtre ouverte de sa Zyss la foule des hommes et des femmes en train de revenir du travail. Elle lui parut accablée.

– Comment ça va pour vous ? demanda-t-il à son chauffeur. Vous êtes content de la vie ?

– Ça va, répondit l'autre avec un grand sourire. Nous construisons le socialisme.

A peine installé à l'hôtel – une grande bâtisse monumentale et sans grâce – il s'assit à la table de bois pour tracer en hâte quelques lignes. Il ne savait pas encore si elles étaient destinées à son article – après tout, il était là pour l'écrire – ou à une lettre pour Carlos Romero à qui il avait promis de réserver ses premières impressions d'envoyé spécial de *Paris-Soir*.

– Je veux savoir, lui avait dit Carlos, ce que pensera de Staline et du communisme stalinien un journaliste anarchiste, dépêché et payé par un des fleurons de notre capitalisme de presse.

Soyons juste, la foule n'a peut-être pas l'air plus gai à Paris, à Berlin ou à Londres. Capitalisme ou communisme, qui donc est enchanté de travailler en usine ou dans les bureaux, de s'abrutir dans le métro ou dans les autobus, de gagner sa vie à grand-peine ? Le moins qu'on puisse dire, en tout cas, c'est que ce n'est pas mieux ici. J'ai vu peu dc sourires, peu de jeunes femmes riantes. Les hommes donnent parfois l'impression d'être abrutis par l'alcool. Mais il faut se méfier des impressions : la plupart des récits de voyage sont des tissus d'âneries. Il faudra que je me renseigne sur la consommation de vodka. J'ai le sentiment que les femmes ont vu se réaliser ici la plus fondamentale de leurs revendications : elles travaillent autant et aussi dur que les hommes. Il doit y avoir, à Moscou, quelque chose d'aussi difficile à trouver qu'un millionnaire : c'est une jolie fille insouciante et très fraîche en train de rire aux éclats.

En me montrant la lettre de Simon – je me demande si la guerre avec l'Allemagne n'était pas déjà déclarée – Carlos, mi-figue, mi-raisin, me fit un bref commentaire un peu désabusé :

– Tu vois, le capitalisme se trompe rarement : il n'y a pas mieux qu'un anarchiste pour dire du mal du communisme.

A Arcy-sur-Cure (Yonne) – les départements, en ce temps-là, avaient encore leur saveur, leurs belles couleurs, leur sonorité inimitable, ils n'avaient pas battu en retraite devant l'envahissement des chiffres ni des ordinateurs et l'Yonne ne s'était pas transmuée en 89 pour le courrier et l'automobile ni, pour compliquer un peu des choses devenues, il est vrai, beaucoup plus simples, en 86 pour le téléphone – le jeune Jérôme Seignelay ne se tenait pas d'excitation. L'année dernière déjà, il avait béni les Allemands et leur truc des Sudètes. Comme il avait aimé ces journées d'angoisse où le temps semblait s'arrêter, où son père et sa mère étaient pendus à la T.S.F. et se jetaient sur les journaux! Jamais on n'avait vu à la maison – et surtout pendant les vacances – autant de *Matin*, de *Paris-Soir*, de *Figaro*, d'*Humanité*, de *Petit Pari-*

sien, de *Journal*. Lui, ce qu'il comprenait de plus clair, c'était que la rentrée était retardée.

C'était l'année de Munich. Il avait cru que ça y était. Il sortait de quatrième, au lycée de Dijon. Au cours de l'année scolaire 37-38, il avait eu le 1er prix de latin, le 2e prix de grec, le 1er prix de français, le 1er prix d'histoire. Il n'y avait qu'en physique et en sciences naturelles que ses résultats étaient vraiment faibles. Le prof de sciences nat avait fait l'impossible pour l'empêcher d'avoir le prix d'excellence. Il l'avait eu tout de même. Du coup, ses parents s'étaient saignés aux quatre veines pour l'envoyer à Paris. Au lycée Louis-le-Grand, s'il vous plaît. L'un des meilleurs de la capitale. Et peut-être le meilleur. Le père de Jérôme était postier à Dijon. Il avait fait exprès le voyage de Paris avec son fils et ils étaient allés tous les deux, en train, rendre visite au proviseur de Louis-le-Grand. C'était une entreprise assez intimidante. Quand il avait vu les notes de Jérôme, le proviseur avait hoché la tête et il avait dit :

– Je crois que ça ira.

Il avait prononcé ensuite plusieurs mots incompréhensibles – quelque chose comme *cagne* ou *cagneux* – et il avait parlé d'une Ecole normale supérieure, de l'autre côté du Panthéon. Ni Jérôme, bien entendu, ni son père n'avaient osé demander ce que signifiaient ces mystères. Le proviseur – son nom semblait relever d'une forme de secret d'Etat : le concierge à l'entrée et la secrétaire à sa porte ne l'avaient jamais évoqué autrement que comme « Monsieur le Proviseur » – leur demanda si Jérôme serait externe ou interne.

– Je ne sais pas, dit M. Seignelay en triturant la casquette qu'il avait emportée pour plus de sûreté.

– Connaissez-vous quelqu'un à Paris, demanda le proviseur avec bonté, qui pourrait l'accueillir?

– Il y a bien la tante Germaine, dit M. Seignelay après une longue et douloureuse réflexion.

– Où habite-t-elle? demanda le proviseur.

– A La Varenne-Saint-Hilaire, répondit M. Seignelay.

– C'est bien loin, dit le proviseur. Il pourrait loger ici. Ce serait plus commode pour lui.

Et le proviseur indiqua à M. Seignelay la voie à suivre pour obtenir la bourse que les résultats du jeune garçon, joints aux ressources assez faibles de son père, justifiaient amplement.

C'est ainsi que se décida, en quelques mots très brefs, le sort de Jérôme Seignelay qui n'avait pas douze ans et qui eut un peu de mal à étouffer ses larmes devant la perspective de quitter Dijon, son papa, sa maman, sa grande sœur Catherine, sa petite sœur Huguette, pour cette immense bâtisse qui ressemblait à une caserne. Le proviseur n'était pas un méchant homme. Il s'aperçut du trouble de l'enfant. Il lui mit la main sur l'épaule.

– Tu sais, lui dit-il, nous ne sommes plus à l'époque où les internes du lycée étaient réveillés à 5 heures du matin par des roulements de tambour.

Cette seule idée, même écartée, fit fondre Jérôme en larmes. M. Seignelay père ne savait plus où se mettre.

Tout l'été 38, dans la petite maison de la grand-mère, près du chemin de fer, à Arcy-sur-Cure, avait été empoisonné par le cauchemar du départ pour la capitale et de l'installation à Louis-le-Grand. Jusqu'au moment où, acclamés par la foule émerveillée des étudiants et des écoliers, les Sudètes firent leur entrée triomphale dans tous les villages de France. Ni Jérôme ni son père n'avaient la moindre idée de ce que pouvaient bien être les Sudètes.

– Ça recommence comme au mois de mars, dit sobrement M. Seignelay.

En mars 38, les choses au moins avaient été claires : l'armée allemande – la « Vairmache », disait M. Seignelay, ancien combattant de Verdun et du Chemin des Dames – s'était emparée de l'Autriche et avait défilé sur les boulevards de Vienne. C'était l'époque où Jérôme accumulait à Dijon les lauriers en français et en histoire et se faisait un ennemi du sale prof de sciences nat. Bien des années plus tard, il se souvenait encore d'un exemplaire de *Paris-Soir* qui avait longtemps traîné à la maison et où figuraient des photos de l'entrée des Allemands dans la capitale de l'Autriche. Il avait rêvé sur l'une d'elles où l'on voyait un cortège de voitures décapotales – des *Mercedes-Benz,* disait M. Seignelay – pleines à craquer de dignitaires en uniforme hitlérien et d'officiers aux larges revers, en train de se frayer un passage parmi les croix gammées. Dans la dernière automobile, il y avait une jeune femme blonde aux côtés d'un civil – « la belle inconnue de Vienne », disait la légende de *Paris-Soir.* C'était Vanessa O'Shaughnessy, amoureuse de Rudolf Hess. Et le civil, quelques-uns d'entre vous s'en souviennent peut-être encore, c'était moi.

En septembre 38, personne n'y comprenait plus rien. Hitler exagérait. Il s'était emparé de l'Autriche, passe encore. Les Autrichiens, après tout, parlaient allemand comme les Allemands et s'ils voulaient devenir nazis, grand bien leur fasse : c'était à eux de décider de leur sort. Mais l'affaire des Sudètes, avec des tas de noms inconnus, plus imprononçables les uns que les autres, c'était une autre paire de manches. Des sentiments divers agitaient Arcy-sur-Cure, comme l'ensemble, je crois, des villages français. L'indignation, d'abord, contre la brutalité des nazis. Et puis la volonté de préserver la paix. A n'importe quel prix. Ou presque à n'importe quel prix. Toute la politique de Daladier et de la France et des démocraties libérales tournait autour de ce *presque.*

Ce qu'il y avait de plus clair pour Jérôme dans le problème embrouillé des Sudètes, c'est que la rentrée était retardée. Autant de gagné sur l'installation tant redoutée dans la caserne de la rue Saint-Jacques. Jérôme Seignelay, à onze ans, ou à douze, n'avait pas une sympathie particulière pour Hitler ni pour le national-socialisme dont les fondements historiques et la philosophie lui échappaient un peu. Il nourrissait pour eux de la gratitude et de l'indulgence parce qu'ils avaient réussi ce miracle de prolonger les vacances d'été. L'annonce de l'accord de Munich fut une rude déception. Jérôme avait espéré secrètement que les choses ne s'arrangeraient pas, que le lycée Louis-le-Grand serait fermé par les Sudètes et qu'il serait contraint par l'histoire à rester chez sa mère, dans la maison si fraîche près de la gare d'Arcy-sur-Cure.

La rentrée de 38 se fit au mois de septembre avec quelques jours de retard. Entre-temps, Daladier, de retour de Munich où il avait été passer un bref séjour en compagnie d'Adolf Hitler, de Benito Mussolini et de son ami Neville Chamberlain, avait été accueilli à sa descente d'avion par des milliers de Parisiens positivement enchantés d'avoir été bernés et qui acclamaient en même temps la paix heureusement préservée, leur défaite collective et un homme politique dont la médiocrité avait assuré la carrière.

Escorté par sa tante Germaine chez qui il avait passé deux nuits à La Varenne-Saint-Hilaire,

Jérôme arriva, éperdu, dans la prison de la rue Saint-Jacques. On lui attribua un lit dans le dortoir, on lui donna une blouse grise. Il ne mit pas longtemps à dénicher une de ces pièces d'étoffe cousues en forme de portefeuille ou de cartable et qu'on appelait un sous-cul : on y glissait ses livres pour aller d'une salle à l'autre et on s'asseyait dessus pendant les cours et les études.

La nourriture du réfectoire était abondante et infecte. Jérôme était jeune : il avait bon appétit. Le lit était défoncé et il y avait dans le dortoir, pendant la nuit, un va-et-vient presque permanent et un vacarme qui ne cessait guère. Mais Jérôme avait douze ans et il dormait comme une souche. Deux jours plus tard, ce fut la vraie rentrée des classes : les professeurs arrivaient.

Le plus important, pour Jérôme, était le professeur de français. Il s'appelait M. Richardot. C'était un homme plutôt corpulent, aux longs cheveux, au regard doux. Il enthousiasma le jeune Seignelay. En quatrième, au lycée de Dijon, le professeur de français distribuait des dissertations sur la correspondance familiale de Mme de Sévigné, sur *La Petite Fadette* ou *François le Champi* de George Sand, sur le parallèle entre Corneille et Racine. Jérôme avait un heureux naturel : la lecture de George Sand et de la marquise de Sévigné l'amusait à la folie et un dialogue aux enfers entre la sœur des Horaces et le fils d'Andromaque lui avait valu un 19 sur 20 dont on n'avait pas fini de parler dans les bistrots autour du lycée à l'heure du cassis-vin blanc et des tournées de pommard ou de nuits-saint-georges. Mais Richardot, c'était autre chose. Le premier jour, il parla de l'amour de la littérature, de Gide, d'Aragon, des surréalistes, de Chateaubriand et de Rabelais. On allait à ses cours comme au cinéma. On riait, on était ému, on voulait savoir la suite et la fin. Jérôme voua aussitôt une espèce de culte à Richardot.

Le professeur d'histoire à Louis-le-Grand, au cours de l'année scolaire 38-39, était bien différent. Plutôt petit, toujours tiré à quatre épingles, vêtu souvent d'un manteau bleu foncé et d'un costume croisé de la même couleur, les cheveux noirs coiffés avec soin et séparés par une raie, il avait surtout une caractéristique assez frappante : une voix métallique et un peu nasale dont il se servait à merveille pour frapper des phrases, le plus souvent mystérieuses et obscures, en forme de proverbes ou de sentences. Jérôme et ses camarades ne mirent pas longtemps à découvrir qu'il écrivait régulièrement dans un journal qui s'appelait *L'Aube* et qu'il y attaquait avec violence les accords de Munich. Un jour, par bravade ou par flatterie, pour montrer surtout qu'on pouvait venir d'Arcy-sur-Cure et être au courant des rumeurs de la capitale, Jérôme déplia *L'Aube* avec affectation au premier rang de la classe. Le professeur dit seulement : « Je vous en prie... », d'un ton sec et poursuivit son cours sur la Renaissance italienne ou sur les guerres de Religion.

Il s'appelait Georges Bidault.

L'année d'après, en août 39, Jérôme était de retour dans la maison d'Arcy-sur-Cure. Il avait à peine treize ans. Il entrait en seconde A – latin-grec. La concurrence était rude – autrement rude qu'à Dijon. Il avait cessé à Louis-le-Grand d'être le premier partout, mais il se défendait encore assez bien contre les Parisiens. Il se demanda si le coup des Sudètes et de Munich allait recommencer avec Dantzig et avec la Pologne. Les choses se passèrent même mieux que prévu et ne s'arrêtèrent pas à mi-chemin : cette fois-ci, ce fut la guerre. La rentrée se fit tout de même. Pour un esprit vif et curieux comme celui de Jérôme et qui ne détestait pas le parfum un peu âcre des catastrophes, elle était plus excitante que celle de l'année passée.

Agustin Romero courait maintenant pour Mercedes et, à Monaco, au Mans, à Nuremberg, à Indianapolis, il remportait succès sur succès. Il était devenu une des figures mythiques des temps modernes et il mettait sa célébrité au service de ce qu'il appelait drôlement « l'internationale restreinte du nationalisme intégral ». Il s'était lié avec Doriot, avec Déat, avec Brasillach en France, avec Degrelle en Belgique et, bien entendu, avec Mosley en Angleterre.

Mosley, vague parent des Landsdown, était le chef un peu paradoxal des fascistes anglais. Il les affublait d'un uniforme et il défilait avec eux, au son des fifres et des tambours, dans les villes démocratiques et dans les bourgs conservateurs de la vieille Angleterre. Il n'avait pas tardé, du même coup, à devenir l'idole de Vanessa. A plusieurs reprises, un peu plus tard, Winston Churchill allait être amené à inculper Mosley et à l'emprisonner. Chaque fois, il voyait, avec une régularité de métronome, Vanessa et Agustin se précipiter dans son bureau.

– Bon! disait Churchill, vous venez prendre des nouvelles de votre ami Mosley?

– Nous venons demander sa libération, disait fermement Agustin.

– Je l'arrête parce qu'il est dangereux et parce qu'il menace gravement l'effort de guerre de ce pays et ses libertés fondamentales.

– Oncle Winston! s'écria Vanessa, comment

pouvez-vous défendre la liberté en emprisonnant un citoyen anglais et un sujet britannique *(a British Subject and an English Citizen)*!

– Dans la situation où nous nous trouvons, répondait la face de bouledogue en mâchonnant le cigare qu'elle s'était empressée d'allumer pour aborder, presque en famille, un problème si brûlant, ma devise est celle de Saint-Just : Pas de liberté pour les ennemis de la liberté.

– Est-ce que vous ne risquez pas, suggérait Agustin, d'adopter les méthodes de ceux que vous combattez ?

– *Well!* Je préférerais que ce soit eux qui adoptent les miennes. Mais, puisque je sais qu'il n'y a aucune chance de les voir se rallier à la solution raisonnable qui consiste à me ressembler, je prends tous les moyens à ma disposition pour empêcher la force de l'emporter sur le droit et sur la liberté.

– Le droit, c'est vous, oncle Winston? demandait Vanessa.

– *Yes, my dear. It's me.* Le droit, c'est moi. Et, si possible, la force aussi.

Vanessa et Agustin allaient voir Mosley dans sa cellule – qui n'était pas tout à fait inconfortable – et ils lui apportaient du cake et du chocolat.

Comme Pandora me l'avait écrit, le pacte germano-soviétique avait secoué Vanessa, et plus encore Agustin. Ils étaient en Allemagne, l'un et l'autre, à la fin du mois d'août. Vanessa avait été passer quelques jours sur les lacs de Bavière, en principe chez les Tipnitz, en réalité pour retrouver Rudolf Hess. Elle le rencontrait entre deux avions, avant ou après des réunions du parti ou des manifestations de propagande, et ils passaient ensemble quelques heures et parfois une nuit entière. J'ai souvent parlé, à cette époque ou plus tard, avec Carlos ou Agustin, avec Pandora surtout, de ces étranges relations entre Vanessa, qui avait alors vingt ou vingt et un ans, et le chef hitlérien. Beaucoup d'hypothèses très différentes pouvaient être envisagées. Rudolf Hess, confident très proche de Hitler, savait tout naturellement que la guerre était inévitable, ou au moins très probable. Il était permis d'imaginer qu'il cultivait et entretenait avec soin un agent qui pouvait se révéler très utile à la cause du nazisme. Il ne manque pas de témoins de l'époque ni même d'historiens de la Seconde Guerre mondiale – américains, en général – pour inverser le problème et pour soutenir que Vanessa était un agent britannique chargé d'infiltrer, à travers Rudolf Hess, le haut dispositif allemand. L'hypothèse est séduisante et il est aisé de distinguer les différents éléments qui lui ont donné naissance. L'invraisemblance de la situation, qui semble sortir d'un roman, la suite des événements, les rapports étroits de Vanessa avec Winston Churchill, jusqu'au physique de la jeune Anglaise et peut-être aussi le désir de la justifier ont pu accréditer l'idée d'une mission qui lui aurait été confiée par les services secrets britanniques. Je suis mieux placé que personne – et c'est un des motifs, parmi d'autres, qui m'ont poussé à écrire ces souvenirs – pour préciser ce point d'histoire. Il est vrai que Vanessa tenait une place – minuscule – sur l'immense échiquier où pendant cinq ou six années interminables Winston Churchill a disposé ses pions, ses cavaliers et ses fous. Mais c'était bien malgré elle. Je détesterais me mettre en avant dans cette biographie collective des quatre sœurs O'Shaughnessy et des quatre frères Romero, mais, si Vanessa a pu jouer un rôle dans les calculs de sir Winston, ce n'est guère qu'à travers moi qu'il avait attaché, comme on le sait, aux pas de la jeune fille. Et je me suis toujours efforcé d'être loyal à la fois – et ce n'était pas toujours commode – à l'amitié de Vanessa et à la confiance de sir Winston. J'en sais assez, je crois, pour être en mesure d'affirmer, contrairement aux hypothèses d'un Herbert P. Laxton ou aux fabulations romancées de Ludless, que la troisième des O'Shaughnessy n'était ni un espion ni même un agent d'influence ou de renseignement au service de Sa Majesté. Je crois très simplement que c'était une femme amoureuse. Par ce qu'on pourrait appeler une malchance historique, elle était tombée amoureuse d'un des dirigeants d'une conspiration impitoyable contre l'humanité. Que l'idée soit venue au chef hitlérien de se servir de la jeune fille à des fins politiques, rien de plus vraisemblable. Mais je reste persuadé – et l'avenir le montrera – que Rudolf Hess était épris de Vanessa au moins autant que Vanessa, par aberration peut-être, était éprise de lui. J'ai bien connu Vanessa, et j'ai bien connu ses sœurs. Croyez-moi : il n'y avait pas à se forcer pour tomber sous leur charme.

C'est au cours de ce séjour en Allemagne vers la fin de l'été 39 que Rudolf Hess proposa à Vanessa de passer la journée avec lui au nid d'aigle de Berchtesgaden. L'idée d'une excursion dans ces hautes Alpes qu'elle aimait la séduisit aussitôt.

– Mais quelle chance ! Partons tout de suite.

– Nous ne serons pas seuls, dit Hess.

– Ah !... dit Vanessa.

– Il y aura Eva Braun.

– Je l'aime beaucoup, dit Vanessa.

A plusieurs reprises déjà, au cours des années écoulées, grâce aux Tipnitz d'abord, à Rudolf Hess ensuite, Vanessa avait rencontré, en Bavière ou à Berlin, la maîtresse de Hitler. C'était une jeune femme plutôt plaisante. Elle s'était donnée sans réserve au maître de l'Allemagne. Vanessa s'entendait assez bien avec elle. Dans les salons de thé ou les brasseries de Berlin ou de Munich, elles parlaient d'Adolf et de Rudolf comme la Dame aux camélias ou Mimi, dans *la Bohème*, parlaient, en d'autres temps, d'Armand Duval ou de Rodolphe.

– Il y aura encore d'autres personnes, dit Rudolf.

– Qui cela? demanda Vanessa.

– Presque tout le monde. Goering, Goebbels, Himmler, Baldur von Schirach...

– Et Hitler? demanda Vanessa.

– Oui. Peut-être Hitler.

– Eh bien!... dit Vanessa.

Depuis le premier discours du chancelier du Reich, qu'elle avait entendu, retransmis par la T.S.F., chez les Tipnitz en 34, elle avait aperçu trois ou quatre fois celui qui était devenu le Führer. Il lui faisait un peu peur. Sous une apparence banale et presque un peu ridicule qui devait être immortalisée deux fois, d'abord par lui-même dans le tragique de l'histoire et ensuite par Chaplin sur le mode du comique et de la caricature, Hitler exerçait sur ceux qui l'approchaient une sorte de fascination aux limites de l'angoisse. Il est très difficile de savoir si les sentiments qu'il inspirait étaient dus à sa réputation ou si sa réputation venait au contraire des sentiments qu'il inspirait. Dans les années d'avant-guerre, et même au début de la guerre, tout ce que nous avons appris ensuite sur les camps de concentration et sur les méthodes d'extermination des nazis n'était encore connu que d'un tout petit nombre d'initiés. Chacun savait, naturellement, que les juifs étaient persécutés, que l'opposition de gauche avait été réduite au silence, que les *SA* de Roehm – qui n'étaient pas des anges – avaient été massacrés par les *SS* de Hitler vers la fin de juin 34, à Bad Wiesse, sur les bords du

Tegernsee, que les scrupules n'étouffaient pas les nazis et que tous les moyens leur étaient bons, y compris le chantage et l'assassinat. Mais l'étendue de leurs crimes était encore inconnue. Le malaise qui s'emparait des interlocuteurs de Hitler avait moins sa source dans le savoir que dans la suspicion. Une atmosphère de terreur entourait le Führer. L'Etat, en Allemagne, était aux mains d'un chef de bande.

Ce chef de bande était arrivé au pouvoir par une succession de coups de force. Mais aussi, et peut-être surtout, par la confiance populaire. Le national-socialisme, en ce sens, porte condamnation de la dictature, puisqu'il est d'abord l'exaltation du pouvoir personnel et du totalitarisme, mais aussi, et tout autant, de la démocratie puisque le soutien populaire n'a jamais fait défaut aux dirigeants du IIIe Reich. Il serait bien intéressant de chercher les motifs de cette approbation. On les trouvera sans doute dans le chômage, dans l'inflation galopante, dans l'humiliation nationale, dans le désespoir de tout un peuple. Une fois le pouvoir conquis en 1933, il est confisqué pour toujours – jusqu'à la catastrophe finale. Les consultations électorales sont supprimées. Mais il est douteux que l'adhésion nationale ait jamais fait défaut à Hitler. La succession de crimes à laquelle il s'est livré contre le droit national et international soulevait plutôt l'enthousiasme de la nation allemande que sa réprobation. Il y avait enfin du travail pour tous dans les usines d'armement. Le mark était enfin solide grâce aux remèdes du docteur Schacht. Prenant enfin sa revanche sur un traité de Versailles trop faible pour ce qu'il avait de dur, trop dur pour ce qu'il avait de faible, la diplomatie allemande triomphait grâce à Ribbentrop et à Papen, grâce surtout au chantage exercé sur les démocraties libérales, désespérément attachées à la satisfaction immédiate de leurs rêves de bonheur et de paix. L'Etat prussien cher à Fichte, à Hegel, à Bismarck trouvait son achèvement et son triomphe dans la police secrète d'Etat – *Geheime Staatspolizei* ou *Gestapo* – aux ordres d'un petit groupe d'hommes qui avait introduit les mœurs de la Mafia dans les rouages de l'Etat. Pour des motifs différents et parallèles, la grande industrie, l'armée, la haute administration, le peuple étaient réduits à l'obéissance et à la servitude volontaire. En quelque cinq ou six ans, et pour encore cinq ou six ans de victoires fantastiques et de désastres sans précédent, Hitler avait fait surgir de l'échec provoqué de la démocratie un totalitarisme absolu qui chantait les forces de la vie et qui avait des liens encore secrets avec la mort.

Vanessa, bien entendu, ne savait rien de tout cela. Elle avait été mêlée malgré elle au massacre des *SA*, mais elle n'avait rien vu des corps ensanglantés jetés les uns contre les autres dans la douce lumière des débuts de l'été, sur les bords ravissants et si paisibles du Tegernsee. Elle était soûlée par Rudolf Hess de litanies antisémites, mais l'hostilité aux juifs était aussi répandue dans son propre milieu que les alliances avec eux. Après tout, ni elle, ni ses sœurs – à l'exception peut-être de Jessica – ni ses parents, ni le charmant Geoffrey Lennon, qui avait épousé successivement Jessica puis Atalanta, ni même le cher oncle Winston ne s'interdisaient les histoires juives devant les Romero qui étaient à moitié juifs ou les Finkelstein qui l'étaient plus qu'à moitié.

– Même les juifs que je connais, disait Vanessa à Rudolf Hess, sont souvent antisémites.

– Ah! tu vois! triomphait Rudolf Hess.

– Mais je me demande si ce n'est pas, ajoutait

Vanessa d'un ton rêveur et pour agacer son amant, parce qu'ils sont tellement, tellement plus intelligents que les autres.

Chacun ne voit jamais dans le monde que ce qu'il veut y voir. L'idée que les discours enflammés de Hitler ou de Goebbels ou de Himmler contre les juifs pouvaient aboutir à des torrents de sang ne traversait pas l'esprit léger de Vanessa. On commence à le savoir : j'aimais les sœurs O'Shaughnessy. Une bonne partie de leur charme, et peut-être l'essentiel, venait de cette capacité, si éminemment aristocratique, de traverser l'enfer dans des gondoles délicieuses en buvant un peu de champagne et en faisant des bons mots. La médaille, bien entendu, avait aussi son revers. Je comprends fort bien que ce détachement insolent, cette désinvolture devant le malheur – celui des autres, peut-être, mais surtout le sien propre – cette sorte d'indifférence, qui pour être passionnée restait toujours un peu distante sous l'extrême raffinement et sous des manières si extraordinairement naturelles, puissent irriter certains et même les exaspérer. À la différence de Jessica, et peut-être de Pandora, je n'ai jamais prétendu que Vanessa brillât par l'intelligence. Elle brillait de beaucoup de façons. Non, sans doute, par la profondeur, par la subtilité politique, par la logique, par la morale. Devant Hitler, elle ne pensait à rien. Elle éprouvait un malaise. Elle le dissimulait en partie à cause de son amant. Elle ne se privait pourtant pas d'en parler à mots couverts avec lui.

– Il me fait un peu peur, lui disait-elle.

– Aux autres aussi, grâce à Dieu. Et beaucoup plus qu'un peu, répondait Rudolf Hess.

– Et à toi ?

– C'est mon chef.

Et Rudolf Hess se lançait dans une de ces

professions de foi interminables qui prenaient des allures de justification et où il arrivait à Vanessa de discerner avec effroi une violence pathologique.

– Lui aussi, me disait-elle à Glangowness ou à Paris lorsque nous parlions ensemble de Rudolf Hess, il me fait parfois peur. Tout à coup, il se met à parler, à parler, il se laisse aller à l'exaltation, on dirait qu'il ne se contrôle plus, on se demande s'il a bu, s'il est sous l'empire d'une drogue. Souvent aussi, il se tait. Pendant des heures. Pendant des jours. Quelque chose bout en lui. Je me dis qu'il est capable de faire n'importe quoi.

– Peut-être, suggérais-je avec un peu d'espoir et en pensant à l'oncle Winston, peut-être ne l'aimes-tu plus ?

– Tu sais, me répondait-elle avec un sourire irrésistible, il n'est pas impossible que ce soit lui, maintenant, qui tienne le plus à moi.

Pendant toute la journée de Berchtesgaden, Hitler avait été très aimable à l'égard de Vanessa. Il lui avait parlé à plusieurs reprises, il s'était occupé d'elle, il l'avait associée à Eva Braun en leur conseillant de rester ensemble quelques jours en Bavière. Rudolf Hess, au contraire, s'était montré nerveux et brusque. Vanessa, en privé, lorsqu'ils redescendirent vers Munich, se plaignit discrètement et lui reprocha son attitude.

– Je crois que tu ne comprends pas bien, lui dit Rudolf, ce qui est en train de se passer.

– Que se passe-t-il donc de si grave ? demanda Vanessa en s'attendant à une de ces scènes de violence ou d'exaltation dont il était coutumier.

– Il se passe, dit Rudolf Hess de la voix la plus calme, que nous ne nous verrons plus.

– Ne plus nous voir ! cria Vanessa en se jetant contre lui. Mais pourquoi ? pourquoi ?

– Parce qu'il va y avoir la guerre, dit Rudolf très doucement en la prenant dans ses bras.

La guerre et la paix étaient au centre de la réunion à laquelle Agustin participait dans un vaste hôtel, réquisitionné pour la circonstance, au cœur de la Forêt-Noire. Il y avait là des intellectuels, des journalistes, des artistes, des sportifs venus de tous les coins de l'Europe. Brasillach représentait la France et Agustin l'Angleterre. La rencontre était placée sous le signe du paradoxe : non seulement des nationalistes affichés venaient prêter allégeance à un nationalisme étranger et ouvertement conquérant, comme si la pure forme du nationalisme l'emportait sur son sens et sur sa raison d'être, mais encore la paix était célébrée par des hommes qui avaient mis la guerre au premier rang de leurs valeurs. C'est qu'il s'agissait de renforcer le national-socialisme aux dépens de la démocratie et de permettre à la dictature totalitaire de pousser son avance aussi loin que possible. Avec ses lunettes rondes et son air de collégien ahuri et farceur, Robert Brasillach déployait dans cet exercice un talent délicieux. Il mettait partout une vie, une gaieté, une intelligence peuplées de ses partis pris et de ses idées fixes. Agustin s'entendit à merveille avec lui. Ils s'entretenaient en français et discutaient des heures en se promenant tous les deux sous les grands arbres de la Forêt-Noire.

– C'est notre dernière chance, disait Brasillach, de sauver notre vieille Europe et de construire du neuf avec de l'ancien. Nous sommes des traditionalistes qui voulons faire une révolution. Si nous échouons, l'Europe sera divisée, en miettes, à la dérive, et le communisme la dominera.

– Mais est-ce que nous avons les moyens de réussir? demandait Agustin d'une voix inquiète et passionnée en marchant à ses côtés comme le disciple attaché à son maître.

– Bien sûr que oui! répondait Brasillach avec un enthousiasme communicatif. Nous triomphons en Espagne, nous triomphons en Italie, nous triomphons en Allemagne. Nous sommes alliés au Japon, si puissant, si riche d'avenir. Qu'avons-nous en face de nous? C'est dur à avouer : pas nous. Je veux dire qu'en face de nous, fascistes, nos gouvernements misérables sont très loin de faire le poids. En face du fascisme il y a le communisme, et rien d'autre. Ni l'Angleterre ni la France. Les démocraties ne comptent pas : elles sont trop faibles. Ce sera le communisme ou le fascisme. Je préfère le fascisme.

– Et le pacte germano-soviétique?

– Une farce, bien entendu. Et de part et d'autre. Vous savez bien que toute l'affaire se jouera entre communisme et fascisme.

– Ne craignez-vous pas que la nouvelle Europe ne soit dominée par l'Allemagne de Hitler et que l'Angleterre et la France n'y tiennent une place secondaire?

– C'est toute la question. Nous devons nous porter à la tête de la révolution fasciste pour qu'elle soit notre œuvre autant que celle des Allemands. Il y a des gens en France qui s'imaginent que je suis un traître au service de Hitler comme il y a des gens en Angleterre qui accusent Mosley de trahison. Nous risquerons de passer pour des traîtres jusqu'à ce que l'histoire nous rattrape et qu'elle nous donne raison. C'est parce que j'ai l'audace d'être le rival de Hitler que je ne suis pas son ennemi. Mon ambition est d'appliquer à la France les méthodes fascistes qui ont fait la force de l'Allemagne et de l'Italie. Elles ont tiré l'Allemagne de l'abîme, elles ont transfiguré l'Italie. Elles débarrasseront la France du radical-socialisme et de la franc-maçonnerie, de la social-démocratie avec ses juifs professionnels, elles lui rendront son visage, couvert de tant de souillures.

Ainsi, vers la fin d'août 39, dans la patrie de Goethe, de Heine, de Beethoven, de Hegel et de Nietzsche, et du national-socialisme, rêvaient d'un avenir rayonnant mais encore traversé Vanessa O'Shaughnessy et son amant allemand, Agustin Romero et son ami français. Les camps de concentration se remplissaient peu à peu de juifs, de communistes, de tsiganes, d'homosexuels, de catholiques aussi, et de sociaux-démocrates.

Simon Finkelstein n'eut pas longtemps à attendre. A sa grande surprise, le camarade ministre Viatcheslav Mikhaïlovitch Molotov le reçut presque aussitôt. Il avait eu moins de chance avec Litvinov : de toute évidence, le ministre limogé n'avait pas envie de donner son avis sur l'action de son successeur – ou d'autres, peut-être, ne souhaitaient pas qu'il le donnât.

Molotov était assis sous deux portraits géants, rigoureusement de la même taille, de Lénine et de Staline – l'intellectuel révolutionnaire à la barbiche conquérante, aux hautes pommettes de Kalmouk; le séminariste géorgien aux yeux vifs et rusés dans un visage massif. Molotov, une traductrice à ses côtés, entra d'emblée dans le vif du sujet :

– Nous défendons la paix. Nous n'avons jamais

rien fait d'autre que de défendre la paix. Le socialisme, c'est la paix.

Simon Finkelstein écoutait avec plaisir les sonorités retrouvées de cette belle langue russe qu'il avait toujours aimée et où le mot *mir* – la paix – revenait comme un refrain. Il décida d'attaquer sans attendre et de passer à la vitesse supérieure :

– N'y a-t-il pas une contradiction à vouloir défendre la paix en signant un accord avec la nation la plus militariste, la plus belliciste du monde, celle qui a foulé aux pieds tous les traités qui assuraient la paix en Europe ?

Molotov respira un grand coup et se pencha en avant. « Il doit me trouver mal élevé », pensa Simon très vite. Cette idée l'amusa.

– *Gospodin* Finkelstein, vous représentez un grand journal capitaliste qui n'a jamais cessé d'attaquer le communisme et l'Union soviétique. Ce que nous avons accompli dans ce pays est un modèle et un espoir pour tous les travailleurs du monde. Nous avons plus fait avancer l'égalité et la justice en vingt ans de révolution socialiste que tous les autres pendant des siècles. Est-ce que vous avez jamais dit un mot à vos lecteurs de ces réalisations et de ces espérances ? Elles font de l'URSS la patrie des savants, des artistes, des intellectuels, de tous ceux qui pensent d'abord à l'avenir de l'homme et qui lui donnent le pas sur l'égoïsme petit-bourgeois des intérêts particuliers.

– Ce n'est pas la question..., dit Simon.

– C'est tout à fait la question, dit Molotov. Ne croyez pas que nous ignorions complètement ce qui se passe chez vous. Le national-socialisme fait peur à la bourgeoisie française, comme à la bourgeoisie anglaise. Mais il ne manque pas de voix, chez vous, pour chanter les louanges d'une dictature anticommuniste. Elles ne détesteraient pas, vos bourgeoisies aux abois, voir s'affronter le communisme et le national-socialisme. Croyez-vous que nous ne le sachions pas et que nous soyons disposés à tirer les marrons du feu au bénéfice du capitalisme ?

– On peut accuser les démocraties d'être hésitantes et faibles. On ne peut pas les accuser d'être complices.

– Au-delà d'une certaine limite, la faiblesse est une indulgence. Au-delà d'une certaine limite, l'indulgence est déjà une complicité objective. Il faut que vous disiez à vos lecteurs que le pacte germano-soviétique a été rendu inévitable par les accords de Munich auxquels l'URSS n'a pas pris la moindre part. Le capitalisme s'est imaginé que le communisme allait lui servir de police supplétive contre les menaces du fascisme. Comment voulez-vous que ce ne soit pas une illusion ? Il faut regarder les choses en face. Vous ne le faites pas. Nous le faisons.

– Le pacte germano-soviétique marque-t-il le début d'un nouvel équilibre en Europe ?

– Il exprime d'abord notre volonté de paix. Nous croyons que la guerre est toujours la pire des solutions. Nous n'avons jamais porté la guerre nulle part. Nous n'avons jamais fait que nous défendre. Contre qui ? Contre vous. C'est vous, les démocraties capitalistes, dominées par les banques et par les grandes affaires dont vos journaux sont l'instrument, qui avez essayé de détruire le communisme en lançant les armées blanches des contre-révolutionnaires contre notre armée rouge. Vous n'avez pas réussi. Nous vous soupçonnons de souhaiter en secret que le national-socialisme et le communisme soviétique se détruisent mutuellement. C'est pour déjouer cette manœuvre que nous avons signé le pacte avec l'Allemagne. Il ne s'agit pas d'une alliance militaire, comme certains essaient de le faire croire. Il s'agit de sauver la paix.

– Est-ce qu'il ne s'agit pas plutôt d'un encouragement à Hitler ?

– Monsieur Finkelstein, je crois savoir que vous vous êtes battu en Espagne aux côtés des républicains ?

– C'est exact, dit Simon, sans souffler mot du POUM ni des anarchistes et en se retenant d'ajouter : « Est-ce que vous me le reprocheriez, par hasard ? »

– Eh bien, nous aussi, en Espagne, nous avons essayé de défendre par les armes la paix, la liberté, le droit. Qu'est-ce que faisaient, pendant ce temps-là, les socialistes français, les démocrates britanniques ? Vous le savez mieux que moi : ils hésitaient, ils tergiversaient. Nous n'hésitons jamais. Nous ne tergiversons jamais. Nous n'avons pas aimé les accords de Munich. Nous en tirons les conclusions. Nous n'avions pas confiance en M. Léon Blum qui gérait en socialiste les intérêts de la bourgeoisie capitaliste. Nous n'avons pas confiance en M. Daladier qui met les communistes en prison au lieu de constituer avec eux un front de progrès social. Que voulez-vous que nous fassions ? Nous sauvons la paix que vous compromettez ?

– Quelles vont être, à votre avis, les conséquences du pacte germano-soviétique ?

– Je vous l'ai dit, je vous le répète : dans les limites de son influence, l'URSS fait ce qu'elle peut pour assurer la paix.

– Est-ce que vos paroles signifient que vous maintenez la paix à l'Est et que vous vous lavez les mains de ce qui se passe à l'Ouest ?

Le ministre se leva. L'entretien était terminé.

– L'URSS, dit encore Molotov, est une grande puissance mondiale. Rien de ce qui se passe dans le monde ne lui est indifférent. D'un bout de l'univers à l'autre, les travailleurs regardent vers elle. Que vous le vouliez ou non, nous sommes l'espoir des masses. Mais nous sommes aussi réalistes. Nous ne pouvons pas nous mettre à la place des démocraties capitalistes qui nous rejettent et nous combattent. Notre premier devoir est de préserver les chances de la patrie du socialisme.

Simon salua le ministre et le remercia. En se retirant, il ajouta :

– Vous m'avez beaucoup éclairé. Vous ne m'avez pas rassuré. Même si je comprends mieux les raisons de votre action, les conséquences n'en sont pas effacées : grâce au pacte germano-soviétique qui le garantit à l'Est, Hitler a les mains libres à l'Ouest.

– Monsieur Finkelstein..., dit Molotov.

– Oui ? dit Simon, en train de passer la porte.

– Vous êtes juif, n'est-ce pas ?

– Oui, dit Simon. Je suis juif.

– Il y a un proverbe chinois qui dit : Le sage distingue entre ses ennemis et il ne les met pas dans le même sac.

Simon hésita un instant. Dans l'esprit de Molotov, le sage représentait-il les démocraties occidentales ? Ou le communisme soviétique ? Ou les juifs ? Ou peut-être même Hitler ? A tout hasard, il répondit :

– Nous avons quelque chose de pas mal non plus dans notre mythologie classique : le jeune Horace, tout seul, pour venir à bout des trois Curiaces, les attaque l'un après l'autre. Et il les tue successivement.

– Vous pensez que les Curiaces auraient mieux fait de s'unir ?

– Bien sûr. Il y a un proverbe français qui dit : L'union fait la force.

– Il y a un proverbe kirghize qui dit : Le tigre ne s'unit pas au mouton. Et il y a un proverbe géorgien : Contre la force, la force. Peut-être le dernier des Curiaces aurait-il mieux fait de se reposer un peu avant d'affronter le jeune Horace ?

L'interview de Molotov par Simon Finkelstein ne parut jamais dans *Paris-Soir*. La censure du gouvernement Daladier s'opposa à sa publication. J'en parcours le texte sous le soleil qui dévore la terrasse de San Miniato. En marge du texte, à l'encre noire, une annotation élogieuse signée de deux initiales : J.P. L'image allègre du Kid danse devant mes yeux.

Quelques-uns d'entre vous se souviennent peut-être encore de Pandora O'Shaughnessy, devenue Mrs. Gordon, en train de pleurer sur mon épaule dans un taxi conduit par un Noir qui se dirige vers Central Park. Vanessa, à son tour, sanglota toute une nuit.

Je dormais du sommeil du juste dans ma vieille chambre de Plessis-lez-Vaudreuil qui, sous des fresques du XVIe dans un état déplorable, n'avait ni l'eau courante ni le chauffage central lorsqu'une sonnerie insistante me tira de mes rêves. C'était le téléphone. Il sonnait dans la seule pièce où, à la fureur de mon grand-père qui voyait dans le téléphone un des sommets sonores de la vulgarité bourgeoise, il avait été installé quelques années plus tôt : le billard du rez-de-chaussée. Je m'y précipitai en toute hâte, avec l'espoir que le vacarme n'avait pas réveillé mon grand-père. Je décrochai et je reconnus aussitôt la voix familière de Brian. Je n'étais pas au bout de mes surprises; il me laissa à peine le temps de lui dire quelques mots et il jeta d'un ton bizarre :

– Ne quittez surtout pas. Je vous passe Winston Churchill.

– *Hello, my boy,* dit la voix inimitable.

– Ah! bonjour, oncle Winston..., bredouillai-je, encore endormi. Ou plutôt bonsoir... Ou, non, peut-être déjà bonjour...

– Vanessa est en Allemagne, gronda mon interlocuteur qui, de toute évidence, n'avait pas de temps à perdre en bagatelles du seuil. Il faut qu'elle revienne tout de suite, vous entendez : tout de suite. *Immediatly.*

– Ah! bon, soufflai-je d'une voix lamentable et sans doute inaudible.

– Alors, c'est entendu, vous faites un saut là-bas et vous la ramenez. Mais tout de suite. J'insiste im-mé-dia-te-ment.

Par un excès de bonté, et au risque de me retarder dans mes préparatifs de départ, la voix prit encore le temps de me donner avec beaucoup de précision l'adresse de Vanessa en Allemagne et, sans même me repasser Brian, me souhaita bon voyage en me traitant de *my boy.* Elle savait très bien que c'était un peu, pour moi, comme d'être cité à l'ordre de la nation. Et puis elle raccrocha.

Je ne raconterai pas ici les détails de mon voyage en Allemagne hitlérienne les deux derniers jours du mois d'août 1939 qui étaient en même temps les deux derniers jours de la paix. Une idée m'était venue pour essayer de répondre au vœu d'oncle Winston. Je savais qu'Agustin Romero, toujours impatient de parler de choses un peu vagues, ou peut-être trop précises, avec des amis en uniforme nazi, était lui aussi en Allemagne – mais je ne savais pas où. Puisque le téléphone avait maintenant souillé le territoire sacré de Plessis-lez-Vaudreuil, autant s'en servir. J'appelai Javier Romero pour lui demander s'il connaissait l'adresse d'Agustin en Allemagne. Oui, oui, il la connaissait. Parfait. La Forêt-Noire m'accueillait. Je ne mis pas longtemps à découvrir Agustin : il était en train de s'entretenir, sur des chemins de forêt, du destin radieux de l'Europe avec un petit groupe d'intellectuels et de journalistes parmi lesquels je reconnus sans trop de surprise un jeune homme que j'avais rencontré plusieurs fois, à Paris, en compagnie d'Agustin : c'était Robert Brasillach.

Ils disaient l'un et l'autre des choses intelligentes qui n'avaient pas le moindre rapport avec ce qui était en train de se passer. Je crains que mon arrivée ne les ait ramenés d'un seul coup dans le monde sublunaire de la banalité et de la réalité quotidienne. Le téléphone d'oncle Winston après le pacte germano-soviétique suffisait à éclairer la situation d'une lumière aveuglante et sinistre : la guerre tombait sur le monde.

– Très bien, dit Agustin. Nous allons nous battre contre les idées que nous avons choisies et pour la défense d'un régime qui nous est imposé.

– C'est le piège du nationalisme, répondis-je, qui se referme sur nous et sur toi. De l'autre côté, chez les Allemands, il y aura aussi, en sens inverse, des démocrates et des libéraux qui vont mourir pour Hitler.

– Personne ne peut en douter, dit Brasillach : le fascisme l'emportera. Mais la victoire sera amère parce que ce sont nos pays qui seront battus par nos convictions.

Je les écoutais discuter à la façon de ces personnages de tragédie qui se promènent sur les remparts à la veille des grandes catastrophes. Pendant plus de cinq ans, jusqu'à l'effondrement final, ils allaient jouer ce rôle de prophètes en délire, constamment démentis, et commenter des événements qui ne cesseraient de leur échapper pour finir par les écraser.

– Il faut ramener Vanessa, dis-je à Agustin. C'est pour que tu m'aides à la convaincre que je suis passé te voir.

L'idée était sûrement venue à Agustin de rester en Allemagne. Après tout, il n'était anglais que d'occasion – et il était fasciste. Plus argentin que britannique et admirateur du national-socialisme, il n'avait pas vraiment de motif de se ranger avec enthousiasme du côté de la démocratie qu'il n'avait cessé de combattre. Mais Vanessa, à tout prix, devait rentrer en Angleterre avant le déchaînement des éléments. Comme je l'avais supposé, Agustin prit feu et flamme :

– Une fois n'est pas coutume, me dit-il en riant. Je serai très heureux d'obéir à l'oncle Winston.

Il ne fallut pas beaucoup de temps pour dire adieu aux amis qui allaient devenir des ennemis et pour sauter dans la Mercedes que la firme de Stuttgart avait offerte à Agustin pour le remercier de leurs victoires communes. Brasillach, de son côté, un paquet de journaux sous le bras, rentrait en train à Paris. Nous faisions le crochet par Munich pour cueillir Vanessa. Je lui avais téléphoné au *Vier Jahreszeiten* où elle avait retenu une chambre et un petit salon. Je ne l'avais pas trouvée, mais j'étais tombé sur le directeur qui était devenu, avec les années, un ami de Vanessa et dont elle m'avait souvent parlé. Il s'appelait Walterspiel. Je lui avais demandé de dire à Vanessa qu'Agustin et moi serions à Munich dans quelques heures. Quand nous arrivâmes à l'hôtel, Vanessa nous attendait.

Souveraine, éclatante, peut-être un peu méprisante, elle descendit l'escalier qui menait dans le hall. De ma terrasse de San Miniato, je la revois à travers tant d'années. Deux autres scènes, plus anciennes, se superposent à celle-là. C'était de ce même hôtel, et déjà en Mercedes, que Vanessa, cinq ans plus tôt était partie avec Rudolf Hess pour les bords du Tegernsee où, à la veille de la nuit des longs couteaux et du massacre des *SA*, il allait la prendre contre lui et l'embrasser pour la première fois. Et puis, d'encore plus loin dans le temps, une autre image me revenait. Ce n'était plus Vanessa, cette fois-là, c'était sa sœur Pandora. Je me souvenais de son regard, sur cette côte de Capri, à peu près juste en face des trois Faraglioni, quand Agustin et moi, en justiciers du Far West et de la respectabilité bourgeoise, venions l'arracher à Simon Finkelstein.

De nouveau, Agustin et moi, nous arrivions tous les deux pour briser quelque chose chez une des sœurs O'Shaughnessy. Ce n'était plus la morale qui nous envoyait. C'était la politique. Vanessa était anglaise, Rudolf Hess était allemand. L'ange de la guerre prenait son vol : chacun chez soi. Vanessa essaya bien de discuter un peu. Mais vous vous souvenez peut-être de la pâte bizarre dont étaient faites les quatre sœurs. Celle-là aimait Rudolf Hess et elle aimait Agustin. Elle se laissa convaincre de partir avec nous.

Nous passâmes la frontière quelques heures avant sa fermeture. J'étais un des derniers Français à traverser en ami le territoire ennemi. Tout était calme. Les journaux, comme en France et en Angleterre, portaient des titres énormes. A la différence de chez nous, ils déversaient sans se lasser de la propagande nationaliste sur un peuple puissant qui se souvenait encore de son humiliation. Sous le soleil de l'été, avec leurs balcons de bois qui croulaient sous les fleurs, les villages bavarois respiraient le bonheur. On voyait des vieux en culotte de peau, des jeunes filles blondes avec des tresses. Il y avait des vaches, des fontaines, des montagnes au loin, de grandes forêts silencieuses où, une ou deux fois, nous aperçûmes des chevreuils. C'était la paix.

En approchant de la frontière, nous vîmes des chars et des soldats. C'était la guerre. La voiture d'Agustin était immatriculée en Angleterre. Aucune menace, aucune moquerie ne monta des convois qui roulaient à nos côtés. Il y avait des règles du jeu. Le premier coup de sifflet n'avait pas retenti. Les officiers, rasés de près, nous regardaient d'un œil absent et vide, parfois peut-être un peu dur. Nous allions chacun vers nos destins.

Je m'étais installé derrière Agustin et je voyais de trois quarts Vanessa assise auprès de lui. Elle pleurait en silence. Jamais les histoires de cœur des filles O'Shaughnessy n'avaient été imbriquées à ce point dans l'histoire en train de se faire. On aurait dit un pastiche – menacé d'agrandissement – de la réunion plénière de l'ordre du Royal Secret dans Barcelone assiégée ou de ces conversations où je racontais à Winston Churchill l'entrée de Vanessa et la mienne dans la Vienne de l'Anschluss. Quelque chose commençait, mais nous ne savions pas quoi.

Partout, à travers l'Europe, la guerre levait ses étendards. Nous étions, à nous trois, une minuscule fraction de la plus formidable aventure collective de ce siècle. Les histoires de cœur de Vanessa se perdaient dans ce tourbillon. Je me demandais pourtant en silence ce qu'elle pouvait bien ressentir entre Rudolf Hess, abandonné, et Agustin qu'elle suivait. La situation était étrangement semblable au retour de Pandora entre Agustin et moi dans le train vers Paris. Et pourtant bien différente. Le monde est toujours le même et il n'en finit pas de changer. Pandora, qui devait avoir tant d'amants dans sa vie, n'avait qu'un amour à Capri. Vanessa avait deux amants, hitlériens tous les deux. Elle quittait l'un, elle gardait l'autre. Pour elle au moins, l'agonie de la paix en devenait plus douce. La naissance de la guerre en était facilitée. Si, dans la voiture qui nous menait vers la France, l'avenir de Vanessa m'était apparu en un éclair, l'étrangeté de cette vie, où tous les miracles les plus absurdes ne cessent jamais de prendre les traits de la nécessité, m'aurait rempli de stupeur.

Les détours de nos mécanismes sont compliqués et surprenants. Parce que je n'osais pas parler de ses amants et de sa vie délirante à la double maîtresse, j'attaquai Agustin avec une ombre de hargne.

– Tu es fasciste, lui dis-je, et à peine anglais. je me demande, en vérité, ce qui te fait rentrer à Londres.

Nous avions quitté les villages aux belles fontaines et aux maisons de bois. Nous sortions des forêts, coupées soudain de pentes très vertes où nous guettions les chevreuils. Nous approchions du Rhin. Les troupes, autour de nous, se faisaient plus nombreuses. Je n'oublierai jamais sa réponse.

– C'est là, me dit-il sans détourner les yeux qu'il gardait fixés sur la route, c'est là qu'habite mon coiffeur.

Simon Finkelstein rentra à son hôtel avec la conviction que la guerre était inévitable. Tout ce que lui avait dit Molotov indiquait que l'URSS avait tiré la leçon de la faiblesse des démocraties libérales : payée probablement par des compensations territoriales dont la Pologne ferait les frais, la neutralité, idéologiquement hostile et pratiquement bienveillante, de l'Union soviétique ouvrait grand à Hitler le chemin de la guerre.

Simon s'assit à sa table et commença à mettre en ordre les notes qu'il avait prises sur sa conversation avec le camarade ministre. Au bout de moins d'une heure, l'impatience s'empara de lui. Il détestait écrire. Il avait une forme d'intelligence tournée tout entière vers l'action. C'était peut-être pour cette raison que la guerre, avec ses urgences et ses imprévus qui balayaient tout commentaire et qui allaient plus vite que l'écriture, l'avait toujours fasciné. Il décida d'aller se promener – seul, si possible – et de profiter de cette ville qu'il ne connaissait pas. Il passa devant une femme sans âge et assez forte qui était installée à poste fixe sur le palier et qui contrôlait tout l'étage. Il descendit dans le hall et tomba sur son chauffeur, écroulé dans un fauteuil.

– Je sors, dit Simon brièvement.

– Où allons-nous? demanda l'autre avec une sorte de précipitation qui – d'après le caractère et surtout les opinions de chacun – pouvait être mise sur le compte aussi bien de la complaisance que de la suspicion.

– Nous n'allons nulle part, dit Simon en appuyant sur le *nous*. Je sors seul.

Une déception à la limite du désarroi se peignit sur le visage mou du chauffeur qui resta immobile, les bras ballants, à se balancer d'une jambe sur l'autre.

« Ou bien il est chargé de me surveiller, se dit Simon en mettant le pied dans la rue, et je suis une crème de naïf. Ou bien c'est un brave homme et je tombe dans les névroses, dénoncées par Carlos, d'un salarié du grand capital. »

Il marcha devant lui. Il arriva sur la place Rouge. Saint-Basile, le Goum, le mausolée de Lénine, les hauts murs du Kremlin brillaient sous le soleil. Les visages, sur la place, lui parurent plus avenants que le jour de son arrivée. Une sorte de gaieté l'envahissait. Jusqu'à la vie quotidienne, jusqu'aux gestes les plus simples qui étaient empoisonnés par les préjugés de l'idéologie politique et par la dialectique du stalinisme et de l'antistalinisme.

« Il doit être l'un et l'autre et les deux en même temps. » Simon se mit à rire franchement : il n'avait pas cessé de penser au chauffeur et il parlait à haute voix. Il restait là, sous le soleil, à se moquer de lui-même et du monde quand il aperçut soudain, à quelques mètres de lui, une jeune fille en blouse brodée qui le regardait en riant. Elle lui parut très jolie. La terre se remettait à tourner. Elle tournait à Moscou comme elle tournait à Londres, à New York, à Paris. « Je suis trop bête », se dit-il. Et il retourna à l'hôtel.

Le chauffeur l'attendait.

– Je vous emmène, dit Simon. Vous me montrerez la ville.

– Où voulez-vous aller? demanda le chauffeur.

– Je ne sais pas, dit Simon. On pourrait suivre les quais le long de la Moskova. On pourrait faire le tour du Kremlin – de l'extérieur, bien entendu, ajouta-t-il en riant. On m'a parlé d'un cimetière qui serait ravissant...

– Novodevitcheié? dit le chauffeur.

– Exactement, dit Simon. Novo de Vichy – ou quelque chose comme ça. Je vous retrouve dans cinq minutes.

Et il monta dans sa chambre prendre son appareil de photo et surtout son stylo qu'il avait oublié dans sa hâte de sortir.

En redescendant dans le hall, il aperçut le chauffeur en train de raccrocher le téléphone que surveillaient deux cerbères.

– Tout va bien? demanda Simon.

– Tout va bien. Je téléphonais à ma femme : la petite a la varicelle.

– En route, dit Simon.

Moscou est très loin d'avoir le charme prenant de Leningrad où l'influence italienne se fait sentir si fort au nord lointain de l'Europe. La ville est sévère et un peu rugueuse. Mais le soleil arrangeait tout. La culture, on le sait, n'était pas le fort du métis. Son imagination si vive ne s'en portait que mieux et suppléait à tout. Il voyait de grandes batailles, des cavaliers venus d'Asie sous des bonnets pointus, et le vieux Rostopchine – dont il ignorait jusqu'au nom – en train de mettre le feu à la ville pour embêter Napoléon. Novodevitcheié l'enchanta.

Il se promenait parmi les tombes aux inscriptions illisibles et s'arrêta tout à coup. Là-bas, au coin d'une allée, il y avait une silhouette qui lui disait quelque chose : c'était la jeune fille à la blouse brodée qui l'avait regardé rire devant le mausolée de Lénine. Il pressa le pas. Elle ne bougeait pas. Elle portait la même blouse et elle lui souriait.

– Ne me dites pas que c'est le hasard, lui dit-il en anglais.

Et il se mit à rire silencieusement.

– Bien sûr que non, lui dit-elle avec un accent assez fort qu'il trouva délicieux parce qu'il aimait les femmes et qu'il en était privé depuis déjà quelques jours.

– Eh bien!... dit-il après un instant de stupeur. Vous, au moins, vous ne manquez pas de culot!

– Quel culot? lui dit-elle. Celui de vous surveiller? Celui de vous répondre? Celui de reconnaître que vous n'êtes pas déplaisant?

– Je ne sais pas, dit Simon, décontenancé par une attitude si extraordinairement naturelle. Je ne sais pas... Avouez que tout cela est assez bizarre. Et même un peu inquiétant.

– N'ayez pas peur, dit la jeune fille. Je vais vous dire ma seule audace : c'est de vous avouer qu'il ne s'agit pas d'un hasard.

– Je ne sais pas, répéta Simon. Peut-être cet aveu aussi fait-il partie du jeu? Ou peut-être de la mission dont vous êtes chargée auprès de moi?...

– Il vaudrait mieux que vous ne croyiez pas cela...

– Il vaudrait mieux pour qui? demanda Simon qui devinait une menace. Pour moi?

– Mais non, dit-elle. Pour moi.

Ils s'étaient mis à marcher tous les deux, à petits pas, comme des amis très anciens, entre les tombes de Novodevitcheié.

– Je ne comprends rien du tout, disait Simon. Et il est un peu étrange que ce soit à vous, qui me surveillez avec tant d'ingénuité, que je demande des informations. Pensez-vous que notre façon d'agir, et à vous et à moi, est tout à fait conforme au manuel du parfait agent?

Elle se mettait à rire avec tant de gaieté que

Simon ne résista pas à lui raconter sa première impression sur le sol soviétique : les femmes y étaient laides et elles ne riaient pas.

– Vous riez, lui dit-il.

– Je me force un peu, lui dit-elle.

Ils parlaient ainsi de choses et d'autres, comme s'ils se connaissaient depuis toujours et que le mystère de la double rencontre se fût aussitôt dissipé. Simon s'arrêtait.

– Tout de même..., disait-il en regardant la jeune fille avec un air de reproche et d'interrogation. Tout de même...

– Qu'est-ce qu'il y a? disait-elle.

– Comment! qu'est-ce qu'il y a? Je vous vois sur la place Rouge et je vous retrouve ici. Pourquoi êtes-vous ici? Comment êtes-vous ici?

– Mais c'est d'une simplicité enfantine : parce qu'ils m'ont téléphoné.

– Ils vous ont téléphoné! Qui ça, ils?

– Mais votre chauffeur, naturellement. C'est un peu comme Rouletabille – vous connaissez Rouletabille?

Oui, oui, la culture de Simon allait jusqu'à Rouletabille. Il avait lu *Le Mystère de la chambre jaune.*

– Le mystère n'est pas là où vous le cherchez. Il est dans ce qui s'est passé avant. Je suis à Novodevitcheié parce qu'on m'a dit d'être à Novodevitcheié. Le vrai mystère, le seul, c'est notre rencontre sur la place Rouge. Le surprenant n'est pas que vous m'ayez revue dans ce cimetière où je vous attendais. Le surprenant est que nous soyons tombés l'un sur l'autre en face de Saint-Basile où personne n'attendait personne et où vous m'avez fait rire parce que vous riiez tout seul. Je vous ai retrouvé sur ordre. Mais je vous ai trouvé par hasard.

– Tout ça ne tient pas debout. Vous ne pouviez pas savoir que la personne que vous étiez chargée de surveiller à Novodevitcheié était la même que celle de la place Rouge?

– Bien sûr que non. Mettons que l'idée m'a vaguement traversée que ce pourrait être vous. Et que j'ai été surprise et contente que ce fût vous. Il y avait une chance sur un million. Ou peut-être un peu plus : parce que, franchement, vous n'avez pas le type russe. Et puis il arrive tout de même qu'on gagne à la loterie.

– Et si je racontais à mon tour au chauffeur ou à d'autres tout ce que vous venez de me dire?

– Vous le pouvez, bien sûr. Vous ne me verriez plus. Et peut-être personne ne me verrait plus. Ce n'est pas vous qui êtes pris au piège. C'est moi qui me suis jetée moi-même dans le piège que j'étais chargée de dresser.

– Qu'est-ce qui peut bien vous pousser à vous remettre ainsi, pieds et poings liés, tête baissée, entre les mains de quelqu'un que vous ne connaissez pas?

– Avez-vous déjà oublié que nous nous connaissions?

– N'en faites pas trop, voulez-vous? Jouez à l'idiote, si vous y tenez, mais n'exagérez pas.

– Eh bien, réfléchissez un peu. Voici la seule réponse possible à la question que vous me posez : c'est pour vous donner confiance en moi.

– Mais pourquoi voulez-vous que j'aie confiance en vous? Peut-être vous imaginez-vous que vous avez réussi à me plaire en me montant un coup entre les tombes d'un cimetière? Ce serait un peu rapide et un peu présomptueux de votre part.

– Oh! non, monsieur Finkelstein, je n'aurais pas cette audace. C'est même exactement le contraire : c'est vous qui m'avez plu aussitôt au milieu de la place Rouge. Et vous savez pourquoi? Parce que vous parliez tout seul et que vous riiez dans le soleil.

La rentrée de 39 se fit dans le désordre et avec beaucoup de retard, sous le signe des masques à gaz et au son des sirènes. Quand je repense à cette époque, où, à la façon de l'orage trop longtemps attendu et qui éclate enfin, le dénouement de la crise, pour désastreux qu'il fût, finissait par apporter une espèce de soulagement, je l'imagine aussitôt, parce que je connais la suite, comme le début de cette drôle de guerre qui allait durer plus de huit mois. Mais personne, en ce temps-là, ne pouvait deviner qu'il allait falloir attendre jusqu'au joli mois de mai pour voir surgir les épreuves qu'avec une espèce de fatalisme mêlé d'un peu d'inconscience on attendait pour tout de suite. Dès les premiers jours de septembre, le bombardement de Paris paraissait inévitable. Des plans d'évacuation des lycées et collèges furent mis à exécution dans une pagaille d'autant plus complète que, les menaces prévues tardant à se réaliser, il fallait bien, en même temps, et sous les mesures d'exception, poursuivre la vie quotidienne.

La seconde A de Louis-le-Grand – latin-grec, peu de sciences exactes : de futurs professeurs, de futurs avocats, des littéraires, comme on disait – devait se replier sur la Loire. Les cours, en fin de compte, reprirent presque normalement dans les locaux usés de la vieille rue Saint-Jacques. Chaque matin, pendant plusieurs semaines, on s'attendait au pire. Chaque soir, on constatait qu'une journée calme de plus venait de faire ressembler une guerre pourrie par la paix à la paix pourrie par la guerre qui l'avait précédée. Jour après jour, le fameux communiqué faisait état de broutilles et parlait sur un ton de sobriété lyrique du mordant de nos troupes et de leur activité toujours soutenue et toujours modérée. Le mois de septembre n'était pas achevé qu'on s'installait dans la drôle de guerre. Le lâche soulagement qui avait marqué la paix se poursuivait dans la guerre.

Comme tous ses camarades, Jérôme Seignelay avait été affublé d'une musette cylindrique où dormait un masque à gaz. Le gouvernement de la République, qui n'avait rien vu venir de tant de tragédies successives, avait prévu le seul drame qui n'allait pas se produire : la guerre des gaz, chère aux rêveurs officiels qui remplaçaient Barbe-Bleue et le Petit Chaperon rouge par les rigueurs d'une science déjà en retard d'une guerre. Jérôme et ses compagnons se levaient la nuit dans leur dortoir bondé et dansaient en silence, leur masque à gaz sur le visage. Ils jouaient à le gonfler et à le dégonfler en respirant très fort et en bouchant l'arrivée d'air. Ils se changeaient en monstres marins venus d'une autre planète et échoués sur les rivages du boulevard Saint-Michel.

De jour et de nuit, quand les sirènes retentissaient, les pensionnaires de la rue Saint-Jacques se précipitaient à la cave, leur boîte à masque sur le flanc. Au début, tout au moins. Plus tard, les alertes, l'une après l'autre, s'étant révélées vaines, la plupart des élèves restaient au lit la nuit pour continuer à dormir. Le jour, malgré le règlement, il y avait des professeurs pour poursuivre leurs cours comme si de rien n'était, comme si la paix régnait encore. Rousseau, Chateaubriand, la Révolution française, l'adret et l'ubac, les grands fleuves du monde, l'usage de l'aoriste et de l'ablatif absolu, les verbes irréguliers anglais et un vague semblant de gymnastique qui aurait fait ricaner les athlètes de l'autre côté du Rhin se déroulaient au rythme d'une guerre qui n'en était pas encore une et se confondaient avec elle. Formé dans un cadre et d'après des méthodes qui remontaient à Jules Ferry, au Premier Empire, à la Convention nationale, Jérôme Seignelay vivait en même temps dans un passé qu'on lui serinait à longueur de journée et dans un avenir indistinct qu'il guettait avec impatience et dont il attendait tout en dépit des masques à gaz, des sirènes dans la nuit et de l'ombre de la croix gammée en train de s'étendre sur l'Europe.

Agustin et Vanessa étaient très malheureux. Ils étaient coincés par l'histoire. Tant que l'Angleterre et l'Allemagne étaient encore en paix, ils avaient pu se livrer au jeu, déjà un peu ambigu, et en tout cas sans espoir, du remplacement de la démocratie britannique traditionnelle par une révolution nationale et fasciste. Imprégné à la fois de libéralisme et de marxisme, Carlos Romero ne se privait pas, bien entendu, de tourner en dérision le nationalisme intégral de son frère Agustin.

– C'est une drôle d'idée pour un métèque, pour un Américain du Sud à moitié juif, de vouloir détruire en Angleterre l'esprit démocratique et libéral qui est seul, mais vraiment tout seul à lui permettre de se dire anglais.

– Est-ce vraiment beaucoup plus drôle que d'entendre prêcher la lutte des classes et la révolution communiste par un héritier privilégié ?

– C'est une question de justice et de générosité. Et puis, c'est la marche de l'histoire.

– Et moi, je crois que l'histoire va dans le sens de la nation et que la nation a besoin d'autorité pour échapper à l'anarchie.

Après l'invasion de la Pologne par Hitler et la déclaration de guerre de l'Angleterre à l'Allemagne, les positions d'Agustin et de Vanessa cessèrent d'être paradoxales pour devenir franchement intenables. Pour pouvoir continuer à s'écrire, Vanessa et Rudolf avaient dû monter un système de correspondance à travers la Suisse. Il fonctionnait assez bien. Mais les lettres de Vanessa à la fin de 39 et au début de 40 sont pleines d'une inquiétude qui va jusqu'au désarroi. Le second de Hitler s'efforce de la rassurer et de la réconforter. Le pire n'est peut-être pas sûr. Rien de fondamental ne sépare l'Allemagne de l'Angleterre. C'est un accès de mauvaise humeur qui les a dressées l'une contre l'autre. L'affaire polonaise est réglée et l'URSS de Staline a pris autant de part que l'Allemagne de Hitler au démembrement de la Pologne : pourquoi l'Angleterre n'accepterait-elle pas de l'Allemagne ce qu'elle accepte de la Russie – qui montre d'ailleurs en Finlande à la fois sa faiblesse et sa brutalité? La paix peut revenir si les droits de l'Allemagne sont reconnus en Europe. Ceux de l'Angleterre sur son Empire ne seront pas contestés.

Parmi ces considérations politiques si totalement démenties par l'histoire et dont la lecture laisse aujourd'hui pantois, le dialogue sentimental se poursuit entre Vanessa et le chef hitlérien. Pendant quatre ou cinq ans, elle avait entretenu une double liaison avec Agustin Romero et avec Rudolf Hess. Au-delà de la stupeur et de l'indignation, je m'étais interrogé, comme beaucoup, vous vous en souvenez peut-être encore, sur les motifs et le sens de ces aventures parallèles. Maintenant, par la force des choses, Agustin restait seul en lice et maître du terrain. Mais, par un de ces paradoxes dont l'histoire du cœur n'est pas avare, il semblait que l'absence de Rudolf, loin de profiter à Agustin, lui fit plutôt du tort dans le cœur de Vanessa. Comme si Rudolf et Agustin y étaient inséparables. Vous imaginez la multitude des interprétations psychologiques, sentimentales, politiques aussitôt entraînées par cette situation si éloignée des mécanismes habituels.

Winston Churchill ne disposait plus de beaucoup de temps pour s'occuper en personne des trajectoires imprévisibles de la constellation O'Shaughnessy. Une rumeur collective se substituait à lui pour commenter inlassablement le destin scandaleux de Vanessa qui finissait par prendre, à force de solitude et de provocation, à force d'indifférence aux régles établies de la communauté, une sorte de grandeur tragique.

– Je me demande, me disait Javier, si, en souvenir de Verdi, elle ne va pas bientôt devenir une héroïne d'opéra, dans le style de Médée ou de la Tosca. On la verrait assez bien sur la scène en train de chanter son amant rejeté par tous les siens et de se tordre de douleur.

– Le problème, lui disais-je, c'est qu'elle a plusieurs amants.

– Ah! c'est vrai, disait Javier. La vie de Vanessa est un peu trop compliquée pour être portée au théâtre. C'est comme pour Pandora : on manquerait de figurants.

Au milieu des convulsions de l'Europe et de la planète, Brian et Hélène participaient à l'effort de guerre en dissimulant à peine une espérance secrète : celle de voir leur troisième fille, après tant de folies, profiter du conflit pour dénicher enfin, et peut-être même épouser, un conservateur, un libéral, un démocrate de tradition, un travailliste s'il le fallait. N'importe qui, sauf un de ces fascistes dont elle s'était entichée.

Eh bien! et Pandora? Voilà des années que je veillais sur elle avec une sorte de dévotion. La mort de Jessica me l'arrachait plus sûrement encore que l'Amérique. Ma santé, mes études indéfiniment poursuivies, mes travaux confidentiels sur la domesticité de Chateaubriand et de la « petite société » autour de lui, de Hyacinthe Pilorge à l'ineffable Julien et au mystérieux Drule, portier du bon Joseph Joubert, me retenaient chez mon grand-père, au fin fond de la haute Sarthe. De retour à Barcelone, fatiguée de faire souffrir et peut-être de souffrir, Pandora s'était réfugiée à Glangowness, dans l'Ecosse la plus lointaine. Les grandes manœuvres, les charges de cavalerie, la guerre en dentelles, les conquêtes à la pointe de l'épée passaient pour favorables aux aventures amoureuses. La grisaille de la drôle de guerre ne les encourageait guère. L'idée me vint que la sœur de Jessica allait s'enterrer, et peut-être à jamais, dans le vieux château gothique. Pandora m'écrivait qu'elle avait renoncé aux hommes. Divorcée de Thomas Gordon, à la tête d'un enfant qui n'était pas de son mari, flanquée d'amants innombrables répandus à travers le monde et dans toutes les classes sociales, elle avait vingt-quatre ou vingt-cinq ans.

Je me méfiais naturellement. J'avais pris l'habitude de m'étonner des capacités d'invention des sœurs O'Shaughnessy. La guerre leur fermait un monde. J'aurais dû deviner qu'elle allait leur en ouvrir un autre. Pandora ne tarda pas beaucoup à répondre, et au-delà, à ce qu'il était permis d'en attendre.

Lorsque j'appris par Javier, puis par une lettre de Pandora elle-même, le dernier avatar de l'aînée des O'Shaughnessy, je m'en voulus presque un peu de n'avoir pas deviné la voie pourtant si évidente sur laquelle le destin l'engageait : elle avait coiffé une casquette, qui lui allait d'ailleurs à ravir, elle avait endossé l'uniforme, et elle était devenue le chauffeur, ou si vous y tenez la chauffeuse du Premier Lord de l'Amirauté. Quarante-huit heures à peine après la déclaration de guerre à l'Allemagne, le brave homme au parapluie, le signataire des accords de Munich, l'homologue, moins épais mais à peu près aussi nul, de notre taureau du Vaucluse, le suave Neville Chamberlain, avait nommé en hâte, pour sauver la Couronne mal en point, un nouvel et déjà antique Premier Lord de l'Amirauté : c'était Winston Churchill. Le jour même, oncle Winston prenait à ses côtés Pandora O'Shaughnessy. J'ai su avant tout le monde, et dès septembre 39, qu'avec une telle équipe l'Angleterre allait gagner la guerre.

Vous imaginez bien que la malle de San Miniato regorge de photographies de Pandora en uniforme. Elle est plus jolie que jamais. On la dirait sortie d'un de ces films américains où une blonde incendiaire va mettre le feu aux poudres. On la voit, seule ou en groupe, debout, les bras croisés, devant une baraque en bois, assise sur les marches d'un bâtiment d'apparence officielle ou négligemment appuyée contre la voiture à fanion qu'elle partage avec Churchill. Ce n'est pas une de ces petites voitures dont l'emploi par le chef de la

Royal Navy – déjà fort corpulent et peu habile à se plier et à se déplier – aurait pu passer pour une manœuvre démagogique indigne du Royaume-Uni et de sa grandeur menacée. Ce n'est pas non plus une Rolls-Royce, qui eût été trop voyante et d'un peu mauvais goût dans les heures sombres de la guerre. C'est, je crois, une Bentley avec un bar incorporé et un coffret à cigares, dont Pandora était chargée d'assurer, à travers vents et tempêtes, le double et constant ravitaillement – et elle ne manqua jamais à cette tâche capitale, participant ainsi à l'édification de la statue vivante de la résistance britannique, la fiole de whisky sous la main et un cigare aux lèvres. Grâce à Churchill, bien sûr, mais aussi à Pandora, la voiture entrera dans la légende. On la verra à Londres et dans toute l'Angleterre, en Afrique du Nord après le débarquement allié, en Italie, en Normandie et en France dès le mois de juin 44. L'entourage de Churchill aura le plus grand mal à empêcher le grand homme d'envoyer la voiture à Téhéran, à Yalta ou en Amérique où elle n'était pas franchement indispensable, mais où l'homme d'Etat britannique eût bien aimé en disposer, ne fût-ce que pour ne pas changer des habitudes auxquelles il tenait avec obstination et pour en mettre plein la vue à Roosevelt et à Staline.

Je sais. Pour ceux qui, comme vous et moi, ont mené une vie obscure et parfois difficile, il y a quelque chose d'agaçant à voir toujours les quatre sœurs là où il se passe quelque chose. On a pu leur reprocher, non seulement de prendre à la légère les souffrances de l'humanité et de traverser ses drames en riant, mais encore d'assister aux pires tragédies dans des avant-scènes confortables où, parées de tous les dons et de l'éclat que nous savons, elles se font applaudir aux côtés de tous ceux qui ont marqué leur siècle. Il y a du vrai dans ces reproches. La vie n'avait pas plus épargné les quatre sœurs que le commun des mortels – mais leur talent suprême était de la transfigurer. L'ordre du Royal Secret n'était peut-être rien d'autre qu'une machine à piéger le monde et à changer ses tristesses en insouciance et en gaieté. Parce qu'elles rendaient l'existence moins ennuyeuse et moins pesante, nos Altesses du placard étaient invitées plus souvent qu'à leur tour à assister à des spectables et à partager des aventures. Winston Churchill, après tant d'autres, était tombé sous ce charme. Il écrit dans ses *Mémoires de guerre* que Pandora O'Shaughnessy réussissait à donner des allures de fête aux jours les plus sombres du conflit.

Tout un cycle d'histoires et souvent de légendes ne tarde pas à naître autour de Pandora qui devient en quelques mois un des personnages les plus populaires de l'armée britannique. On se demande parfois d'où surgissent les mythologies et ces séries d'anecdotes qui courent à travers une époque et autour d'un personnage. Pandora O'Shaughnessy fournit un début de réponse à ces interrogations. Beaucoup d'aventures héroïques ou comiques qui lui ont été prêtées sortent naturellement de l'imagination collective. Mais elles n'ont pu lui être attribuées que parce qu'elle était ce qu'elle était.

On m'a assuré, mais il m'a été impossible de vérifier cette assertion, qu'un dossier spécial au nom de Pandora avait été ouvert par les services de la propagande de guerre britannique. Ce qui est sûr, en tout cas, c'est que le personnage de Lily Marlène, chanté par les troupes allemandes et si populaire en Allemagne, avait pris naissance en Angleterre autour du cycle de Pandora : par un curieux cheminement des thèmes, des engouements et surtout des destins, la première incarnation de la fameuse Lily Marlène n'est autre que la sœur très britannique de Vanessa la fasciste – qui était en même temps le chauffeur mythique de Churchill.

Pandora et Winston Churchill m'ont raconté tous les deux, séparément et à peu près dans les mêmes termes, un épisode authentique de la carrière militaire et automobile de l'aînée des O'Shaughnessy. L'affaire se situe aux débuts de la drôle de guerre. Premier Lord de l'Amirauté, Churchill va inspecter un port de guerre anglais, je ne sais plus trop lequel. Le trajet est assez long. Churchill et Pandora sont seuls dans la fameuse voiture. Le ministre, tout naturellement, s'est installé derrière et étudie des dossiers. Pandora conduit en silence et avec une application que j'imagine à merveille. Peut-être rêve-t-elle au Kid ou à Scott Fitzgerald? Je n'ose pas supposer qu'elle évoque ce taxi conduit par un chauffeur noir, qui nous mène vers Central Park. A la traversée d'un petit bois, non loin du port où ils se rendent, oncle Winston bredouille quelques mots, comme toujours indistincts. Pandora tend l'oreille : il a envie de s'arrêter et de disparaître un instant derrière un de ces gros arbres. C'est une chance : elle aussi.

– Si vous permettez, murmure-t-elle, je profiterai de l'occasion...

– C'est bon, bougonne l'homme d'Etat dont l'humeur est douteuse. Mais faites vite. Nous sommes en retard. Et deux mille hommes nous attendent.

Pandora arrête la voiture en bordure de la forêt et se précipite à droite pendant que Winston sort à gauche et se dirige vers le premier bosquet venu.

Prise d'une pudeur subite, Pandora s'enfonce dans un taillis assez épais, se débat avec l'uniforme, arrache un bouton d'énervement, s'imagine l'impatience déjà furieuse du vieux monsieur en train de regagner la voiture. Elle se dépêche tant qu'elle peut – mais il faut ce qu'il faut. Elle se rajuste en hâte, prend à peine le temps de se regarder dans la glace du poudrier offert jadis par Scott et se précipite au volant. Elle démarre en trombe et couvre en un temps record la distance jusqu'au port.

La place où a lieu la revue est déjà noire de monde. Les marins présentent les armes. Au pied de la tribune où s'arrête la voiture après une manœuvre gracieuse, les autorités civiles et militaires sont rassemblées au grand complet. Pandora se met au point mort, coupe le moteur, serre le frein, se précipite hors de son siège pour ouvrir la portière au Premier Lord de l'Amirauté. Sous les regards de la foule qui retient sa respiration avant d'éclater en hourras et en applaudissements, elle se fige au garde-à-vous.

Plusieurs secondes se passent. Personne ne paraît. Un frémissement parcourt les badauds, les marins, les officiers généraux : quel comédien accompli que ce bouledogue au cigare qui retarde son entrée pour être mieux acclamé! Quelques instants encore. Pandora, vaguement inquiète, se penche un peu en avant et jette un coup d'œil sur le siège arrière où est assis le ministre. Elle ne peut retenir un cri. La voiture est vide.

Le Premier Lord de l'Amirauté est resté dans la forêt où il s'était arrêté pour assouvir un besoin naturel. Le chauffeur, dans sa hâte, est reparti sans lui.

Cette histoire, et plusieurs autres de la même farine, firent le tour de la *Navy*, de l'aviation, de l'armée, de tout l'Empire en guerre. Au fur et à mesure que montait dans le pays la popularité de Churchill, l'image de Pandora l'accompagnait partout et dans tous les esprits, en contrepoint de la sienne. Au colosse à la Falstaff dont la masse roulait aux quatre coins de l'Empire, les doigts levés en V autour de l'éternel cigare, s'associaient chaque jour davantage la silhouette de Pandora, ses cheveux blonds relevés en chignon sous la casquette réglementaire, ses yeux verts meurtriers. Comment auriez-vous voulu que les rumeurs se tussent ? La légende s'enfla autour d'oncle Winston et de son compagnon. Lors d'un voyage éclair en Afrique du Nord après le débarquement des Alliés, on s'avisa en haut lieu, avec un excès de zèle coupable, de préparer pour le proconsul et pour sa suite légendaire un appartement d'apparat orné d'un lit unique à l'immensité provocante.

– Je vous remercie, aboya Churchill, d'avoir tout prévu pour mon confort. Mais je n'ai pas l'habitude de dormir avec mon mécanicien. J'espère que lui aussi pourra trouver quelque part un divan ou un sofa à ses minces dimensions. Nous roulons beaucoup ensemble, mais jamais sur un lit.

La jeune fille s'appelait Lara. Ce qu'il y a d'amusant, ce qui fascina quelques-uns et en indigna beaucoup d'autres, c'est qu'elle ne cessa jamais d'être une énigme pour Simon. Il ne découvrit jamais, il ne chercha même jamais à savoir si elle s'était vraiment rebellée contre ses supérieurs comme elle le prétendait entre les tombes de Novodevitcheié ou si, au contraire, elle avait agi sur ordre. Plus tard beaucoup plus tard, Carlos Romero se posait encore la question à haute voix devant Simon et moi à Paris ou à Glangowness. Mais la réponse était toujours la même :

– Je m'en fiche bien, disait Simon.

– Enfin, disait Carlos, tu dois tout de même savoir si... si...

– Si Lara, oui ou non, était un agent soviétique? suggérait Simon avec beaucoup de calme.

– Je n'osais pas aller jusque-là, murmurait Carlos d'un air faussement choqué.

– La réponse n'est pas douteuse, disait Simon : oui.

– Mais l'est-elle restée?

– Cette question-là, disait Simon, est un peu plus difficile. Mais c'est le moindre de mes soucis.

Dans le joli cimetière de Novodevitcheié, Simon Finkelstein ne s'interrogeait déjà plus guère sur les motifs de la jeune fille à la blouse brodée : il s'amusait beaucoup trop.

– Vous savez, lui dit-il, ne vous donnez pas trop de peine. Je suis tout disposé à croire n'importe quoi. Parce que vous êtes charmante et parce que vous me plaisez. Et à supposer que vous vous moquiez de moi et que votre seul but soit l'information, qu'est-ce que vous voulez que ça me fasse? Un militaire, un diplomate, un ingénieur en seraient sans doute tourmentés. Je suis à peine journaliste et je n'ai absolument rien à révéler ni à cacher.

– Très bien, dit Lara. N'en parlons plus. Je voulais seulement essayer d'écarter les arrière-pensées. Si vous n'en avez aucune, tout est au mieux. J'ai un peu de temps devant moi. Et vous aussi, peut-être? Voudriez-vous que je vous montre Moscou?

– J'en ai une, dit Simon.

– Une quoi? demanda Lara.
– Une arrière-pensée, dit Simon.
– Ah! bon! dit Lara. Et laquelle, je vous prie? Voulez-vous le nom de mes chefs, l'organigramme du service, le plan du Kremlin, le compte rendu secret de la dernière réunion du Comité central?
– Pas du tout, dit Simon.
– Alors quoi? dit Lara.
Il la prit contre lui et il l'embrassa.
Ils se promenèrent encore à travers le cimetière, croisant de rares visiteurs. Ils parlaient sans effort, comme s'ils s'étaient toujours connus et, de temps en temps, ils se taisaient.
– Je me sens bien, dit Simon.
– Tant mieux, dit Lara. La première règle qu'on m'a apprise était de mettre mes interlocuteurs dans un état d'euphorie.
– Bravo! dit Simon. Le but est atteint. En plein dans le mille.
– Et de confiance, dit Lara.
– Ah, ah!... dit Simon. Je pourrais vous retourner la politesse. Est-ce que vous avez confiance en moi?
– J'essaie, dit Lara.
– C'est drôle, dit Simon. En principe, je n'inspire pas confiance.
J'imagine qu'il pensait à Pandora, à Marie Wronski, à Brian et à Hélène, à Jessica, à Carlos. Un peu à tout le monde. Et à moi, qui avais si peu confiance en lui.
– Est-ce que vous croyez, demanda Lara, que nous sommes en train d'inspirer confiance au chauffeur?
– Nom d'un chien! dit Simon, je l'avais un peu oublié, celui-là.
En revenant vers la voiture, Simon, de l'air le plus dégagé, se tourna vers Lara :

– Où pourrions-nous aller?
– Pas chez moi, en tout cas.
– Ni à l'hôtel, je suppose?
– Ni à l'hôtel, bien entendu. C'est tout à fait impossible.
Elle se tut un instant. Elle leva les yeux vers lui et ajouta très vite :
– Pour des raisons politiques.

La drôle de guerre était une annexe de la paix avec des opérations militaires. Il y avait la Finlande. Elle enchantait Agustin qui y voyait la preuve irréfutable de la faiblesse de la Russie. Il y eut aussi la Norvège. Geoffrey Lennon fut un de ces Anglais très calmes qui débarquèrent et se rembarquèrent là-bas. Il passa quelques jours à Paris, au début de mai, avec Atalanta. Il était le premier combattant de la Seconde Guerre mondiale encore en train de balbutier que je voyais d'un peu près. Et Atalanta était une des quatre sœurs : c'était tout dire. Pendant deux soirées, presque deux nuits entières, nous parlâmes de Jessica, dont Geoffrey pendant quelques jours avait été le mari, de Carlos Romero qui la lui avait fauchée, de Simon Finkelstein dont l'occupation principale était de mettre la merde partout, de Pandora dans l'ombre d'oncle Winston, de la pauvre Vanessa qu'Agustin ne parvenait pas à consoler de l'absence de Rudolf et aussi de la guerre, de Hitler, du Danemark et de la Norvège, de tout ce qui nous attendait et qui n'arrivait pas à éclater. Le monde autour de nous ressemblait à la scène d'un théâtre dont le rideau tarde à se lever.
– Et les jumeaux? demandai-je.

– Ils vont bien, dit Atalanta. Javier me charge de t'embrasser. Agustin et Simon les ont entraînés dans l'aviation. Agustin répète à qui veut l'entendre que rien ne le dégoûte comme de se battre pour la démocratie. Il a failli se faire tabasser plusieurs fois parce que, dès qu'il a un verre dans le nez, il se met à crier : « *Heil Hitler!* » et à chanter les louanges du fascisme. Mais il est meilleur pilote que tous les autres et ses camarades ont choisi de l'adorer tel qu'il est. Simon, c'est autre chose : il prétend qu'il se fout de tout. Je crois qu'il s'amuse à la folie au milieu de ses avions et qu'il regrette de ne plus avoir vingt ans pour aller faire des acrobaties au-dessus de la ligne Siegfried. A eux quatre, ils forment une fine équipe et ils passent leur temps à courir les filles.

– Même Simon? grommelai-je. Et la jeune Russe, alors...

– Bien sûr, bien sûr. Tu connais Simon... C'est comme Luis Miguel, il fait partie de ceux dont la guerre a plutôt arrangé les affaires : il a un uniforme, il va piloter un avion, il a enfin des choses à faire, il plaît aux femmes plus que jamais. Mais...

– Mais?... demandai-je, connaissant déjà la réponse.

– Tu sais bien..., dit Atalanta.

– Pas du tout, assurai-je en mentant effrontément.

– Je suis à peu près sûre qu'il ne pense toujours qu'à Pandora.

– Je serais le dernier, dis-je en riant, à pouvoir le blâmer.

Il y a des guerres qui éclatent avant d'être déclarées. La Seconde Guerre mondiale fut à retardement. Y avait-il de braves gens pour s'imaginer que la guerre finirait en mineur comme elle avait commencé, sans autres événements que des batailles extérieures et de timides accrochages, la nuit, entre les deux monstres immobiles et tapis sous la terre : Maginot et Siegfried? Le 10 mai 1940, en tout cas, au milieu d'un des printemps les plus radieux du siècle – et il y aurait eu de mauvais coucheurs pour se plaindre de la sécheresse s'ils n'avaient pas eu l'occasion de se plaindre de bien autre chose – Hitler, une fois de plus, appliqua la plus classique des recettes du mélodrame et des coups de théâtre réussis : il étonna l'Europe avec ce qu'elle attendait.

Lorsque, à la façon de la mer ou du vent, ils atteignent une certaine force, les événements collectifs balaient les individus et leurs destins minuscules. La vie de Marie Wronski ou de son fils Nicolas, celle de Jérémie Finkelstein ou de Brian O'Shaughnessy avant la Première Guerre mondiale avaient été forgées lentement par le progrès invisible de la science et de la technique. Comme celle de beaucoup d'autres, la vie des sœurs O'Shaughnessy et des frères Romero fut bouleversée d'un seul coup par la tornade hitlérienne.

Jérôme Seignelay était encore en train de dormir dans le dortoir de la rue Saint-Jacques lorsque le jeune André Bourbougne, un abruti total qui était le fils d'un industriel du Puy-de-Dôme, connut son heure de gloire en faisant claquer les portes et en hurlant partout que l'armée allemande avait envahi la Belgique et les Pays-Bas. A défaut d'en avoir beaucoup vu, Jérôme Seignelay, qui n'était pas très vieux, en avait déjà beaucoup entendu : il crut d'abord que c'était une blague. Voilà longtemps que Bourbougne essayait de se faire remarquer. Il avait fini par trouver un truc. Jérôme s'efforça de se rendormir. Une agitation collective et soudaine l'en empêcha sournoisement. Il fallut bien se rendre à l'évidence : cet imbécile de Bourbougne n'avait peut-être pas tout inventé. « Je voudrais bien savoir, murmura Jérôme, d'où cet abruti-là tire ses informations. »

Dans la nuit du 9 au 10 mai, à Londres, Carlos, Agustin et Simon s'étaient retrouvés assez tard. Ils étaient allés finir la nuit, avec Vanessa et Lara, dans une boîte de Soho qui leur servait, depuis quelques mois, de quartier général et de point de rencontre. Ils avaient bu pas mal. Lara racontait à Vanessa, pour la cinquième ou sixième fois, comment elle avait épousé Simon à Moscou pour fuir le régime stalinien et comment elle était rentrée avec lui à Paris, puis à Londres.

– Mais tu l'aimes? demanda Vanessa, les yeux écarquillés par ce parfum de romance.

– Nous ne savons pas encore, répondait Lara. Je voulais surtout quitter Moscou.

– Et entre vous, ça va? demandait Vanessa.

– Tu veux dire physiquement? demandait Lara.

– Oui, oui, c'est ça : physiquement.

– Ça va, ça va, disait Lara en riant.

Carlos et Simon avaient entrepris à nouveau Agustin et Vanessa sur l'antisémitisme.

– Après tout, disait Simon à Agustin, tu es à moitié juif. Et par ta mère, ce qui est pire. Le père, on ne sait jamais. C'est la mère juive qui fait le juif. Ta mère s'appelle Finkelstein. Comme moi. Ton grand-père est mon père : il s'appelle Jérémie

Finkelstein. Et son père était rabbin en Pologne. Heureusement, il est mort. Qu'est-ce que tu crois que les hitlériens ont fait à tes grands-oncles et à tes cousins issus de germains? Tiens! ajoutait-il à l'intention de Carlos, est-ce que tu as des nouvelles de nos cousins polonais?

– Je ne vois pas pourquoi il faudrait confondre nationalisme et antisémitisme répondait Agustin, piqué au vif. Je ne suis pas sûr que les Juifs, en Allemagne, soient aussi maltraités que vous le dites. Et je crois toujours que Hitler n'a qu'une idée en tête : c'est de s'entendre avec l'Angleterre.

Ils parlaient ainsi, légèrement, des choses graves de l'histoire et ils continuèrent à boire jusqu'aux petites lueurs de l'aube. Quand le jour menaça de se lever sur Londres, Simon emmena tout son petit monde chez lui manger des œufs brouillés et dormir quelques heures. Simon et Lara s'étaient installés dans un lit, Agustin et Vanessa dans un autre. Carlos ronflait dans un fauteuil. Vers 7 heures du matin, ou peut-être un peu plus tard, Simon se leva pour téléphoner à *Paris-Soir* le troisième article d'une série que lui avait demandée Jean Prouvost sur l'effort de guerre britannique. Carlos y avait autant de part que Simon, mais c'était Simon qui signait. Lara, à demi réveillée, écoutait vaguement ce qu'il disait. Il répéta deux ou trois fois :

– Eh bien!... Eh bien!...

Et il revint se coucher.

– Tu ne dictes pas ton article? demanda Lara en ouvrant un œil.

– Ce n'est plus la peine, dit Simon.

– Que se passe-t-il? Tu es renvoyé?

– Pas encore. Mais personne n'attend plus mon article.

– Que se passe-t-il donc ? répéta Lara.

Alors Simon lui raconta tout ce qu'il venait d'apprendre.

On secoua Agustin et Vanessa qui dormaient du sommeil du juste. Le ciel leur tombait dessus. Ils firent une tête terrible.

Ce même matin du 10 mai, Pandora fut réveillée de très bonne heure par la sonnerie du téléphone. Elle décrocha dans un demi-sommeil, cherchant l'appareil de la main et tentant en vain de passer en revue la liste – déjà un peu trop longue pour ses brumes du matin – des rares privilégiés qui pouvaient se permettre de la déranger à pareille heure. Elle fut stupéfaite de reconnaître la voix familière de Winston Churchill – qui lui parut pourtant un peu changée. La veille au soir, il y avait à peine cinq ou six heures, il lui avait demandé de venir le prendre à 9 heures.

– Je vous attends tout de suite, lui dit-il. Chez moi. Arrivez comme vous êtes.

Et, plus rapidement encore que d'habitude, il raccrocha.

Il y avait quelque chose dans le ton du vieil homme qui n'invitait pas aux longues toilettes ni à la nonchalance. Pandora sauta dans une jupe et dans ses souliers. Elle avait laissé ses longs cheveux blonds flotter sur son cou. Oncle Winston piaffait d'impatience dans la rue, à la porte de sa maison. Il se jeta dans la voiture avec une agitation surprenante pour un homme de son âge et de sa corpulence et, avant de s'enfoncer dans un mutisme renfrogné que son chauffeur allait se garder de rompre – mais elle qui le connaissait bien voyait, dans le rétroviseur, une ombre d'allégresse se mêler à la fureur sur le visage poupin – il lança :

– 10, Downing Street.

C'est là que Pandora apprit tout ce que vous

savez déjà – et aussi que son passager devenait Premier ministre.

Tout au long du mois de juin, l'Angleterre ne reçoit pas une seule bombe. Et en juillet encore, l'activité aérienne allemande se limite à quelques attaques contre les ports. C'est que Hitler s'attend à l'écroulement de l'île abandonnée par le monde et assiégée par ses forces victorieuses. Au début de juillet, Geoffrey Lennon accompagne Churchill sur une des plages les plus menacées d'Angleterre, Saint Margaret's Bay, près de Douvres. A leur épouvante, ils dénombrent trois pièces antichars pour cinq mille de côtes. Un peu plus de 200 000 hommes ont pu s'échapper de la nasse de Dunkerque, un peu moins de 150 000 ont été rapatriés après la bataille de France : de tout leur armement, ils n'ont gardé que neuf tanks sur six cents et une douzaine de canons sur un millier.

Simon Finkelstein ne résiste pas à écrire une chanson qui devait connaître son heure de gloire.

I was playing golf the day
That the Germans landed.
All our troups ran away.
All our ships were stranded
And the thought of England's shame
Very nearly spoiled my game.

Le jour du débarquement
J'étais au golf calmement.
L'armée s'en était allée,
Nos bateaux avaient coulé.
Dans ce deuil national,
Désolé : j'ai joué mal.

Mais il met en même temps son expérience de guérillero à la disposition des Home Guards, armés surtout de piques faites de manches de balai et de fusils de la guerre de Sécession dont se servaient les théâtres pour leurs drames historiques. Chaque matinée qui s'écoule sans voir le débarquement des Allemands sur les plages désarmées est une bénédiction. L'oncle Winston fait des discours, fume des cigares à son chiffre, s'installe dans un abri aménagé au coin de Saint James Park et répète à Pandora que l'Allemange n'aura gagné que quand elle aura battu l'Angleterre – et qu'elle ne la battra pas.

Le 19 juillet est pour Hitler une journée d'apothéose. Pour la première fois depuis 1871, les troupes allemandes défilent sous la porte de Brandebourg. Les drapeaux claquent sur Berlin. A l'Opéra Kroll, entouré de Goering déguisé en Reichsmarschall et de douze maréchaux flambant neufs qui sortent de la mythologie pour entrer dans la légende, le Reichsführer vainqueur paraît dans toute sa gloire. Il offre la paix à Churchill : « Je me sens tenu par ma conscience de lancer un nouvel appel à la raison de l'Angleterre. Je crois pouvoir le faire parce que je ne suis pas un vaincu qui sollicite, mais un vainqueur qui n'a rien à demander. Je ne vois aucune raison de poursuivre cette lutte. » Churchill reste intraitable.

Dès la fin de juillet, toute une série de plans nouveaux s'échafaudent coup sur coup dans la solitude de Berchtesgaden : les uns visent Gibraltar, la Méditerranée, l'Egypte, les Canaries. Et les autres, la Russie. Le 12 et le 13 août, l'offensive aérienne est lancée contre l'Angleterre. « J'ai essayé, rugit Hitler à la tribune du Sportspalast, d'épargner les Anglais. Ils ont pris mon humanité pour de la faiblesse. Je raserai leurs villes jusqu'au sol. »

D'un seul coup, la vie des frères Romero fut bouleversée par la guerre. Peut-être parce qu'ils n'étaient pas anglais de naissance, ils se jetèrent dans la bataille avec plus d'ardeur que personne. Leur père, Aureliano, que l'âge et les honneurs devaient rendre si pompeux, s'était battu pour la France en 1914 avec la fougue d'un sous-lieutenant. Ils se battirent à leur tour pour le pays qui les avait accueillis.

Aux yeux de Carlos Romero, comme à ceux de son oncle Simon, l'affaire ne faisait pas un pli. Ils avaient rejoint, l'un et l'autre, en Espagne, les rangs des républicains. Ils avaient le sentiment de poursuivre le même combat. Le cas d'Agustin était plus surprenant. On peut imaginer, naturellement, que la pression sociale qui s'exerçait sur lui était devenue irrésistible. C'est possible. J'incline à une autre hypothèse un peu plus compliquée – ou peut-être plus simple encore. Je crois qu'il donne un exemple de ces retournements passionnels si fréquents en amour. L'avance des chars allemands trace son chemin de Damas dans le plat pays flamand : il se met à haïr ce qu'il adorait et à aimer ce qu'il détestait. Ses yeux s'ouvrent tout à coup sur la violence des nazis. Les succès mêmes de Hitler le rendent brutalement à la nation qui l'avait adopté : il l'adopte à son tour. Et Winston Churchill incarne soudain pour lui cette image du chef dont il avait tant rêvé. Simon Finkelstein, qui ne respectait rien et les élans patriotiques encore moins que le reste, ne put s'empêcher de ricaner :

– J'ai toujours pensé que le sang juif, chez lui, finirait par être plus fort que ses idées, qui étaient assez faibles.

Agustin et ses deux frères, Luis Miguel et Javier, furent de cette poignée de pilotes qui sauvèrent l'Angleterre de l'invasion à la fin du printemps et en été 40 et qui donnèrent à Churchill l'occasion d'une de ses formules les plus célèbres : « *Never so many owed so much to so few.* » Trois frères Romero sur quatre et un vétéran, leur oncle Simon Finkelstein, qui réussit, à plus de cinquante ans et en trichant sur son âge, à piloter encore un chasseur, figurent parmi les quelques hommes à qui tout un peuple dut son honneur et son indépendance.

D'innombrables Mémoires, des traités de stratégie, des documents bouleversants ont été consacrés à la guerre, à ses motifs et à son déroulement, aux souffrances des victimes, à l'héroïsme des combattants. Mon ambition n'est pas d'ajouter un ouvrage nouveau à ces milliers d'ouvrages. La chronique des temps évanouis à laquelle je me suis attaché n'a pas d'autre prétention que de ressusciter quelques fantômes dont le souvenir m'est cher et qui se pressent autour de moi sur ma terrasse de San Miniato. La guerre les surprend et les emporte. Elle se confond avec eux.

Luis Miguel fut abattu le 13 août 40, au deuxième jour de la bataille d'Angleterre. Son appareil s'abîma dans la mer, à quelques milles de la côte. Il ne portait sur lui ni argent, ni papiers, ni le moindre objet personnel. Familière, comme tout le monde, du folklore de la *Navy*, en train de devenir celui de l'armée tout entière, l'administration militaire ne mit pourtant pas longtemps à identifier le corps, mutilé et brûlé, disloqué par les vagues, qui fut rejeté sur une plage : dans une poche de la combinaison de cuir, déchirée et souillée, préservée par miracle, il y avait une photo de Pandora. Avec un rouge à lèvres délavé par le sel et par l'eau, elle y avait dessiné, à l'intention de Luis Miguel – je me demande à quelle époque, il y avait en tout cas un bon bout de temps – un cœur malhabile dont il ne s'était plus séparé.

Le soleil brille. Tout est calme. Depuis la visite – vous souvenez-vous ? – de Javier Romero qui a déclenché ces souvenirs, un autre printemps encore est revenu sur la Toscane. Une vague rumeur monte jusqu'à moi. C'est celle des champs et des pins, celle des cyprès, celle des oiseaux, celle de la fontaine et des eaux. C'est aussi celle du monde. De l'univers autour de moi, je n'écoute et ne vois qu'une fraction minuscule, mais je suis baigné en lui. A travers l'espace et le temps, il m'entoure de partout. Il se confond avec moi. Tout ce qui surgit dans le monde, au fond de ses recoins les plus lointains, tout ce qui a jamais existé entretient avec moi – et aussi avec vous – des liens obscurs et forts. L'éternel concert se poursuit sans entracte, sans limites et sans fin. Alexandre et Cléopâtre, un mendiant aveugle du Caire à l'époque du khalife, le champion ou la vedette qui lève, en signe de triomphe, ses deux mains vers le ciel, un lépreux africain en train de mourir dans une case du Bénin, la petite fille qui vient de naître d'une ouvrière agricole sur les bords du Yang-tsé-kiang se pressent autour de moi sur la terrasse de San Miniato. Beaucoup plus proches encore et beaucoup plus présents, les quatre sœurs O'Shaughnessy et les quatre frères Romero, avec leur diable d'oncle qui ricane en silence, se penchent sur ce que j'écris. Je ne suis pas sûr qu'ils se reconnaissent toujours dans les portraits que je trace d'eux ni qu'ils approuvent tout ce que je raconte.

– Tu exagères, me dit Luis Miguel. D'abord, on me voit à peine. Beaucoup moins que mes frères. Beaucoup moins que Carlos, qu'Agustin, que Javier. C'est un peu agaçant. Je veux bien croire que Carlos soit une espèce de génie. Je sais qu'Agustin est devenu très célèbre en roulant comme un fou dans ses drôles de machines et que Javier est ton ami. Tout de même! On me voit poursuivre des filles, tomber amoureux de Pandora et mourir en avion. Est-ce que ce n'est pas un peu maigre? Si jamais tu trouves des gens pour lire ce que tu écris, que vont-ils penser de moi?

– C'est comme moi, dit Atalanta. Puisque je ne cours pas le monde et les hommes dans le style de Pandora et que je ne suis ni fasciste ni communiste à la façon des deux autres, tu n'hésites pas à me réduire à la portion congrue. Tu as bien voulu t'intéresser un peu à moi quand j'ai épousé le mari de ma sœur. Ce qui t'a un peu déçu, c'est l'accord de Jessica. Je pense que tu aurais souhaité me voir brouillée avec elle. Merci. Merci beaucoup. On dirait que tu préfères les ratés de l'existence, ce qui accroche, ce qui ne marche pas, et que Geoffrey et moi sommes trop convenables – *too decent* – pour toi. Sous prétexte que nous ne faisons scandale ni par nos idées ni par nos mœurs et que nous ne tirons pas les pétards toujours nauséabonds et le plus souvent mouillés de la publicité, tu nous laisses un peu tomber. De toute façon, avec toi, il n'y en a que pour Pandora.

– Je discerne dans ces reproches une ombre d'amertume, dit Simon Finkelstein. Personne n'ira soutenir que tu nourris à mon égard une sympathie exagérée. Je ne me plains pourtant pas de l'image que tu donnes de moi. En gros, je m'y reconnais. Ce qui me surprend parfois un peu, c'est ton côté cavalier. Je pars pour Moscou tout seul, j'en reviens avec Lara : rien ne te paraît plus naturel. Remarque, je ne peux pas t'en vouloir : je m'étonne souvent moi-même.

– Dans mon portrait, dit Agustin, je retrouve sans surprise toute l'intolérance des libéraux. Je n'ai jamais changé d'avis sur la démocratie. Je voulais un régime fort : Churchill me l'a donné. J'admirais le fascisme et le nationalisme : ce n'était pas une raison suffisante pour accepter que l'Angleterre fût envahie par Hitler. Je me demande si tu as bien compris ces réactions assez simples.

– Moi, dit Pandora, ça va. J'ai toujours su que, des quatre sœurs, c'est moi que tu préférais.

Le sort de Hitler et de sa bande, celui de l'Europe, celui du monde se jouèrent en quelques jours. Jusqu'à l'extrême fin de la guerre, il y aura d'autres périodes où l'histoire vacille sur le fil du rasoir et où le destin semble hésiter à pencher d'un côté ou de l'autre. Aucune n'aura plus la violence, l'incertitude ni cette formidable solitude de la première bataille d'Angleterre. Tout au long de l'épreuve, la planète entière retient son souffle pour assister à un duel qui prend des allures de tournoi ou de combat singulier et dont dépend tout l'avenir.

A peine rentré de Norvège, Geoffrey Lennon avait été pris avec son unité dans la retraite de Dunkerque. Il ne parla jamais de ce qu'il avait vécu. La description épique des batailles et surtout des défaites, la délectation glorieuse et morose n'étaient pas le genre du clan. Pandora devait me raconter plus tard qu'elle avait essayé d'arracher à son beau-frère quelques témoignages de courage et d'horreur.

– Il y aura bien assez de récits oraux et peut-être même écrits de ce qui s'est passé là-bas, lui avait-il répondu. Il faisait très beau. Ce n'était pas gai. J'ai assisté déjà à deux rembarquements collectifs. Je ne détesterais pas faire l'expérience inverse. J'espère bien qu'un jour je pourrai participer à un débarquement. Il ne doit pas être tellement plus difficile, après tout, de descendre d'un bateau que d'y remonter.

En attendant ce jour improbable, tous les hommes, autour des trois sœurs, passaient le plus clair de leur temps à se promener dans les airs. La mort de Luis Miguel bouleversa Pandora. Elle ne se rappelait plus très bien, je crois, si elle l'avait vraiment aimé. Mais il avait occupé une grande place dans sa vie. Elle avait été à deux doigts de l'épouser. Et lui – comment faire autrement? – l'avait aimée à la folie. Elle se sentait responsable, peut-être coupable de sa mort. Elle savait, bien entendu, que rien n'aurait été pire qu'un mariage entre eux. Et elle sanglota sur sa fin, comme s'il était encore son fiancé ou son amant, comme s'il avait été son mari.

Dans Londres où coulaient le sang, la sueur et

les larmes, beaucoup d'officiers, de soldats, de fonctionnaires, de curieux assistèrent à un spectacle qui passa devant leurs yeux à la vitesse d'un éclair – et ils se demandaient, tout de suite après, en secouant la tête, s'ils n'avaient pas rêvé : Winston Churchill dans sa voiture, les lunettes sur le nez, le fameux cigare aux lèvres, en train de parcourir un dossier ou de griffonner quelques mots et, devant lui, très droit dans son uniforme bleu, un ravissant chauffeur blond en train de pleurer à gros bouillons.

L'esprit tout plein de ce Luis Miguel qui, franchement, franchement, n'était pas bon à grand-chose, Agustin, Javier, Geoffrey Lennon et même Simon se baladaient là-haut.

Jérôme Seignelay assistait au même monde. Il participait, de plus loin, à la même aventure que vivaient, de plus près, Pandora O'Shaughnessy et les frères Romero. Vers la fin de la première moitié du mois de juin, au moment où les lettres de Cicéron et la fin du règne de Louis XV commençaient à s'effilocher et où la rumeur des panzers à travers les grandes plaines du Nord se faisait de plus en plus forte dans la tête des Parisiens, il aperçut à sa stupeur la bonne vieille figure de tante Germaine au fond de la cour de Louis-le-Grand. Elle venait le chercher pour s'en aller, comme tout le monde. L'heure n'était plus à la discipline, aux règles, aux autorisations de sortie. Le monde craquait de partout. Dans la 11 CV Citroën, où s'étaient déjà entassés un grand-père, sa fille, sa petite-fille de dix-sept ans et pas mal de valises et de balluchons noués à la hâte, Jérôme Seignelay et sa tante Germaine abandonnèrent Paris menacé par Hitler et descendirent vers Dijon. La catastrophe prenait pour Jérôme des allures de vacances. Il avait rêvé tout l'hiver à la maison d'Arcy-sur-Cure. Voilà qu'il allait la revoir avec près d'un mois d'avance. Il y avait comme un pacte secret entre Hitler et Jérôme. Chaque année, en 38, en 39, en 40, avec Munich, avec la déclaration de guerre, avec l'exode – il entrait en troisième, il commençait sa seconde, et puis il la finissait – le national-socialisme avait donné un coup de pouce aux vacances de Jérôme. Deux fois, il avait retardé la rentrée et, la troisième, il avait avancé le départ. Serré, à l'arrière de la traction, entre la mère et la fille, il eut, pour Hitler, pour Goering, pour Ribbentrop, une pensée fugitive qui n'était pas vraiment hostile.

Le soir tombait. On roulait toujours. On n'était pas les seuls. Des milliers et des milliers de voitures étaient sorties de Paris vers le sud. La nationale 7, puis la route de Dijon – il faut rappeler aux enfants qu'il y avait déjà des autos, mais qu'en France au moins il n'y avait pas d'autoroutes : les autoroutes étaient fascistes – ne constituaient qu'un immense embouteillage qui préfigurait déjà les départs de juillet vers la fin de ce siècle. Mais, officiellement, il ne s'agissait pas de vacances. Il s'agissait de la pire catastrophe, la plus rapide, la plus complète que la France eût connue.

La tante Germaine et le grand-père, accroché à son volant, n'avaient pas cessé de gémir tout au long du chemin. Le pain, la nuit à venir, l'eau, simplement l'eau, reprenaient des proportions depuis longtemps oubliées. Il n'y avait rien de plus important que de trouver de quoi boire et où dormir quelques heures. La survie dépendait de ces besoins primitifs qui s'étaient laissé oublier et dont l'assouvissement se remettait soudain à poser des problèmes qui, sous une forme ou sous une autre, allaient durer cinq ou six ans. Jérôme s'en moquait un peu. La gorge sèche, feignant de dormir, plus réveillé que jamais, il caressait d'une main hardie sous les bras croisés le sein très rond de Mathilde qui ne disait pas un mot.

Les bouleversements de l'histoire brisent les constellations établies et en constituent d'autres. Le printemps et l'été 40 secouèrent brutalement le kaléidoscope du monde. Agustin et Vanessa avaient cessé, du jour au lendemain, de fréquenter des nazis, de les comprendre, de les approuver. Ils se mettaient à lutter contre eux. Vanessa avait repris ses habits d'infirmière – et elle avait bien raison. Le voile, les blessés, le dévouement aux autres – vous souvenez-vous encore des indignations d'oncle Winston contre l'égoïsme des trois sœurs? – lui allaient à ravir. Elle était passée dans l'autre camp, voilà tout. De temps en temps, par la Suisse, elle recevait des nouvelles de Rudolf. Je crois que le cœur lui battait toujours quand elle lisait les lettres, le plus souvent exaltées, qui, par crainte de la censure, ne disaient plus grand-chose et n'étaient signées que d'un R. Mais elles venaient d'un autre monde auquel elle avait cessé d'appartenir.

Agustin s'efforçait d'abattre autant d'avions allemands que possible. A la fin de l'année terrible, il en avait déjà trois à son actif. La mort de son frère

– Luis Miguel était, de loin, le préféré d'Agustin – l'avait révolté. La semaine même de sa disparition, il avait pris tous les risques et il s'était jeté dans deux duels à mort au-dessus des côtes de l'Angleterre. Les deux fois, coup sur coup, à l'enthousiasme de son escadrille, il était sorti vainqueur, mais, la deuxième fois, son appareil était criblé de balles qui avaient transpercé la carlingue et les ailes. Quand il revenait sur terre, il lui arrivait de se demander s'il n'était pas en train de rêver. Il méprisait toujours autant la démocratie libérale et le parlementarisme. Il risquait à chaque instant de se faire tuer pour ce qu'il détestait. Et ceux qui pensaient comme lui, il leur tirait dessus dans les airs. Il se rappelait avec une espèce de gêne qui allait jusqu'à la douleur sa dernière conversation avec Brasillach dans la Forêt-Noire. Il s'était passé exactement ce qu'ils avaient prévu : le nationalisme l'avait emporté sur les nationalistes. Là-bas, en Russie, le nationalisme l'emportait aussi sur les internationalistes. L'idéologie était en train de voler en éclats devant la réalité collective. Les Allemands regagnaient leur camp et les Anglais le leur. Comme les deux sexes dans le vers célèbre de Vigny, les deux nations mouraient chacune de son côté.

– Tout de même..., disait Agustin à Javier quand ils se rencontraient à Londres au cours d'une permission, tout de même...

– Tout de même, quoi? disait Javier, à moitié abruti par l'alcool dont il se mettait à faire une consommation considérable.

– Tout de même, ce qui m'épate, c'est que nous tenions devant Hitler.

– C'est parce que l'Angleterre est une île, bégayait Javier Romero, sur le ton le plus britannique.

– C'est sûrement ça, disait Agustin en avalant son troisième whisky, oui, c'est sûrement ça.

– Les Français n'ont pas tenu.

– Peut-être parce qu'ils n'ont pas la chance d'habiter dans une île... Peut-être aussi parce qu'ils ne sont pas anglais et parce qu'ils sont français..., hasardait Agustin. Je me demande un peu ce qu'est en train de penser Brasillach.

Plus vif, plus intelligent, plus actif que jamais, Brasillach était en train de penser qu'il y a un bon usage des catastrophes, que le malheur pourrait se changer en bonheur et la défaite en triomphe et que l'avenir de la France écrasée était du côté d'une Allemagne victorieuse et fasciste contre une Angleterre libérale, parlementaire, démocratique – et déjà vaincue. Peut-être parce qu'il aimait les idées, il admirait la force.

Le soir, souvent très tard, Pandora, épuisée, se jetait sur son lit. Elle n'avait plus le loisir ni la force de penser à ces hommes qui l'avaient tant occupée. Il y en avait un seul dans sa vie, elle passait avec lui le plus clair de son temps et elle le voyait très peu parce qu'elle n'en finissait jamais de lui tourner le dos : c'était Winston Churchill.

Les traditions résistaient à la tempête formidable en train de souffler sur l'Angleterre. Pandora n'avait pas manqué d'inscrire d'avance à Eton le jeune Francis, âgé de cinq ans. En attendant les routines et les charmes du collège, il se promenait dans Hyde Park ou dans Green Park avec ses cousins, les enfants d'Atalanta. Vous savez, naturellement, qui les tenait par la main et courait derrière eux en criant d'une voix de fausset : « *Come on, children! Tea time!* » C'était, fidèle, vieillie, indestructible, miss Evangeline Prism. Elle avait cessé d'être rousse. Elle était devenue toute blanche.

A Plessis-lez-Vaudreuil occupé par les Allemands, je pensais souvent aux sœurs O'Shaughnessy, à Javier Romero et à ses frères, à Glangowness où j'avais passé, dans un autre monde, tant de journées heureuses – ou malheureuses : c'est là que Pandora s'était mariée – et dont je ne savais plus rien. Je pensais aussi à miss Prism. Elle joue un rôle modeste, mais central, dans l'histoire des Romero et des O'Shaughnessy. Elle fait le lien entre les quatre frères au sang mêlé noir et juif et les quatre arrière-petites-filles – au teint, comment dit-on? de lis, de pêche, de rose – de Giuseppe Verdi et de Marie Wronski. Elle est aussi le sablier du temps qui passe et qui dure. Elle est déjà présente dans la préhistoire argentine, au temps du *Duque de Morny* – c'était, vous souvenez-vous? une pâtisserie de Buenos Aires –, de la jeunesse d'Aureliano et de la poigne de fer de Conchita Romero. Evangeline Prism avait traversé les années et les mers. Elle était venue à Paris au temps de Larue et de Viviani et des chapeaux hauts de forme sur les champs de courses de Longchamp et d'Auteuil. Elle était revenue à Londres dans la splendeur et la gloire de Son Excellence l'ambassadeur d'Argentine auprès de sa Gracieuse Majesté. Elle avait traversé quelque chose de plus rude que les océans tumultueux et les décennies successives : la distance infranchissable – ou apparemment infranchissable – qui séparait les Romero, descendants d'une esclave noire et d'un rabbin polonais, de ces O'Shaughnessy très blonds qui comptaient parmi leurs ancêtres pas mal de rois d'Irlande ou de ministres conservateurs et un vice-roi des Indes.

La mort de Conchita Romero avait été pour miss Prism un chagrin très profond. La mort de Luis Miguel la bouleversa. Avec ses machines terrifiantes et ses passions meurtrières, ce monde était trop injuste. Elle pleura tout un mois. Elle apprit à Londres, pendant la guerre, avec une sorte de désespoir, la mort d'Aureliano. Enseveli sous une gloire où se mêlaient confusément les prestiges britanniques, le souvenir de Bolivar et les rêveries de la SDN, il s'était éteint à Buenos Aires, loin de ses fils et de ce monde qui avaient tant changé et qui lui faisaient un peu peur. Quand j'appris à mon tour, à Plessis-lez-Vaudreuil, avec beaucoup de retard et par des circuits détournés et affreusement compliqués, que miss Prism n'était plus rousse et qu'elle s'était transformée en une de ces vieilles dames anglaises au visage rose et doux sous des cheveux très blancs, je compris tout à coup que, moi aussi, j'avais vieilli.

Je n'ai jamais réussi à obtenir des renseignements un peu précis sur ce qui s'était passé, à Dijon, entre Mathilde et le jeune Seignelay. Quand, bien plus tard, j'interrogeais Jérôme sur ces amours de jeunesse, il me répondait :

– Bah! vous savez bien...

Je ne savais rien du tout. J'imaginais. J'imaginais sans trop de peine cette année passée à Dijon et le retour de Jérôme au vieux lycée qu'il avait quitté pour Paris. Dans la phraséologie de l'époque

– ce serait un travail passionnant de décrire le passage du temps à travers son langage et de relever tous les tics et toutes les tournures de la Première ou de la Seconde Guerre, du Front populaire, de la Libération, de l'agonie du colonialisme ou de mai 68 – il était *replié* à Dijon. Ce repli, dans le cas de Seignelay, prenait un caractère un peu particulier parce qu'il constituait en même temps un retour aux origines et à Arcy-sur-Cure. Beaucoup de réfugiés, en France, sous l'Occupation allemande, s'étaient installés en zone libre au hasard des circonstances. Les Seignelay habitaient Dijon et leur fils flanqué de la tante Germaine s'était contenté de fuir Paris et de les rejoindre. Les difficultés de ravitaillement, si cruelles dans le midi de la France et si sensibles à Paris, ne furent jamais insurmontables du côté de Dijon. La maison d'Arcy-sur-Cure n'était pas dans la proximité immédiate, mais Jérôme et ses parents s'y rendaient pour les fêtes, pour la Toussaint, pour Noël, pour Pâques, et les cabas étaient bien fournis quand on rentrait à Dijon.

Jérôme fut reçu en héros au lycée de Dijon. Il y avait laissé un bon souvenir et il avait passé deux années au lycée Louis-le-Grand, entre la Sorbonne et le Panthéon, en plein Quartier latin. C'était presque la gloire, pour le lycée de Dijon, de récupérer un des siens qui avait fait mieux que de se défendre dans un des bazars mythiques de la légende parisienne. Jérôme resta deux ans à Dijon. Pour deux classes capitales : sa première et sa philo – qu'on appelle aujourd'hui terminale. Le bachot, en ce temps-là se passait en deux parties : à la fin de la première et à la fin de la philo – ou de math élem pour les scientifiques. Parce qu'il avait une réputation à défendre, et aussi parce qu'il aimait l'histoire et la littérature, Jérôme ne relâcha pas son effort. Il renoua avec ses succès de cinquième et de quatrième et devint la vedette du lycée de Dijon. Il avait eu de la chance à Paris avec M. Bidault et de M. Richardot. Il en eut encore en Bourgogne avec son professeur de français en première et avec son professeur de philosophie un an plus tard. Ils s'appelaient M. Nivat et M. Fouassier. Etait-ce vraiment de la chance? C'était plutôt le fruit de la politique républicaine en matière d'instruction : pour quelques années encore, avant le déclin et la crise, elle mettait l'enseignement français, les professeurs français, l'éducation française au premier rang dans le monde. Avec sa mèche sur le front, son air un peu rageur, sa façon de traiter les idées comme des filles, avec la même tendresse et la même désinvolture, Jérôme Seignelay illustrait à merveille cette réussite et cet art de vivre.

La mère et le grand-père de Mathilde ne savaient pas où aller. Ils avaient quitté Paris, tous les trois, comme tout le monde, sans le moindre but, pour fuir l'avance allemande. Tante Germaine et les parents de Jérôme les persuadèrent de rester à Dijon le temps de voir venir. L'avantage moral des catastrophes est qu'elles développent comme jamais l'esprit de solidarité et d'entraide. La mère de Mathilde était couturière. Sur la recommandation de la tante Germaine, les Seignelay la mirent en rapport avec une maison de confection dont ils connaissaient la gérante. La couturière venue de Paris se mit à retourner les manteaux, à adapter des pièces aux coudes des vestes de sport et aux genoux des pantalons, à lancer une espèce de mode de la pénurie élégante. Elle réussit très bien, et sans doute mieux qu'à Paris, à faire vivre son père et sa fille. Une ou deux fois par semaine, ils venaient dîner tous les trois dans la cuisine des Seignelay. Ils apportaient leurs tickets de pain et de matières grasses et remerciaient beaucoup de leur bonté le père et la mère de Jérôme. A la fin du repas, Jérôme se levait de table et allait travailler dans son coin. Quand il levait les yeux de ses livres, il croisait le plus souvent le regard de Mathilde.

Mathilde était une fille brune, aux lèvres boudeuses, au tempérament un peu sombre. Depuis l'exode en voiture qui lui avait laissé un souvenir enchanté et brumeux, Jérôme lui plaisait à la folie. Les succès du garçon au lycée de Dijon enivraient la jeune fille. Elle le voyait en vainqueur, des lauriers sur la tête, admiré par les foules. Ils se retrouvaient le soir, après les cours, et ils se promenaient le dimanche à bicyclette sur les routes de Sombernon ou de Gevrey-Chambertin. Jérôme aimait bien Mathilde. Ils s'embrassaient sous les arbres et ils se caressaient avec moins de contrainte que dans la Citroën de l'exode. Allèrent-ils plus loin? Je n'en sais rien. Nous sommes encore en 40 et en 41 : le monde est à feu et à sang, il n'a pas encore basculé dans les temps d'aujourd'hui. Il n'y a qu'une chose de sûre : lorsque l'été arrive et que Hitler, dénonçant le pacte germano-soviétique, envahit la Russie, Mathilde pense à l'avenir sous les traits de Jérôme.

Vers le début du mois de mai, Vanessa se sentit fatiguée et un peu déprimée. Elle décida d'aller se reposer quelques jours à Glangowness. Elle avait passé l'hiver dans les hôpitaux de Londres, à soigner des aviateurs et des marins blessés. Parfois, le soir, quand Agustin et elle étaient libres en même temps, ils allaient passer deux heures ensemble au restaurant, au théâtre ou au cinéma, applaudir Vivian Leigh et Laurence Olivier. Ils restaient longtemps silencieux, la main dans la main, et éprouvaient un peu de peine à parler.

– Au fond, disait Agustin, je n'ai jamais aimé que toi. Nous avons tant de souvenirs en commun! Il me semble que mon existence entière tourne autour de la tienne.

– Bah! répondait Vanessa, c'est que nos vies depuis toujours sont mêlées les unes aux autres. Depuis le placard aux Altesses jusqu'à Venise et à Barcelone, nous n'avons fait que nous poursuivre, nous quitter, nous retrouver. On dirait que le monde tourne autour de nous.

– Il tourne autour de chacun de nous. Chacun est le centre de l'univers. Et Hitler, Staline, Mussolini, l'oncle Winston sont cachés derrière nous tous et ils constituent le lien entre toutes les images que nous nous faisons de notre temps.

– Tu te souviens, demandait Vanessa après un long silence, de la nuit de Barcelone?

– Je me souviens surtout de toi, disait Agustin. De ton arrivée, de ton débarquement en infirmière dans la cour de l'hôpital, de ta gaieté sous les bombes et au milieu de tout ce sang. Tu n'as pas changé.

– Je ne sais pas, disait Vanessa. Je ne suis pas sûre. Tant de choses ont changé autour de nous!

Elle se taisait à nouveau.

– Je me demande souvent, reprenait-elle d'une voix un peu lente en rejetant sa tête en arrière et ses longs cheveux blond pâle, ce que devient Rudolf, ce qu'il pense de tout ce qui se passe et s'il n'est pas en train de m'oublier...

– Personne ne t'oublie, disait Agustin. Moi non

plus. Rudolf n'existe plus pour nous. Epouse-moi. Vanessa se mettait à rire. Elle posait sa main sur la main d'Agustin.

– Tu sais, quand nous étions toutes petites, dans le placard des Altesses, nous rêvions déjà des quatre frères Romero. Et puis, malgré Simon, ou peut-être à cause de Simon, Javier et Luis Miguel sont tombés amoureux de Pandora. Et Luis Miguel est mort. Et puis Carlos est tombé amoureux de Jessica. Et Jessica est morte. Est-ce que nous savons, toi et moi, ce que nous allons devenir ?

– Il y a assez de gâchis comme ça, disait Agustin en serrant la main de Vanessa. Sortons du tourbillon. Epouse-moi.

– Je t'aime beaucoup, disait Vanessa. Mais les choses vont trop vite. Il y a trop de bruit autour de nous, trop de souffrances, trop de sang. Si tu savais comme je suis fatiguée !

– Epouse-moi, répétait Agustin. La guerre ne durera pas toujours. La vie sera encore belle.

– Je pars pour Glangowness, disait Vanessa. Dormir. Me reposer. Rejoins-moi là-bas, si tu peux.

Agustin fit des pieds et des mains et obtint une permission. Il partit pour Glangowness et passa, au début de mai, quelques jours délicieux avec Vanessa O'Shaughnessy. La guerre semblait très loin. Ils se promenaient tous les deux autour du vieux château et rentraient le soir, épuisés et heureux, dîner avec Brian et Hélène autour de l'immense table qui avait vu jadis les soupers d'apparat et les fiançailles de Pandora et de Thomas Gordon.

La mort de sa dernière fille avait été pour Hélène la plus terrible des épreuves. D'un seul coup, elle était devenue une vieille dame et elle s'était mise à ressembler à l'image que je gardais de la comtesse Wronski. Son existence avait été à la fois plus calme et plus agitée que celle de sa grand-mère. Hélène n'avait connu dans sa vie ni jardinier de grande famille, ni enlèvement romanesque entre Vienne et Venise, ni passion tumultueuse avec un musicien de génie. Mais elle avait traversé plusieurs guerres, le monde s'était écroulé autour d'elle et elle avait perdu Jessica comme Marie, jadis, avait perdu, coup sur coup, Nicolas et Nadia. Dans son allure, dans sa tenue, dans sa façon de parler, elle rappelait beaucoup sa grand-mère.

Toujours très droit, mis à merveille, Brian s'était changé en vieillard. Poussé par une espèce de nécessité intérieure et d'obligation morale, il avait adopté le bredouillement McNeill, le bégaiement Landsdown. Au haut bout de la table immense, il donnait l'image de la continuité dans les tempêtes de l'histoire. L'âge se faisait sentir dans une propension croissante aux récits, coupés de longs silences, de la guerre des Boers, des batailles contre le Mahdi ou de la vie des camps au pied de la passe de Khaïber. Il remontait le temps dans le souvenir pendant qu'il le descendait dans son corps et, autant que lui-même, il était ce vieux Lord Landsdown, général et vice-roi des Indes, qui, quelque cent ans plus tôt, avait laissé tuer sa femme pour épouser la rani et son trésor d'émeraudes qui avait servi à restaurer les toits en ruine de Glangowness.

Agustin et Vanessa faisaient entrer à leur tour un peu d'air de jeunesse dans ce monument des âges. Ils sillonnaient le pays, non plus dans les voitures puissantes qu'il avait tant aimées, mais à bicyclette ou à pied. Le printemps perçait à peine. Le ciel se déchirait. Des nuages amicaux couraient dans le ciel pâle. L'Ecosse était belle et mauve. Les moutons étaient toujours là. Le silence et la paix régnaient sur les collines.

– Qui pourrait imaginer, demandait Agustin en passant son bras autour des épaules de Vanessa, que des gens sont en train de se faire tuer au-dessus de Londres et sur toutes les mers qui nous entourent ?

– Comme c'est beau ! disait Vanessa en regardant les moors qui s'étendaient au loin. Est-ce que tu crois que nous sommes en train de devenir ce qu'ont été nos parents, nos grands-parents, nos arrière-grands-parents et que nous allons finir par aimer ce que nous voulions tant détruire ?

– Peut-être, répondait Agustin, peut-être n'aurons-nous pas le temps.

Le jour tombait. Ils rentraient s'habiller pour dîner, avec toute la solennité nécessaire, en compagnie de Brian et d'Hélène. Un soir, à table, Agustin était en train de remarquer qu'il y avait un an, jour pour jour, de l'attaque hitlérienne sur la Belgique et la Hollande quand Richard, le vieux maître d'hôtel à favoris blancs, qui avait servi, à Glangowness, trois générations de McNeill et de Landsdown, qui accompagnait, dans la nuit des temps, mon grand-père à la chasse et qui m'avait porté sur ses épaules dans mon costume de velours à l'époque où j'étais garçon d'honneur au mariage de Brian retour d'Egypte et des Indes et d'Hélène âgée de seize ans, se pencha vers le maître de maison et lui murmura quelques mots à l'oreille. Brian leva la tête avec une expression de surprise.

Carlos Romero avait longtemps rongé son frein. Churchill, qui avait de l'estime pour lui et pour son intelligence et qui l'aimait beaucoup malgré l'enlèvement de Jessica au cours du déjeuner donné jadis, dans des temps immémoriaux, en l'honneur des fiançailles de la dernière fille de Brian avec Geoffrey Lennon, lui avait pratiquement interdit de rejoindre ses frères et son oncle dans les escadrilles de la RAF. Il l'avait collé au cœur du fameux MI 5 et de l'Intelligence Service. Carlos avait d'abord protesté, et puis il s'y était fait. De temps en temps, il levait la tête vers le ciel d'été déchiré par les chasseurs chargés de défendre la forteresse assiégée. Et il se replongeait dans les dossiers de l'infiltration des services hitlériens et du sabotage de l'effort de guerre allemand par des communistes dissidents ou des sympathisants trotskistes. Il avait retrouvé dans les services secrets quelques-uns des hellénistes ou des historiens les plus brillants de sa génération. L'Intelligence Service était une espèce d'annexe d'Oxford et de Cambridge. Simon se moquait de lui et le plaignait de passer son temps dans des bureaux au lieu de s'amuser avec les autres dans le ciel de l'Angleterre, mais la grande tourmente de 40 passée, il lui avait proposé de le rejoindre et de travailler avec lui. Carlos avait accepté aussitôt. Il avait présenté Simon à ses chefs et le tandem Carlos-Simon s'était reconstitué comme aux beaux jours de l'Ethiopie et du siège de Barcelone. Il ne manquait que Jessica pour faire le lien entre eux.

Les relations de l'Angleterre avec la Russie

n'étaient pas au beau fixe. La guerre avec la Finlande, le partage de la Pologne, la politique d'expansion du côté des pays Baltes et de la Roumanie montaient les Anglais, et surtout Churchill, contre l'URSS. Carlos Romero était chargé plus spécialement de tout ce qui concernait l'URSS, le communisme, le Komintern, dont il finira par obtenir, en 1943, en gage d'alliance loyale la dissolution, au moins officielle. Lorsque, vers la fin du printemps 41, Simon fit son apparition dans le secteur, Churchill convoqua Romero.

– Dites-moi, *my boy* (je crains que Carlos aussi n'eût droit à cette appellation dont je me plaisais à imaginer parfois qu'elle m'était réservée), il y a longtemps que vous connaissez ce Simon Finkelstein ?

– Pas très longtemps – mais c'est mon oncle. L'histoire est un peu bizarre. Il avait été enlevé dans son enfance et il a reparu dans la famille il y a un peu plus de dix ans. Vous connaissiez son père, je crois : il est le fils de Jérémie Finkelstein que vous avez rencontré à Glangowness.

– Je m'en souviens très bien, dit Churchill. Pandora O'Shaughnessy lui trouvait une ressemblance avec Benjamin Disraeli. Ce qui m'ennuie un peu chez le fils, c'est qu'il a épousé une Soviétique.

– Bien sûr, dit Carlos.

– Qu'est-ce que vous en pensez ?

– Mon Dieu..., commença Carlos, un peu embarrassé.

– Il est malin, n'est-ce pas ?

– Très malin.

– Trotskiste ?

– Si on veut. Mais en bons termes avec les Russes. Je crois que l'idéologie l'intéresse moins que l'action.

– Eh bien, on se servira de lui – et d'elle – si nous avons quelque chose de discret à faire dire à Staline.

Carlos ne rapporta pas à Simon sa conversation avec Churchill. Il ne savait pas très bien sur quel pied danser avec Lara. Il la voyait sous les traits tantôt d'une anticommuniste virulente qui avait trouvé le truc pour quitter la patrie du socialisme et tantôt d'un agent du Komintern chargé d'infiltrer les milieux intellectuels britanniques. Fidèle à son image, Simon semblait se moquer de ces incertitudes.

– Qu'est-ce que ça peut bien te faire? disait-il à Carlos. Est-ce que tu n'as pas passé ta jeunesse à servir le marxisme? Que Lara soit communiste ou anticommuniste, on s'en fiche bien.

– Staline a brouillé les cartes, disait Carlos. Il est l'allié de Hitler. Aussi bien par stalinisme que par anti-communisme, Lara peut poser des problèmes. Tu sais : nous sommes en guerre.

– Je suis en guerre privée depuis l'âge le plus tendre, répondait Finkelstein. Et Lara ne me gêne pas. Je ne crois pas qu'elle communique la nuit, par radio, avec Hitler.

– Ni avec Staline?

– Tu sais, je ne vois pas très bien ce qu'elle pourrait lui apprendre.

Il y avait des problèmes plus urgents que les sentiments profonds de Lara. Les amis de Carlos et de Simon à travers le monde fournissaient des points d'appui utiles aux services secrets britanniques. Les Apôtres, la Mafia, les compagnons de Paco Rivera, les combattants des Brigades internationales finissaient par constituer un réseau assez serré. Carlos avait même réussi à retrouver la trace de Zero Sant'Archangelo : il s'était installé aux Etats-Unis où ses affaires prospéraient.

Pandora, une fois de plus, s'était jetée sur son lit, épuisée de fatigue. La journée avait été infernale. Elle s'était levée à l'aube, elle avait été prise sous un bombardement, Churchill était d'une humeur de dogue. Elle n'avait trouvé un peu de calme et de repos qu'au moment sacro-saint de la fameuse sieste du grand homme : jamais, au plus noir de la guerre, quand les Anglais attendaient l'invasion des panzers avant la tombée de la nuit, il n'y avait renoncé. Ce soir-là, libérée vers l'heure du dîner par l'oncle Winston qui soupait en famille, elle avait décidé de se coucher aussitôt. Elle dormait à poings fermés lorsqu'elle fut assaillie et presque réveillée par un rêve. Elle parlait avec Vanessa dont la voix tremblait d'émotion et qui balbutiait des mots sans suite.

– Tu m'entends? disait Vanessa. Tu m'entends?

– Je t'entends? répondait Pandora. Je t'entends très bien. Ne crie pas. Qu'est-ce qui se passe?

– Il est là. Il est arrivé.

– Je ne comprends rien. Ne parle pas si vite. Qui est arrivé? Qui est là?

– Mais Rudi, naturellement. Il est là.

– Rudi? Qui est Rudi?

– Tu te rappelles? Rudi. Rudolf. Rudolf Hess. Il est arrivé.

– Où est-il arrivé?

– Mais ici. À Glangowness.

– Oh! Vanessa, Vanessa, pourquoi dis-tu des choses comme ça?

Elles murmuraient maintenant toutes les deux des mots presque sans suite. Elles se taisaient. Le rêve s'effaçait. Pandora se remettait à dormir profondément lorsqu'elle se réveilla brutalement. Le téléphone sonnait avec insistance. Elle se dressa dans son lit, alluma la lumière, décrocha l'appareil. A sa stupeur, elle entendit Vanessa.

– Pandora?... Allô!... Pandora? Pourquoi as-tu raccroché?

– J'ai raccroché?

– Bien sûr que oui... Es-tu seule?

– Avec qui veux-tu que je sois? Avec l'oncle Winston?

– Est-ce que tu as entendu ce que je t'ai dit?

– Qu'est-ce que tu m'as dit?

– Est-ce que tu dors? Réveille-toi. Rudolf est à Glangowness.

Pandora écarta légèrement de son oreille l'écouteur où résonnait encore la voix de Vanessa. Elle ferma les yeux avec force. Elle secoua la tête. Est-ce qu'elle rêvait toujours?

Brian et Agustin étaient sortis dans la nuit. Ils avaient pris une voiture. Ils avaient roulé un bon bout de temps en se demandant si ce pauvre Richard n'avait pas la berlue et s'il avait bien compris ce qu'il avait rapporté. Ils étaient partis sans rien dire à Vanessa. Brian avait seulement fait un signe à Agustin et ils s'étaient éclipsés tous les deux en s'excusant beaucoup auprès d'Hélène et de sa fille. Quand ils étaient arrivés à l'endroit indiqué par Richard, Agustin, avec un peu d'émotion, avait aussitôt reconnu Rudolf Hess.

L'Allemand était entouré de policiers, de soldats, de quelques hommes en civil. Il n'avait pas beaucoup changé. Il avait seulement l'air égaré. Si Agustin l'avait rencontré sur la route de Glangowness, il se serait peut-être contenté de penser que l'inconnu ressemblait vaguement à Rudolf Hess. Mais, prévenu comme il l'était, il n'eut aucune hésitation. Il se tourna vers Brian :

– Aucun doute : c'est lui.

Brian se contenta d'émettre un léger sifflement. Il signifiait, avec une sobriété exemplaire, que le malheureux Lord Landsdown reconnaissait dans ce coup du destin une nouvelle manifestation du génie de ses filles.

Rudolf Hess était vêtu d'une combinaison d'aviateur allemand. Il paraissait épuisé et répondait d'une voix hachée aux questions qui lui étaient adressées. Ceux qui les lui posaient semblaient aussi bouleversés que lui-même. L'apparition, en pleine guerre, sur le sol britannique, d'un parachutiste hitlérien qui parlait avec assurance de ses relations avec le haut commandement de la Wehrmacht et de la Luftwaffe, était une affaire stupéfiante.

– Avez-vous prévenu Londres? demandait Brian à un lieutenant à qui il s'était présenté.

– Pas encore, répondait le lieutenant qui ne savait pas très bien quel titre il fallait donner à ce vieux gentleman distingué dont il n'avait compris que vaguement le nom et les qualités.

– Je connais le Premier ministre. Je vais me mettre en rapport avec lui.

– Lieutenant! interrompait un civil qui paraissait appartenir à la police, que faut-il faire de l'homme?

C'était une question terriblement embarrassante.

– Il a dit qu'il venait en ami et qu'il voulait

parler au Premier ministre, indiquait le lieutenant. Faut-il le considérer comme un prisonnier de guerre et le faire coucher en prison ou lui réserver une suite dans le meilleur hôtel d'Ecosse?

Agustin se pencha vers Brian et lui dit quelques mots. Brian parut hésiter quelques secondes avant d'incliner la tête.

– J'ai une proposition, dit Agustin.

– Oui? dit le lieutenant.

– Nous pourrions le prendre chez nous, sous bonne garde naturellement. Vous désigneriez quatre hommes pour le surveiller. Il serait logé convenablement, et vos hommes aussi.

– C'est une bonne solution, dit l'homme en civil, qui paraissait le chef de la police locale.

– Il faut que je consulte mes supérieurs, dit le lieutenant.

– Venez avec nous, dit Brian. Nous téléphonerons ensemble au Premier ministre.

Pendant que militaires et policiers s'affairaient dans la nuit close, consultant des cartes de la région, rédigeant des procès-verbaux et donnant des ordres pour faire circuler les rares voitures qui commençaient à s'arrêter, Agustin s'approcha de l'homme.

– Vous me reconnaissez? dit Hess.

– Je crois que oui, dit Agustin. Qu'est-ce qui vous a pris?

– Où est Vanessa? demanda Hess en regardant autour de lui et en baissant la voix. C'est pour elle que je suis venu.

– Eh bien, répondit Agustin, si j'avais eu des doutes, ils se seraient évanouis.

Il se retourna vers Brian en train de discuter avec le lieutenant et le chef de la police :

– Est-ce que vous vous rendez compte de ce qui

vient de se passer? Nous avons ici, avec nous, le bras droit de Hitler.

Toutes les cinq minutes, Pandora appela Winston Churchill. Il n'était pas chez lui. Elle avait essayé de lui téléphoner à son bureau, chez des membres de sa famille dont elle connaissait le numéro, dans l'un où l'autre des restaurants où il lui arrivait d'apparaître sous les applaudissements des clients. Le Premier ministre semblait avoir disparu. Elle devait aller le chercher chez lui, le lendemain, de très bonne heure. Elle décida d'aller le cueillir quand il rentrerait pour lui annoncer aussi tôt que possible une nouvelle qui pouvait changer le destin de la guerre. Elle s'installa devant la porte d'entrée, se pelotonna dans sa capote, car la nuit était fraîche, et se mit à attendre. Au bout d'une demi-heure, elle s'endormit. Elle se réveilla dans les bras d'oncle Winston qui sentait un peu le cigare et beaucoup le whisky.

– Qu'est-ce que tu fais là? grommela-t-il.

– Je vous attendais, dit Pandora en reprenant ses esprits.

– Es-tu folle? Pour réussir à éloigner les deux types qui m'accompagnent, j'ai dû leur raconter n'importe quoi. Je n'avais pas envie qu'on te voie en train de dormir sous mon porche. Qu'est-ce que tu veux?

– Oh! non, oncle Winston, dit Pandora en riant, ce n'est pas ce que vous croyez. Je vous aime beaucoup, mais je suis en service. J'ai passé la soirée à vous appeler : Rudolf Hess est ici.

– Est-ce que tu as bu? demanda Winston Churchill en penchant vers elle son lourd visage massif.

– Mais il faut me croire, cria Pandora. Rudolf Hess est arrivé à Glangowness.

En entendant le nom de Glangowness, Churchill changea de figure. Peut-être Pandora était-elle moins folle ou moins ivre qu'il ne pensait.

– Entre, lui dit-il.

A peine avaient-ils pénétré dans la maison que le téléphone se mettait à sonner.

– A cette heure-ci, dit Churchill, si ce n'est pas toi, qui est-ce donc?

Et il décrocha.

– C'est Brian, murmura-t-il très vite en mettant une main sur l'appareil. Inutile de lui expliquer que tu es ici avec moi, ce serait trop compliqué. Il dit que Hess est à Glangowness.

– Tiens! dit Pandora.

Le jour se levait sur Moscou quand Viatcheslav Mikhaïlovitch, après quelques instants d'hésitation, décida tout à coup de réveiller Iossif Vissarionovitch, plus redoutable et plus puissant que jamais depuis qu'il avait enlevé à Molotov – il y avait à peine quelques jours – le titre de président du Conseil des commissaires du peuple pour l'ajouter à toutes les distinctions et à tous les pouvoirs qu'il possédait déjà.

– En train de dormir, Iossif Vissarionovitch?

– Ça ne fait rien. Qu'est-ce qui se passe?

– Rudolf Hess est en Angleterre.

Il y eut un grand silence.

– Allô? dit Molotov.

A l'autre bout du fil, Staline donnait l'impression de s'être endormi avant de se réveiller tout à coup et de s'étrangler.

– Comment, en Angleterre? Invité? Prisonnier?

– Non... Enfin... Je ne sais pas. Il a sauté en parachute.

Il y eut un nouveau silence.

– Réunion au Kremlin dans une heure, dit Staline.

Et il raccrocha.

Molotov resta immobile un instant. Et s'il s'était trompé? Ou s'il avait été trompé? Il n'avait pas une confiance sans bornes en cette Lara Kotchoubeï qui descendait de féodaux type Wronski ou Narichkine. Encore moins dans ce Finkelstein qu'il avait reçu une ou deux fois à la veille de la guerre, qu'elle avait épousé avec sa bénédiction et dont il se souvenait très vaguement : une espèce de juif trotskiste qui fricotait avec l'Ouest et qui s'était battu en Espagne aux côtés des anarchistes. Le message codé était pourtant formel : hier, 10 mai, Rudolf Hess avait sauté en parachute au-dessus de l'Ecosse. C'était une nouvelle, si elle n'était pas fausse, qui ne pouvait pas rester secrète très longtemps. Dans une heure, il en saurait plus. Avant le soir, il serait fixé. Il consulta une liste dans un petit carnet de cuir qui ne le quittait jamais. Il décrocha son téléphone, donna des ordres rapides et entreprit de s'habiller tout en continuant à réfléchir à cette affaire invraisemblable qui commençait à l'inquiéter. Le Petit Père était d'une humeur... Si on ne lui apportait pas des informations plus précises, on allait voir encore tomber quelques têtes... Des noms défilèrent très vite sous le crâne chauve, derrière le lorgnon. Le plus simple peut-être serait d'interroger les Allemands : ils étaient

plutôt moins menteurs que ces sacrés Anglais. décida d'obtenir, d'une façon ou d'une autre, de informations de Ribbentrop.

– J'ai une copie remarquable, disait M. Nivat. Elle est de notre ami Seignelay.

Jérôme rougit de plaisir. « Chateaubriand, à votre sens, marque-t-il la fin d'une époque ou le début de temps nouveaux ? » Le sujet l'avait inspiré. Il avait construit sa copie sur les contradictions du vicomte. Il avait ouvert sur Chateaubriand, issu de l'Ancien Régime, écrivain d'emblée classique, et pourtant disciple de Rousseau et précurseur de Hugo. Il était passé à la vie politique, au culte de la tradition, à la fidélité aux Bourbons. Mais aussi au respect de la liberté de la presse. Il avait conclu en montrant que l'ambassadeur, le ministre, le pair de France, si attaché au passé, ne se distinguait pas de René, fils de Jean-Jacques, d'où allait sortir tant d'avenir : tout son siècle d'abord, et une partie du suivant, qui est encore le nôtre.

J'ai la copie sous mes yeux, annotée à l'encre rouge, soulignée, dans la marge, de beaucoup de *B* et de *TB* Deux ou trois erreurs de date – la mort du duc d'Enghien, située en 1803 – quelques fautes d'orthographe – l'*a* de Chateaubriand est obstinément agrémenté d'un accent circonflexe – sont relevées d'un point d'exclamation, consterné et vengeur. L'écriture, à l'encre bleue, pâlie par le temps qui passe, délavée par les ans, est encore enfantine. D'un bout de la copie à l'autre, elle est identique à elle-même. On ne sent aucune lassi-

tude, aucune hâte, aucune volonté d'en finir au plus vite. L'appréciation finale figure, toujours à l'encre rouge, au haut de la copie : *Travail excellent, réfléchi et brillant : 18,5.*

M. Nivat avait commencé par liquider les nullards, les 0,5, les 1, les 2, les 3. Il s'était à peine arrêté sur les copies entre 5 et 10. Il avait discuté un peu plus longuement la demi-douzaine de compositions qui s'étageaient entre 10 et 14. Il y avait une copie notée 15, une autre 15,5. Il en avait parlé avec drôlerie, avec flamme. Il n'y avait pas de 16, pas de 17, pas de 18. C'est alors qu'il avait dit :

– J'ai une copie remarquable...

Et il s'était mis à la lire.

Jérôme pensait vaguement à Mathilde. Il s'écoutait lui-même dans une sorte de brouillard où brillaient les éclairs des jugements de Nivat :

– C'est excellent!... C'est très bien!

La lecture se poursuivait. Le jeune Hugo confiait à son carnet de notes : « Etre Chateaubriand ou rien. » Les cancres du fond de la classe – le fils du notaire, le fils du boucher qui admirait Doriot, le petit-fils des châtelains de Saint-Ferréol qui étaient encore pétainistes et qui glisseraient vers le gaullisme – commençaient à s'agiter. M. Nivat s'exclamait encore deux ou trois :

– C'est bien!... C'est assez bien...

Les paragraphes se succédaient. On tirait vers la fin. Les Bourbons s'écroulaient. Le style de Jérôme s'enflait peut-être un peu. Il entendit Nivat qui grommelait sourdement : « Ce n'est pas trop mal... Ça, c'est moins bien... », avant de s'interrompre brusquement et de lui rendre la copie, appuyée d'un jugement de plus en plus abrupt dont Jérôme devait se souvenir toute sa vie :

– C'est moins bien que je ne croyais... C'est à peine mieux que les autres... Franchement, ce n'est pas fameux : il n'y a pas de quoi fêter Noël.

– C'est charmant, grondait Churchill. Staline est ivre de rage. Il est convaincu que Rudolf Hess est venu me proposer un front commun contre lui. Est-ce que je peux lui expliquer que cet imbécile – je finis par me demander s'il est tout à fait normal – a sauté en parachute pour rejoindre votre sœur? Qui pourrait croire de telles sornettes – rigoureusement exactes, bien entendu? Quelle famille! Mais quelle famille!

– J'ai une idée, murmurait Pandora, très droite devant son volant, sans tourner la tête en arrière.

– Hmm?

Des piles de documents étaient étalées sur le siège arrière où il continuait à griffonner des notes sur le rapport qu'il lisait. Il écoutait en même temps et il émettait ses borborygmes, incompréhensibles et fameux.

– *Well... Yes...* Hmm...

– Vous pourriez demander à Carlos Romero de prendre l'affaire en main. Il connaît Vanessa, il connaît Simon Finkelstein, il connaît Lara. Il est le frère d'Agustin Romero qui est l'ami le plus intime de Vanessa. Il est au centre de l'aventure de Rudolf Hess et, en plus, il est lié avec tout ce qui compte chez les communistes et il n'est pas trop mal vu à Moscou. Il est assez critique à l'égard de Staline depuis la guerre d'Espagne. Mais il cst fidèle et solide. Je crois qu'il serait capable d'inspirer une certaine confiance au Kremlin.

Churchill se souvint tout à coup de la conversation avec Carlos. On pouvait se servir de Carlos et, à travers lui, de Simon Finkelstein et, à travers Simon Finkelstein, de cette jeune Soviétique qu'il avait épousée et dont il avait oublié le nom. La filière était un peu fragile. Elle avait l'avantage d'aller directement, par Vanessa interposée, par Agustin, par Carlos, par Simon Finkelstein, de Rudolf Hess au Kremlin. Elle était toujours meilleure que la ronde éternelle et inepte des ambassadeurs qui parlent dans le vide pour ne rien dire et que personne n'écoute plus.

– Est-ce que vous connaissez bien Simon Finkelstein ? demanda-t-il d'une voix distraite.

– Mon Dieu, dit Pandora, plutôt.

Churchill leva la tête. Il se souvenait soudain d'autre chose, d'une affaire plus lointaine et moins grave qui s'était passée à Venise et à laquelle il m'avait mêlé.

– *Sorry*, bougonna-t-il.

– *Never mind*, dit Pandora. C'est une si vieille histoire !

– Bon. Eh bien, tâchez de mettre tout ça en train, dit Churchill. Expliquez ce qui se passe à Carlos Romero et à Simon Finkelstein et dites-leur de venir me voir.

Vanessa avait cru devenir folle. De surprise, de bonheur, d'émotion, d'angoisse. Elle était couchée depuis longtemps quand Agustin avait frappé à sa porte. Personne ne sait jamais ce qui se passe dans l'esprit et dans le cœur des êtres les plus proches et les plus familiers. Il nous arrive même de ne pas comprendre ce qui se passe dans notre propre cœur et dans notre propre esprit. Nous n'avons pour témoigner des passions et des idées qui s'agitent confusément dans leur ciel ineffable – ou peut-être dans leur enfer – que les actions qu'elles suscitent. Si je me suis mis, dans ma retraite toscane, à rédiger ces souvenirs sur les O'Shaughnessy et sur les Romero, c'est parce que j'ai été le témoin direct ou indirect, non de ce que les uns et les autres ont ressenti ou pensé et que je ne connais pas, mais tout simplement de ce qu'ils ont fait ou dit et dont j'ai été le témoin ou qui m'a été rapporté. Mais ces actes eux-mêmes, ces faits, ces durs noyaux de la réalité quotidienne, sont ambigus et flous.

Quand Agustin, bien plus tard, me racontait les événements de cette soirée à Glangowness, je sentais dans sa voix et dans ses mots le trouble et l'incertitude qu'il avait ressentis. Et quand Vanessa, à son tour, me faisait le même récit, c'était une autre scène, et pourtant la même, qui surgissait devant mes yeux. Les témoignages passent leur temps à différer les uns des autres. D'abord parce que les intéressés ne disent pas toute la vérité. Ensuite parce qu'ils ne la savent pas. Enfin, et peut-être surtout, parce qu'il n'y a pas de vérité dans le monde des sentiments, des pulsions, de ce flux vague et continu que nous appelons, faute de mieux, notre vie intérieure.

Quand Agustin frappa, dans la nuit déjà avancée, à la porte de Vanessa, il n'eut d'abord pas de réponse. Vanessa dormait. Il frappa une seconde fois. En entendant vaguement, au sortir du sommeil, le bruit discret mais insistant à son seuil, elle n'hésita pas un instant : elle sut aussitôt que c'était Agustin.

Ce qu'elle ressentit alors, je ne le sais pas exactement. Et Agustin non plus. Et Vanessa elle-même ne le savait pas davantage. Elle aimait tendrement Agustin. Et Agustin l'aimait. Voilà longtemps déjà qu'ils avaient fait l'amour pour la première fois et que l'aventure avec Hess se doublait, pour Vanessa, de l'aventure avec Agustin. Les quelques jours à Glangowness avaient été un havre de grâce dans les tourbillons de la guerre. Les promenades dans les moors, les charmes du printemps, le réveil des souvenirs les avaient ramenés dans le monde enchanté de leur adolescence. Ils avaient marché longtemps dans les collines sans échanger un mot et la main dans la main. Vanessa avait retrouvé cette force charmante et très douce d'Agustin qui n'avait jamais cessé de lui plaire jusque dans sa passion la plus folle pour Rudolf. Agustin avait compris une fois de plus, avec une violence qui traversait les années, qu'il n'avait jamais cessé de l'aimer. Agustin n'avait pas demandé de nouveau à Vanessa de l'épouser, comme il l'avait fait à Londres plus d'une fois, mais un sentiment irrésistible fait de confiance mutuelle et du bonheur d'être ensemble les avait poussés l'un vers l'autre. Le soir de ce même jour, avant de rentrer dans la vieille maison retapée et gothique, alors que le soleil commençait à se coucher sur les moutons perdus dans l'immensité mauve, ils s'étaient embrassés.

Vanessa ne demanda même pas qui avait frappé à la porte. Elle tourna la clef. Agustin entra. Il la vit, très blonde, le visage long et fier, dans sa chemise de nuit qui lui tombait jusqu'aux pieds. Elle se tenait debout, très droite, ses cheveux raides sur les épaules, et elle le regardait. Il se sentit chavirer. Elle ne bougeait pas, mettant sur le compte de la tendresse et de la timidité l'hésitation d'Agustin. Lui, qui était venu annoncer à Vanessa l'arrivée surprenante, restait comme frappé de stupeur par sa beauté désarmée. Ils demeurèrent ainsi quelques instants, et toute une éternité, immobiles, interdits. Et puis Agustin s'avança et la prit dans ses bras.

Elle s'abandonna aussitôt, posant sa tête sur l'épaule du jeune homme. Le bonheur les envahissait. Il était d'autant plus étrange qu'ils se connaissaient depuis si longtemps! Et plein de menaces effrayantes parce qu'il fondait sur eux, dans les interstices de la guerre, au moment même où celui qu'elle attendait depuis toujours lui était enfin rendu. Mais elle ne savait rien des événements qui venaient de se dérouler, à quelques kilomètres de Glangowness, sur les landes austères de l'Ecosse. Il n'eut pas le courage de lui dire pourquoi il était venu ni de lui raconter ce qui s'était passé. Ils tombèrent ensemble sur le lit, sous le grand baldaquin.

Jérôme Seignelay fut envoyé par M. Nivat au concours général. Le sujet portait sur les fables, les animaux, la morale. Il inspira à Jérôme un ennui insurmontable et une copie dont il sut aussitôt qu'elle était plutôt médiocre. Les idées ne coulaient pas avec cette simplicité transparente qu'il aimait plus que tout. Les enchaînements était laborieux, les raisonnements tournaient court. Il n'avait pas eu le sentiment, où il trouvait tant de joie, de pénétrer dans le sujet et d'en éclairer toutes les faces, tous les détours, les tenants et aboutissants. En sortant de l'épreuve, qui avait été longue, il marcha deux heures dans Dijon, perdu dans ses pensées qui étaient confuses et sombres. Avait-il raison de passer sa jeunesse le nez fourré dans les livres au lieu d'aller se baigner et se promener et danser avec les autres? Mathilde lui en voulait : elle ne le voyait pas assez souvent. Il passait son temps à lire, à traîner dans la bibliothèque. Est-ce que ça valait la peine? Il ne parviendrait même pas à décrocher quelque chose au concours général. Pour la première fois, Jérôme Seignelay se posait des questions. Il comprit assez vite qu'elles naissaient de son échec et de l'insuffisance de sa copie. Ce qu'il aimait, c'était réussir, dominer les situations, faire fonctionner des mécanismes, ouvrir des portes qui paraissaient fermées. C'est ce jour-là, dans les rues désertes de Dijon où passait de temps en temps une voiture à gazogène, me raconta-t-il un soir où nous dînions ensemble sur cette merveilleuse place de Sienne qui a une couleur ocre et la forme d'un coquillage, qu'il décida, dans le feu de l'échec, d'être le meilleur partout et de gagner toujours.

– Vanessa..., disait Agustin.

– Oui, mon chéri?...

Ils étaient couchés dans les bras l'un de l'autre, sous le grand baldaquin. Vanessa passait ses doigts, qui étaient longs et minces, sur le visage d'Agustin. Il avait les yeux grands ouverts et il regardait dans le vide.

– Vanessa, je suis entré chez toi...

– Chez moi et dans moi, je ne t'en veux pas, mon chéri, répondait Vanessa en suivant avec une attention minutieuse le contour des lèvres d'Agustin.

– Ecoute-moi, disait Agustin. Je suis entré chez toi pour...

– Pour coucher avec moi. Je sais. Tu as bien fait.

– Justement : non, disait Agustin.

– Non? disait Vanessa en riant. Alors, pourquoi es-tu entré chez moi alors que je dormais déjà? Tu avais quelque chose à me demander qui ne pouvait pas attendre?

– A te demander, non. Mais j'avais quelque chose à te dire...

– Tu l'as dit mieux que personne, interrompit Vanessa en lui baisant les lèvres. Ne t'agite pas.

– Tu ne comprends pas, dit Agustin en s'asseyant sur le lit.

Et son regard devint si dur que Vanessa eut un mouvement de recul.

– Qu'est-ce que tu as? lui dit-elle.

– Il s'est passé quelque chose que j'aurais voulu te dire tout de suite... Mais...

– Mais quoi? dit Vanessa.

– Mais tu étais si belle que je n'ai pas pu faire autrement : je me suis tu.

– Pandora?... demanda, avec une soudaine brutalité, Vanessa qui ne riait plus.

– Non, non, dit Agustin en la prenant par les deux poignets en l'obligeant à se calmer, non. Pandora va bien. C'est Rudolf...

– Rudolf!... cria Vanessa. Rudolf?...

– Rudolf a sauté en parachute à quelques miles d'ici. Je l'ai vu. Il n'a rien. Il veut te voir.

– Mon Dieu! dit Vanessa.

La guerre se déchaînait de plus belle. L'Afrikakorps de Rommel était envoyé en Libye pour soutenir les Italiens. En onze jours, la Wehrmacht, sous le commandement de Kleist, détruisait l'armée yougoslave avant de chasser les Anglais de la Grèce et de Crète. En Syrie et au Liban, les forces anglo-gaullistes l'emportaient sur les troupes françaises du Levant encore aux ordres de Vichy. L'affaire Rudolf Hess n'en finissait pas de tourmenter Staline. Tous les apaisements possibles lui avaient été apportés par l'ambassadeur d'Angleterre qui lui avait remis une lettre personnelle de Churchill. Mais la méfiance naturelle et presque maladive du Géorgien lui faisait repousser avec un haussement d'épaules l'explication confidentielle du Premier ministre britannique – qui recoupait bizarrement l'interprétation officielle et embarrassée des dirigeants hitlériens : Rudolf Hess, tout à coup, aurait perdu la tête, Rudolf Hess serait devenu fou.

– Et toi, tu avales ce truc-là? demandait Staline à Viatcheslav Mikhaïlovitch, affreusement embarrassé.

– Franchement, répondait Molotov, qui n'avait, pour une fois, aucune espèce d'information et qui n'était pas en mesure d'obtenir des aveux de Hitler, de Goering, de Goebbels, ni de Churchill, franchement, je n'en sais rien.

– Eh bien, moi, reprenait Staline, je crois qu'il y a autant de traîtres à l'extérieur de la Russie qu'il y en a à l'intérieur. Je sens que les Allemands et les Anglais sont en train de s'entendre sur mon dos. Et si je tenais Hitler et Churchill, je les arrêterais, je leur arracherais le secret de leur complicité contre moi et je les ferais fusiller. Et toi, tu les rejoindrais parce que tu n'es qu'un pauvre imbécile qui n'a jamais rien compris. Tu es un con. Et je le dis au sens péjoratif du mot. Si tu me caches quelque chose, fais gaffe! Et numérote tes abattis.

Lorsque Molotov, le lorgnon encore apeuré par l'algarade stalinienne, reçut une dépêche du Foreign Office lui recommandant Mr. Carlos Romero et Mr. Simon Finkelstein, chargés auprès de lui d'une mission officieuse, il n'hésita pas longtemps. Qu'est-ce qu'il risquait? Il avait trop peur de la sauvagerie inquiète de Staline pour ne pas se jeter sur toutes les occasions qui s'offraient d'en savoir un peu plus sur l'affaire mystérieuse et irritante de Rudolf Hess. Il répondit qu'il serait heureux de recevoir les deux émissaires que lui envoyait, en dehors des circuits officiels, le Premier ministre britannique.

Des années et des années plus tard, sous le président Coty et sous le général de Gaulle, Jérôme Seignelay se réveillait encore la nuit à la rumeur menaçante de la reproduction des phanérogames vasculaires. Il avait eu du mal à sortir plus de quinze phrases sur ce thème fascinant qui l'ennuyait à mourir : juste assez pour éviter le zéro rédhibitoire qui aurait fait rater son bachot à l'élève le plus brillant du lycée de Dijon. Malgré une note catastrophique, il fut reçu avec une mention bien, remportée de haute lutte par des résultats époustouflants en latin, en grec, en français, en histoire. Mathilde ne se tenait plus de joie.

Elle était passée le chercher à la sortie des épreuves et ils étaient allés tous les deux au cinéma voir *La Kermesse héroïque*. Un peu avant la fin du film, Jérôme avait pris Mathilde dans ses bras et il l'avait embrassée. Elle se serrait contre lui en silence et elle mettait sa tête au creux de l'épaule du jeune homme. En sortant du cinéma, l'esprit encore tout agité par les fêtes et par les belles Flamandes, ils se promenèrent au hasard dans les vieilles rues de Dijon. Pour Mathilde, et peut-être pour Jérôme, il y avait dans cette promenade et dans ce présent si doux comme une promesse pour l'avenir.

Quelques semaines plus tard, Mathilde accompagna Jérôme à la proclamation des résultats. Ils déchiffrèrent dans une angoisse balayée par la joie, le nom de Jérôme sur la liste des reçus. Mathilde se jeta dans les bras du nouveau bachelier.

Jérôme rentra chez lui pour annoncer la nouvelle à ses parents. Son père l'embrassa et lui dit :

– Je suis content pour toi. Mais ce n'est qu'un examen. On verra quand ce sera un concours.

– A quel concours penses-tu? demanda la mère de Jérôme, épanouie de bonheur. Les Postes?

– Je ne sais pas, répéta M. Seignelay d'un ton important et rêveur. Je ne sais pas... Mais on verra quand ce sera un concours.

Les choses avaient traîné. En partie parce que Churchill, aussi méfiant que Staline devant la prétendue folie de Hess, avait du mal à avaler la version sentimentale de l'affaire que lui présentaient Agustin et Carlos et voulait en savoir plus sur les vraies intentions du parachutiste nazi avant d'envoyer à Moscou des informations détaillées. En partie parce que le Foreign Office accueillait avec fraîcheur une initiative parallèle qui court-circuitait ses services. En partie aussi parce que Carlos était tombé malade à la fin du mois de mai et avait dû garder la chambre une semaine ou deux. Quand Simon et Carlos quittèrent Londres pour Moscou, le mois de juin était déjà bien avancé. Staline ne décolérait pas. Le surlendemain de leur arrivée, ils furent reçus ensemble par Molotov.

Peut-être parce qu'il avait peur, Molotov, après un mot presque aimable à l'intention de Simon – « Nous nous connaissons déjà, n'est-ce pas ? » – les accueillit avec une véhémence qui touchait à la brutalité.

– J'attends de vous la preuve qu'une conspiration n'est pas en train de se nouer contre l'URSS entre l'Allemagne hitlérienne et l'Angleterre capitaliste. Nous avons été très patients. Voilà largement plus d'un mois que le successeur désigné de Hitler est en Angleterre. Nous ne savons rien, ou presque rien, des négociations qui s'y poursuivent.

– Il n'y a pas de négociation, interrompit Carlos. Rudolf Hess est notre prisonnier.

– Un prisonnier volontaire. *Volontaire*, vous entendez ? Nous ne sommes pas des enfants que le capitalisme peut manœuvrer à sa guise pour continuer à régner. Toutes les explications qui nous été fournies sont dérisoires et ridicules. Hess est venu de lui-même. Et vous l'avez accueilli. Nous voulons savoir ce que signifie une telle collusion, inouïe en temps de guerre.

Carlos Romero et Simon Finkelstein ne s'étaient pas embarqués sans biscuits. Ils avaient eu de longues conversations au Foreign Office et Churchill lui-même s'était entretenu deux fois avec eux.

– Nous sommes un peu surpris, dit Simon, de ces accusations. Surtout venant de vous. Il y a à peine six mois, à la fin de l'année dernière – vous étiez encore, je crois, président du Conseil des commissaires du peuple de l'URSS – vous vous rendiez vous-même à Berlin, en compagnie du maréchal Vorochilov, commandant en chef de l'armée soviétique, et de M. von Schulenburg, ambassadeur d'Allemagne à Moscou, pour rencontrer Ribbentrop, Goering, Hitler lui-même. Je crois bien me rappeler que vous vous êtes entretenus assez longuement avec Rudolf Hess. Est-ce que je me trompe?

Molotov se taisait, remettait son lorgnon sur son nez en marmite. Carlos sortait un papier.

– Une note a été publiée par le service de presse de la Wilhelmstrasse. La voici. Je lis : *La visite de M. Molotov a pour but : 1° de fixer les bases de la collaboration entre l'Union soviétique et les puissances de l'Axe; 2° de reconsidérer sur un plan de collaboration plus étendue les bases de l'accord germano-soviétique.*

Il y eut un silence. Simon et Carlos se regardaient en souriant, comme s'ils venaient de commenter une partie de cricket un peu animée ou d'assister à une victoire d'Agustin dans une course automobile.

– Nous ne sommes pas en guerre avec l'Allemagne, finit par dire Molotov. Vous, oui. Ce que nous voulons savoir, c'est si la mission de Rudolf Hess est l'annonce d'un renversement qui se ferait naturellement contre nous.

– Nous ne sommes pas les alliés des Allemands, répondit Carlos très vite. Vous, oui. Nous sommes venus vous dire que nous ne boirons jamais à la santé du Führer et que l'Angleterre n'a aucune intention de renverser sa politique. Nous aimerions savoir si l'URSS envisage de revoir la sienne.

Il y eut un nouveau silence.

– Je ne suis pas sûr, reprit Molotov d'une voix douce, que nous soyons habilités ici, vous et moi (et il appuya sur le *vous*), à déterminer la politique de l'Union soviétique. Ce qui nous intéresse aujourd'hui, c'est la présence en Angleterre d'un des principaux chefs hitlériens.

– Je peux vous affirmer, dit Carlos, que Rudolf Hess, à nos yeux, n'est chargé d'aucune mission.

– Alors, pourquoi est-il venu chez vous ?

– Parce qu'il est fou, répondit Carlos.

– C'est la thèse allemande, dit Molotov. Je note que vous l'adoptez.

– Il y a autre chose, dit Simon. Il est venu chez nous parce qu'il est fou dans un sens un peu particulier.

– Un peu particulier ? demanda Molotov en prenant son lorgnon entre le pouce et l'index pour le retirer de son nez.

– Oui, oui, dit Simon avec désinvolture. Un peu particulier – et plus précisément : sentimental.

– Sentimental ? répéta Molotov.

Et la stupeur se peignait sur son visage camus.

– Il y a beaucoup de façons d'être fou, dit Carlos très calmement en étendant ses jambes. Il se trouve que Rudolf Hess est surtout fou de quelqu'un. C'est ce que nous sommes venus vous expliquer.

Dans l'immense salle à manger néo-gothique de Glangowness, sous le portrait des ancêtres et du vice-roi des Indes, Brian O'Shaughnessy, dernier lord Landsdown, s'asseyait, en face d'Hélène, au haut bout de l'immense table et, pour mieux ressembler à ceux qui l'avaient précédé, il se taisait comme eux. Trente ans après son propre passage à Alexandrie et au Caire – et le monde avait plus changé pendant ces trente ans que durant les trente siècles qui les avaient précédés – il avait vu avec une émotion mêlée de mélancolie et d'envie son gendre, Geoffrey Lennon, s'embarquer pour l'Egypte, menacée par Rommel et son Afrika-korps.

La Norvège, Dunkerque, la Libye avec Wavell, Auchinleck, Cunningham, Ritchie : « Il est de toutes les fêtes », disait Atalanta de son mari toujours absent et toujours en train de se battre, dans la neige ou dans les sables. « Ce n'est pas de chance, disait Pandora. De nous quatre, il n'y en a jamais eu qu'une pour avoir un mari et pour pouvoir être heureuse avec lui – et il n'est jamais là. »

La séparation, cette fois-là, ne dura pas trop longtemps. Geoffrey, qui nous avait longtemps paru si falot et dont nous nous étions moqués si souvent à Paris, à New York, à Barcelone, était un homme droit, courageux et charmant. Ce n'est pas tout à fait par hasard que deux des sœurs O'Shaughnessy – Jessica d'abord, avant de partir avec Carlos Romero pour l'Espagne républicaine, Atalanta ensuite – l'ont successivement choisi – ou au moins accepté – pour mari. Convenable, conservateur, peut-être un peu trop comme il faut, il n'a pas l'intelligence exceptionnelle de Carlos ni la séduction sinueuse et sulfureuse de Simon Finkelstein. Plus que les quatre frères, il aurait été capable de plaire à Aureliano. Il veut faire une carrière – et il la fera. Ce sont ses succès mêmes qui marquent ses limites.

A Tobrouk, à Benghazi, à Bir-Hakeim, où il est chargé de la liaison avec les forces françaises libres, Geoffrey Lennon, se conduit fort bien. Au lendemain de la bataille de Bir-Hakeim, un télégramme de Churchill le rend à la vie civile : il est nommé à Ankara et à Istanbul où fait rage une autre bataille, diplomatique cette fois : elle est menée par l'Intelligence Service, bientôt renforcée – la CIA n'existe pas encore – par les agents américains, contre l'ambassadeur d'Allemagne qui est un vieil ami très chic d'Agustin Romero et de Vanessa O'Shaughnessy. Il s'appelle Franz von Papen.

Berlin, Himmler, Ribbentrop, l'OKW, l'Abwehr de l'amiral Canaris – qui déteste d'ailleurs Himmler et qui se méfie de lui – ne mettent pas très longtemps à apprendre que deux ressortissants britanniques sont arrivés à Moscou pour s'entretenir avec Mototov et peut-être avec Staline. On est à la veille du déclenchement de l'opération Barbarossa contre l'URSS. De la Baltique à la mer Noire, trois millions d'hommes sont sur le pied de guerre. Parce que la Russie est un pays où il est facile d'entrer, mais dont il est très difficile de sortir, la guerre doit être menée et gagnée en une seule campagne – avant l'hiver.

Les échecs de Mussolini en Albanie et en Grèce ont déjà retardé le début des opérations dont le déclenchement était prévu dès la fin du dégel. Quand Hitler apprend la présence à Moscou de Carlos Romero et de Simon Finkelstein – deux juifs, précise Himmler – il entre dans une de ses terribles et célèbres colères. Il craint que les deux hommes ne soient des émissaires envoyés par Churchill pour établir des liens entre les Russes et les Anglais et peut-être, qui sait ? pour mettre en garde Staline contre l'éventualité d'une attaque allemande. Du coup, il presse encore les préparatifs d'une invasion dont le secret et la surprise sont des atouts essentiels. Hostile aux aventures dans l'immensité russe, soucieux de ménager le partenaire de l'Est, Goering tente en vain de minimiser l'importance des deux émissaires britanniques dont personne ne sait rien et dont les noms même sont pratiquement inconnus. Hitler, qui voit au contraire dans l'affaire à la fois une menace et une justification de plus à ce qu'il est en train de mettre sur pied, exige que l'ambassadeur d'Allemagne, le comte von Schulenburg, demande à Staline et à Molotov des éclaircissements sur l'accueil réservé par le Kremlin à Romero et à Finkelstein.

Préoccupés et inquiets de l'arrivée de Hess à Glangowness, Staline et Molotov sont plus portés à croire à une tentative de conspiration anglaise qu'à une agression allemande. Le 13 juin 41, après avoir consulté Staline qui veut calmer le jeu et qui part ostensiblement en villégiature au bord de la mer Noire, Molotov prend deux décisions : pour apaiser la fureur de Hitler à l'idée de contacts secrets entre Churchill et Staline – et il la comprend d'autant mieux, cette fureur, qu'il a éprouvé les mêmes sentiments à l'idée d'un rapprochement, par l'entremise de Hess, entre l'Allemagne et l'Angleterre – il ordonne l'arrestation immédiate de Carlos Romero et de Simon Finkelstein; et puis, en face des bruits, qui commencent à courir, de concentration de troupes allemandes, il fait publier par l'agence Tass un communiqué resté célèbre : « Les milieux responsables soviétiques croient nécessaire de déclarer que ces rumeurs sont des manœuvres maladroites de ceux qui ont intérêt à l'élargissement et à la prolongation de la guerre. » Le gouvernement soviétique reste scrupuleusement fidèle au pacte germano-russe. La mission de Carlos et de Simon s'est retournée contre eux : provoquée par la présence de Rudolf Hess en Ecosse, la tentative d'explication des deux émissaires de Churchill est rejetée par le Kremlin. Elle aboutit à une tension accrue entre Russes et Anglais et – du côté soviétique au moins – à un resserrement de l'alliance entre Staline et Hitler, dont il faut, à tout prix, pour préserver la paix à l'Est, désarmer la méfiance.

Le Führer jubile. Carlos et Simon sont aux mains du NKVD – successeur de la Guépéou, prédécesseur du KGB. L'ambassadeur d'Allemagne en Russie est chargé par Ribbentrop de féliciter le gouvernement soviétique et d'assurer le peuple russe de l'amitié du peuple allemand : ce sera une des dernières missions à Moscou du comte von Schulenburg. A peu près au même moment, dans le plus grand secret, à Berlin, dans la nouvelle Chancellerie du Reich, Hitler réunit Keitel, Jodl, Brauchitsch, Paulus, Raeder, Rundstedt, Stülpnagel, Kleist, Bock, Kluge, Guderian, Kesselring et quelques autres. La dernière main est mise au plan Barbarossa. Le jour J est fixé au 22 juin. Le mot de code « Altona » signifiera l'annulation de l'ordre d'attaque. Et le mot de code « Dortmund » sera sa confirmation.

Pandora arriva à Moscou dans la soirée du 20 juin. Expédié à toute allure, le procès de Carlos Romero et de Simon Finkelstein pour « espionnage au profit d'une puissance étrangère » était en train de toucher à sa fin. A Londres, Lara, lorsqu'elle avait appris le piège où était tombé Simon, avait fait des pieds et des mains pour lui venir en aide. Il fallut lui interdire de partir pour Moscou où – même si elle avait conservé des liens avec les gens du Kremlin – sa nationalité russe lui faisait courir de grands dangers. En désespoir de cause, elle avait supplié Pandora de prendre les choses en main et de se rendre en Russie. Pandora, à qui l'aventure n'avait jamais fait peur, s'était confiée à Churchill. Le Premier ministre avait hésité quelques instants avant de se décider :

– C'est une assez bonne idée. Je crois que tu ne cours pas de risque. Tu es probablement la seule à pouvoir aider les deux garçons. Et si quelque chose peut étonner et convaincre ces sacrés Russes, ce sont tes yeux verts et tes cheveux blonds. J'ai l'impression que nos relations avec les Russes sont plus mauvaises que jamais et qu'ils se font manœuvrer par les services secrets hitlériens. Tâche de faire comprendre à Molotov que Carlos et Simon ne sont pas des agents chargés de répandre de faux bruits et que nous n'avons aucune intention de nous entendre avec les Allemands.

Le 21 juin fut une drôle de journée. Staline et Molotov avaient bien fait les choses : ils avaient désigné Vychinski, le terrible procureur des procès de Moscou, devenu commissaire du peuple adjoint aux Affaires étrangères, comme avocat général au procès de Carlos Romero et de Simon Finkelstein. Vychinski, de son côté, mettait les bouchées doubles : il ne faisait pas mystère de son intention de réclamer la mort pour les deux accusés. L'ambassadeur d'Angleterre n'était pas très pessimiste. Il pensait qu'il s'agissait surtout d'un clin d'œil aux Allemands pour marquer la bonne volonté du gouvernement soviétique et que la peine de mort ne serait pas retenue – ou, si elle l'était, que la peine serait commuée. N'empêche : lorsque, grâce à Molotov, harcelé par l'ambassadeur, Pandora fut mise en présence de Simon et de Carlos, la situation ne prêtait pas à rire.

– Tu te souviens de Capri ? demanda Simon, qui n'avait plus jamais soufflé mot, jusqu'alors, de leur aventure italienne.

– Comme si j'y étais, mon chéri, répondit Pandora. Je sens encore le soleil en train de me brûler.

– Vous avez fini ? fit Carlos. Ce n'est pas vraiment le moment d'égrener vos souvenirs de vacances. Dans le meilleur des cas, nous partons pour la Sibérie. Je crains que le climat ne soit pas tout à fait le même.

Carlos et Simon n'avaient pas été maltraités. Mais leur interprétation de l'aventure de Rudolf

Hess avait été rejetée avec une telle violence qu'ils finissaient par douter eux-mêmes de ce qu'ils étaient venus expliquer. Le soupçon s'emparait d'eux : la passion de Rudolf pour Vanessa n'était peut-être qu'un paravent qui masquait des desseins échafaudés à Berlin. Ils avaient bien essayé de discuter : si le gouvernement russe se méfiait autant de Rudolf Hess et des Allemands, pourquoi s'acharner à faire plaisir à Hitler en condamnant des Anglais ? Mais ils avaient vite compris que les Russes se méfiaient de tout le monde en même temps : des Allemands dont, malgré le pacte, ils n'étaient pas tout à fait sûrs – et encore plus des Anglais qu'ils soupçonnaient de vouloir s'entendre avec Hitler contre Staline.

Pendant que Pandora s'entretient avec Carlos et Simon sous le regard torve de trois ou quatre militaires et de membres du NKVD, le mot d'ordre « Dortmund » est déjà lancé. L'ambassadeur d'Angleterre, venu intercéder en faveur des deux prisonniers, est en train de quitter Molotov lorsqu'il voit arriver l'ambassadeur d'Allemagne. Molotov l'a convoqué, une fois de plus, pour lui ouvrir son cœur : le gouvernement soviétique a conscience d'un certain mécontentement du gouvernement allemand, le gouvernement soviétique voudrait en connaître la raison. Dûment chapitré par la Wilhelmstrasse, M. von Schulenburg explique que son gouvernement n'a pu que s'inquiéter de la présence à Moscou d'émissaires de Churchill. M. Molotov réplique que les agents britanniques ont été démasqués et qu'ils sont en train d'être jugés avec une extrême rigueur. M. von Schulenburg exprime sa satisfaction et promet de transmettre à Berlin les apaisements amicaux du gouvernement soviétique.

La nuit est close. Dans sa villa de la mer Noire, Staline festoie – ou dort déjà. En Prusse orientale, dans la Pologne occupée, aux avant-postes devant Brest-Litovsk, les généraux allemands dans le secret vivent dans l'angoisse et l'excitation les dernières heures de la paix à l'Est. Tout le long de la frontière, quelques millions de soldats attendent dans leurs camions, dans leurs chars, dans leurs avions. Ils ont reçu trente cigarettes et une bouteille de schnaps pour quatre. A deux heures du matin, une locomotive siffle sur le pont de Brest-Litovsk : un train de blé soviétique entre encore en Allemagne. A Berlin, l'ambassadeur Dekanosov est brusquement réveillé : on lui annonce que Ribbentrop l'attend de toute urgence à l'Auswärtiges Amt.

M. von Schulenburg a quitté Molotov. Il est rentré à son ambassade. Il s'est déshabillé. Il s'est couché. Il dort. On frappe soudain à sa porte : son service du chiffre vient de recevoir de Berlin un télégramme codé, personnel et urgent. Il est signé Ribbentrop. Il prescrit à l'ambassadeur de remettre à Herr Molotov la déclaration de guerre du Reich. Schulenburg est effondré : il n'a cessé de travailler au rapprochement avec la Russie. Trois ans et demi plus tard, après l'attentat contre Hitler, il sera pendu à un croc de boucher.

A 3 h 15 du matin, le soleil se lève sur la Russie. Des escadrilles d'avions apparaissent dans le ciel. L'artillerie allemande ouvre le feu. Nous sommes le 22 juin. L'opération Barbarossa a été déclenchée.

A 4 heures du matin, à Londres, Atalanta, qui a remplacé, pendant son absence, sa sœur Pandora auprès de Churchill, est dans un grand état d'excitation. Elle hésite quelques instants et puis elle croit bien faire en téléphonant au Premier ministre pour lui apprendre l'invasion de la Russie par les troupes hitlériennes. A sa stupeur, elle entend une voix pâteuse lui répondre avec colère :

– J'ai dit que je ne voulais être réveillé que pour l'invasion de l'Angleterre.

Et il lui semble, au bout du fil, que le bougon se rendort.

Trois voix s'élèvent successivement, à quelques heures de distance. L'aube pointe à peine lorsque, à la radio de Berlin, à peu près à l'instant où M. von Schulenburg, crucifié, les larmes aux yeux, sort pour la dernière fois du Kremlin, Joseph Goebbels, donne lecture d'une déclaration de Hitler : « J'ai décidé de remettre à nouveau le destin du peuple allemand, du Reich allemand et de l'Europe entre les mains de nos soldats. » A midi, d'un ton angoissé, Molotov annonce au peuple russe l'agression dont il est victime. A 9 heures du soir, à Londres, Winston Churchill prononce le discours qu'il a préparé le matin dans son lit. Il y rappelle son hostilité de toujours au communisme, mais il proclame qu'elle s'efface devant « la cataracte des horreurs nazies » : pour mieux s'aider elle-même, l'Angleterre aidera de toutes ses forces la Russie soviétique contre *the bloody gutter-snipe* – ce voyou sanglant de Hitler.

Jérôme Seignelay découvrit Hegel avec émerveillement. Il ne comprenait pas tout, mais ce qu'il saisissait de l'odyssée de l'esprit absolu suffisait à le transporter. Débarrassé du bachot, il passait l'été à Arcy-sur-Cure et essayait de s'avancer en se familiarisant avec les dialogues de Platon, avec le *Discours de la méthode*, avec l'*Ethique* de Spinoza, avec la *Critique de la raison pure*. Malgré les pires difficultés, il progressait pas à pas, ne laissant jamais derrière lui quelque chose d'inexpliqué ou de flou. Il s'accrochait à des formules simples auxquelles il revenait avec obstination. De temps en temps, quand ils allaient se baigner ensemble ou quand ils rentraient de la forêt à bicyclette, Mathilde lui demandait :

– A quoi penses-tu ?

Il répondait :

– A toi.

Mais ce n'était pas vrai. Il se répétait des mots qui chantaient dans sa tête plus fort que toutes les chansons, que toutes les musiques de films, que les discours du Maréchal ou tous les serments d'amour : « Nul n'est méchant volontairement », ou : « le hégélianisme est un spinozisme mis en mouvement », ou : « Le kantisme est un réalisme pratique et un idéalisme transcendantal », ou : « La première catégorie de la conscience historique, ce n'est pas le souvenir, c'est l'annonce, l'attente, la promesse. » Il réfléchissait longtemps à ce que ces phrases scintillantes pouvaient bien signifier. Il les creusait, les fouillait, sentait obscurément qu'elles renvoyaient à autre chose dont il était déjà impatient de deviner les contours.

La guerre était présente et lointaine. Il y avait surtout les tickets. Tickets de pain, tickets de matières grasses, tickets de viande. Le samedi ou le dimanche, quand Mathilde venait dîner chez les Seignelay avec sa mère, elles continuaient scrupuleusement à apporter leurs tickets. Les restrictions d'essence ne touchaient guère les Seignelay : de toute façon, ils n'avaient pas de voiture. On avait un peu froid l'hiver, un peu faim en toute saison, voilà tout. Jérôme attrapait au vol, ici ou là, le nom du général de Gaulle dont il ne savait rien – aussi peu de chose que de Hegel ou de Spinoza – et de temps en temps, le soir, on entendait sortir du poste de TSF en bois la voix chevrotante du maréchal Pétain. Darlan succédait à Laval, les camarades, au lycée, se divisaient en gaullistes, en pétainistes, en communistes, en adeptes du marché noir. Jérôme écoutait, regardait, s'efforçait de comprendre quelque chose à ce tourbillon autour de lui. Il se demandait s'il y avait un lien entre ce qu'il lisait dans les livres et ce qui se passait autour de lui.

Le déclenchement de Barbarossa fait voler en éclats les portes de la prison de Carlos et de Simon : ils sont libérés aussi vite qu'ils ont été arrêtés. Puisqu'ils sont sur place, au lieu stratégique du péril le plus pressant, ils entrent, chacun avec l'autorisation de Churchill et avec l'aide de Molotov, dans une escadrille russe. Ils reculent avec l'armée devant la ruée allemande. Ils voient la poussière de l'été, la chaleur accablante, les moustiques de la toundra, les vols immenses de corbeaux. Ils voient les pluies de septembre et d'octobre, la boue qui efface les chemins et qui envahit tout, les rivières qui sortent de leur lit. Ils voient la neige autour des ruines. Ils voient les millions de morts, de blessés, de prisonniers soviétiques. Un an ou un an et demi plus tard, à quelques mois de distance, ils seront décorés tous les deux de l'ordre du Drapeau rouge.

– On lui doit une fière chandelle, disait Simon à Carlos.

– A qui ? A Staline ?

– A lui aussi, bien sûr. Mais d'abord à Hitler. Sans lui, sans l'offensive à l'Est...

Comme Carlos et Simon, Pandora avait été surprise à Moscou par l'offensive allemande. Winston Churchill, qui souhaitait ardemment établir autant de liens que possible entre le Kremlin et Londres, lui demanda de rester en Russie et de sc mettre à la disposition de l'ambassade britannique. Atalanta, du coup, prolongea son intérim auprès d'oncle Winston. Beaucoup de visiteurs et de familiers du Premier ministre confondirent les deux sœurs, qui avaient un air de famille, et poursuivirent avec la deuxième les conversations qu'ils avaient entreprises avec l'aînée. D'autres, faisant la distinction entre Pandora et Atalanta, admirèrent la vitalité prodigieuse du vieux lion qui, à travers tous les soucis et les fatigues de la guerre, trouvait encore le temps de renouveler son entourage. A Moscou, Pandora illumina le désastre des premières semaines de la guerre.

Staline avait disparu. Plusieurs journaux neutres, mettant l'imagination au service de ce qui pouvait apparaître alors comme une probabilité assez vraisemblable, annonçaient qu'il avait été fusillé pour impéritie, ou qu'il s'était réfugié en Turquie, en Iran, en Chine. Plus tard, au contraire, s'est peu à peu édifiée la légende dorée d'un Staline prenant, dès le premier jour, la direction de la guerre. Un peu de la vérité a été livrée par Nikita Khrouchtchev le 25 février 1956, au XXe congrès du Parti communiste de l'URSS. Loin d'avoir animé, dès le déclenchement de la formidable avalanche hitlérienne, la résistance nationale et idéologique, il a cru tout perdu et, comme Molotov, s'est abandonné au pessimisme le plus noir. C'est seulement, selon Khrouchtchev, « après avoir reçu la visite de certains membres du Bureau politique » qu'il a repris les choses en main. Khrouchtchev lui-même ne donne guère de détails sur les dix ou quinze premiers jours de la guerre. C'est là que le témoignage de Pandora O'Shaughnessy devient irremplaçable. Car d'autres que les membres du Bureau politique étaient venus réconforter le dictateur effondré.

D'un seul coup, l'attaque allemande contre la Russie, le soutien de Churchill à Staline réduisirent à rien l'importance de la folle aventure de Rudolf Hess en Ecosse. Qu'il le voulût ou non, une dimension politique s'attachait à son entreprise. Peut-être n'avait-il sauté en parachute que pour retrouver Vanessa. Il ne pouvait pas empêcher les interprétations de fleurir autour de son geste : la première, la plus simple, tournait autour d'un rapprochement entre les deux puissances en guerre et d'une paix éventuelle. L'embrasement à l'Est et la position de Churchill qui, contrairement à la proposition d'Agustin, avait immédiatement envoyé en prison le nazi tombé du ciel excluaient toute hypothèse de ce genre. L'affaire Hess retombait au niveau d'un fait divers.

Vanessa réussit, grâce à l'oncle Winston, à rencontrer Rudolf. Agustin, une fois de plus, lui apporta son soutien : il l'accompagna dans ces retrouvailles qu'elle avait tant espérées et qui n'étaient plus qu'une épreuve. Le temps avait passé. Au lent travail du cœur, qui sait, hélas! détruire aussi bien que construire, s'était ajouté le déroulement de l'histoire. Rudolf avait gardé l'image d'une jeune fille blonde et vive sur les bords des lacs bavarois. Le second de Hitler s'était peu à peu transformé, aux yeux de Vanessa, en un ennemi impitoyable. Est-ce qu'elle l'aimait encore? La question n'a pas de sens. Elle ne pouvait plus l'aimer. Une fois de plus se confirme cette impossibilité que nous avons souvent rencontrée d'entrer dans les cœurs et dans les esprits : nous n'avons que ce qui se passe dehors pour nous renseigner sur ce qui se passe dedans. Il était plus impossible pour une Anglaise d'aimer Rudolf Hess en 1941 que pour tous les Roméo d'aimer toutes les Juliette. Pendant cinq ou six ans, Vanessa avait fait face avec courage, presque avec inconscience, à l'opinion publique. Le défi, maintenant, était trop fort. Il la brisait.

Elle le reconnut à peine dans sa prison. Blafard, les traits tourmentés, les yeux profondément enfoncés sous des sourcils épais, il avait l'air d'un fou.

– Me reconnaissez-vous? lui dit-il avec exaltation en lui prenant les mains.

– Oui, oui, répondit Vanessa, déchirée, incapable d'articuler une phrase.

– Vous souvenez-vous du Tegernsee, du *Vier Jahreszeiten,* de notre promenade à Berchtesgaden? Vanessa, je suis venu parce que je vous aime, je suis venu vous sauver, vous et tous les vôtres, d'une extermination totale. Le Führer ne sait rien de ce que j'ai entrepris, mais je suis sûr de ce que je dis parce que j'exprime sa pensée la plus profonde et ses vœux les plus secrets. Personne ne veut m'écouter. Vous n'avez aucune idée de la puissance de l'Allemagne. Il faut bien vous mettre dans la tête que mon arrivée ici est votre dernière chance. Si vous ne la saisissez pas, vous serez tous anéantis.

Il parlait ainsi, très vite et beaucoup, dans une grande excitation, mêlant menaces et serments d'amour, voyant dans Vanessa l'image même de l'Angleterre. Vanessa l'écoutait horrifiée, ne sachant que répondre, écartelée entre la pitié et l'épouvante. En sortant, elle manqua de s'évanouir dans les bras d'Agustin.

– Mon Dieu! murmura-t-elle, que va-t-il devenir?

Agustin regardait Vanessa et se demandait plutôt ce qu'elle allait devenir.

Winston Churchill, de temps en temps, avait de drôles d'idées. Peut-être parce qu'il se méfiait de la diplomatie traditionnelle, peut-être aussi poussé par Atalanta, qui se débrouillait auprès de lui presque aussi bien que sa sœur, il confia à Pandora le soin de remettre à Molotov, et si possible à Staline, un message personnel. Ce message était double. Il comportait d'abord l'assurance renouvelée de l'amitié anglaise pour le peuple russe attaqué. Churchill n'ignorait pas qu'il traînait derrière lui, aux yeux surtout de Staline, une réputation d'anticommuniste affirmée. Il savait que Staline se méfiait de lui. Carlos Romero et Simon Finkelstein avaient failli payer très cher leurs liens avec l'oncle Winston. L'attaque allemande faisait passer au second plan, d'un côté et de l'autre, le ressentiment et la méfiance. Ce n'était pas suffisant : il fallait établir entre les deux adversaires du nazisme un front de confiance et d'amitié. A tort ou à raison, Churchill pensait que Pandora était plus capable qu'un haut fonctionnaire ou qu'un diplomate de faire passer ce message, si décisif pour l'avenir.

Il y avait un deuxième volet. Il posait des problèmes autrement difficiles. Churchill avait été frappé par le ton angoissé de la déclaration de Molotov, à la radio, le 22 juin, et la disparition de Staline l'inquiétait. Il voulait appeler les dirigeants soviétiques à se faire les héros d'une résistance nationale contre l'envahisseur. C'était une tâche ardue pour un étranger, pour un représentant du capitalisme, pour un pur produit de l'aristocratie féodale, pour un anticommuniste convaincu. L'ambassade d'Angleterre n'était pas le bon canal à utiliser. Seul un émissaire éminemment personnel et très habile pouvait réussir à transmettre des conseils à la fois aussi rudes et aussi délicats à administrer. Winston Churchill connaissait pour l'avoir éprouvée la capacité de séduction et de persuasion de Pandora. Il lui fit parvenir ses instructions à Moscou. Il faut ajouter, j'imagine, que, si les dirigeants soviétiques avaient mal pris la leçon, il eût été plus facile de démentir et d'ignorer une jeune femme inconnue que l'ambassadeur de Sa Majesté.

Pandora rencontra Molotov, non pas une fois, mais deux fois – et peut-être trois. Je crois qu'il était tombé sous le charme de la fille de Brian. Elle l'amusait, elle le rassurait, elle lui apportait, dans la catastrophe, l'air du large et de l'Occident. Et lui, de son côté, avec son pince-nez de guingois sur son visage écrasé, la changeait de Cary Grant et de Gregory Peck. Elle avait le sentiment – justifié – d'entrer dans un monde nouveau et d'y jouer un petit rôle. On a dit naturellement, dans les années d'après-guerre où elle défrayait la chronique, que Pandora, à Moscou, avait été la maîtresse de Molotov. Rien n'est plus faux. Rien n'est plus absurde. Au début de l'été 41, l'homme d'Etat soviétique avait d'autres sujets de préoccupation que Pandora O'Shaughnessy. Qu'il l'ait reçue quelques instants tient déjà du miracle. Elle lui plaisait, sans aucun doute. Comment ne lui aurait-elle pas plu? Plaire était son devoir : il s'agissait d'abord pour elle d'exécuter la mission dont l'avait chargée l'oncle Winston.

Dans les derniers jours de juin, l'ambassadeur d'Angleterre demanda à Pandora de passer le voir de toute urgence. Il lui annonça d'un air stupéfait et un peu contraint que M. Molotov venait de lui faire savoir qu'un avion était mis à la disposition de Mrs. Pandora O'Shaughnessy-Gordon pour l'emmener sur la mer Noire, immédiatement et sans délai.

– Mais qu'est-ce que vous allez faire sur les bords de la mer Noire? bégaya l'ambassadeur.

– Me baigner, j'imagine, répondit Pandora en allumant une cigarette. On me dit que la côte est très belle.

– Cessez de faire l'enfant, gémit l'ambassadeur. Vous savez très bien que Staline est là-bas, dans sa datcha de Sotchi.

Staline, comme Molotov, n'avait pas cru à la guerre. Il avait signé le pacte de non-agression avec l'Allemagne hitlérienne parce qu'il craignait de risquer l'avenir de la Révolution dans une guerre à l'issue imprévisible. La faiblesse des démocraties occidentales et la conférence de Munich à laquelle la Russie n'avait pas été invitée avaient achevé de le convaincre de la nécessité d'un rapprochement avec l'Allemagne. Le pacte germano-russe une fois signé, il s'était cru tranquille, pour quelques années au moins. Et il s'en était tenu scrupuleusement aux engagements souscrits. Ils ne lui étaient pas défavorables. Le pacte avait permis le déclenchement de la Seconde Guerre mondiale, dans laquelle l'U.R.S.S. n'était pas impliquée. La guerre lui avait permis d'annexer successivement l'est de la Pologne, les pays Baltes, des bouts de la Finlande et de la Roumanie. En janvier 40, puis en janvier 41, il avait renforcé et prolongé de dix-huit mois l'entente germano-soviétique. L'attaque hitlérienne l'avait pris par surprise et plongé dans la stupeur.

Après être passée entre les mains d'une jeune femme imposante qui avait vérifié son sac à main et effleuré sa robe d'été, Pandora se trouva tout à coup en face d'un homme d'une soixantaine d'années, aux fortes moustaches, aux yeux rusés, qui avait l'allure d'un grand-père dont il était bon de se méfier. Il paraissait abattu. Il accueillit la jeune femme avec une lassitude bienveillante.

– J'ai appris, lui dit-il à travers un interprète, à ne faire confiance à personne. Et pourtant, voyez, je me fais encore rouler.

– C'est peut-être, répondit Pandora avec un toupet infernal, que le peu de confiance dont vous disposez, vous l'accordez à des gens qui n'en sont vraiment pas dignes.

– J'aurais souhaité l'accorder à d'autres. Ils ne me l'ont pas permis. Est-ce que je pouvais me fier à l'Angleterre et à la France qui n'ont fait que reculer devant Hitler et qui m'ont écarté avec soin de la capitulation de Munich?

– Nous avons commis beaucoup de fautes. Nous avons été très faibles. Mais est-ce que nous, les Anglais, nous n'avons pas racheté toutes nos erreurs en résistant tout seuls, depuis plus d'un an, à la fureur hitlérienne?

– J'admire Churchill, dit Staline. Je crois qu'il ne m'aime pas. Moi, je l'admire.

– Vous pouvez nous faire beaucoup de reproches. Nous pouvons vous en faire aussi. Nous avons signé, à Munich, avec Hitler, un traité qui vous déplaisait. Vous avez signé, à Moscou, avec Ribbentrop, un pacte qui nous déplaisait. Nous sommes quittes. Si nous renoncions au passé pour parler de l'avenir?

– Est-ce qu'il y a encore un avenir? Regardez...

Et, entraînant Pandora, il montra sur les murs d'immenses cartes de la Russie où l'avance des armées de Hitler était figurée par des flèches qui s'enfonçaient déjà profondément dans le territoire soviétique et où Pandora remarqua les noms des maréchaux allemands : Leeb, Bock, Rundstedt, et celui de Guderian, général des blindés.

– L'avenir est à vous, dit Pandora avec flamme.

– Dieu vous entende, dit Staline.

Pandora leva vers lui un regard étonné.

– Je croyais..., commença-t-elle.

Elle s'interrompit aussitôt.

– N'importe, dit-elle très vite. L'avenir est à vous parce que vous avez pour vous l'espace et le temps et la masse et toutes les ressources inépuisables des pays les plus riches.

– Vous êtes bien jeune, dit Staline en souriant

pour la première fois. Est-ce que vous vous occupez souvent de politique ?

– Jamais ! répondit Pandora en riant. C'est Winston Churchill qui m'a demandé de vous transmettre un message.

– Bon, dit Staline en montrant un siège à Pandora et en s'asseyant, il a bien de la chance de travailler avec vous. Je crois que je vous préfère de loin à Molotov et à Beria. Si vous voulez, je les enverrai en Sibérie.

– N'en faites rien, dit Pandora.

– Eh bien, dit Staline, voyons ce message.

Pandora avait appris par cœur les instructions de l'oncle Winston. Elle les débita avec simplicité, sans aucun effet, de la voix la plus posée, comme on récite une leçon. Elle parla de l'amitié et de l'estime du peuple anglais pour le peuple russe et du pacte de confiance proposé par Churchill, qui exécrait le communisme, au dictateur soviétique, qui l'incarnait mieux que personne. Peut-être se laissa-t-elle emporter par son émotion : dans une intuition de génie, elle évoqua Jessica qui admirait tant les communistes et qui avait vécu ses derniers jours dans Barcelone assiégée.

– Dites au Premier ministre, murmura Staline, que je crois à sa loyauté et que je le remercie de son amitié. Je crains seulement qu'elle n'arrive un peu tard. Le monde assistera avec effroi à un spectacle étonnant : la défaite du communisme et du conservatisme unis devant la violence hitlérienne.

Il rêva un instant, d'un air sombre, et il ajouta :

– Ah ! si Churchill et moi avions pu nous entendre plus tôt... Après tout, il n'y avait que nous deux en Europe à pouvoir résister à Hitler... Et maintenant, par notre faute à tous..., par la mienne aussi..., maintenant, c'est trop tard.

– Il y a une suite au message, dit Pandora de sa voix la plus douce.

La partie la plus rude de la rencontre commençait. Pandora mena l'affaire tambour battant. Deux ou trois fois, elle crut discerner dans les yeux de l'interprète une ombre de terreur et d'admiration.

Le 30 juin 1941, Staline prit la présidence du Comité de défense nationale. Quelques jours plus tard, il devenait commissaire du peuple à la Guerre. Molotov lui ayant passé, quelques semaines plus tôt, la présidence du Conseil des commissaires du peuple, il concentrait entre ses mains toute la réalité du pouvoir. Il en profitera pour exalter la gloire militaire de l'ancienne Russie, pour chanter les louanges de Koutouzov ou d'Alexandre Nevski, pour restaurer en grande pompe le patriarcat de Moscou, pour exalter sous toutes ses formes le patriotisme russe.

Le 3 juillet, dans le hall de son hôtel, à Moscou, aux côtés de Carlos Romero sur le point de rejoindre son escadrille d'adoption – pistonné par des amis de Lara, Simon Finkelstein se battait déjà en Ukraine – Pandora écoutait la radio en train de crachoter des nouvelles que lui traduisait un interprète lorsqu'une lourde voix aux consonances géorgiennes se fit soudain entendre. C'était Staline. Voilà des jours et des jours qu'il n'avait pas donné signe de vie. Avec une sorte de crainte et de révérence, une foule silencieuse et attentive se pressa aussitôt autour du poste de bois.

Staline commença par justifier son pacte avec Hitler en affirmant qu'il avait procuré à l'Union soviétique un répit indispensable et qu'il n'y avait pas d'autre choix. Et puis, il donna ses ordres au peuple russe en guerre :

« Pas un wagon, pas une locomotive, pas un kilo de blé, pas un litre de carburant ne doivent être abandonnés à l'ennemi. Dans les régions occupées, des bandes de partisans à pied et à cheval doivent s'organiser pour mener une guerre de harcèlement, faire sauter les ponts et les routes, incendier les dépôts, les localités et les forêts. L'ennemi doit être traqué jusqu'à son anéantissement... »

– C'est drôle, murmura Carlos en regardant Pandora, on dirait le style d'oncle Winston.

L'entrée en classe de philosophie tourna la tête de Jérôme. L'année passa comme un rêve. Il avait l'impression que tout ce qu'il avait tant aimé jusqu'alors, le latin, le grec, le français, l'histoire, n'était que l'annonce et la promesse de cette illumination. Il avait éprouvé de la peine à quitter M. Nivat à qui il gardait beaucoup de gratitude et d'affection. M. Fouassier l'éblouit. Il avait des cheveux longs et un mufle de lion. Il semblait toujours enfermé dans un rêve intérieur et ne s'occupait guère de ses élèves. Quand le garçon de salle passait avec le livre des absences, M. Fouassier, immanquablement, signalait que la classe était au grand complet. De temps en temps, des voix s'élevaient : « M'sieur! Sallet est absent! » ou : « M'sieur! Ricard est malade! » Le professeur de philosophie ignorait superbement ces interruptions intempestives. Il poursuivait sa songerie, les yeux tournés en dedans. On eût dit qu'on le voyait réfléchir, qu'on apercevait les idées en train de s'enchaîner sous un crâne qui se dégarnissait à son sommet. Il respirait très fort en parlant et ce halètement perpétuel donnait à ce qu'il disait une sorte d'ampleur pathétique. Il n'y avait pas, dans son discours, la moindre trace de recherche. Et cette simplicité même dans le maniement des idées avait quelque chose de bouleversant.

Jérôme s'asseyait en silence et, pendant une heure d'affilée, lui qui d'ordinaire était plutôt remuant, il restait immobile, bouche bée, à écouter le maître. Quand le cours était fini, il mettait quelques instants à reprendre ses esprits et à rentrer dans le monde de la platitude quotidienne. Tout de suite, et de loin, il fut premier. Les autres matières ne l'intéressaient plus beaucoup. A la façon d'une fille, la philosophie le rendait fou.

– Eh! Seignelay! lui criaient ses copains, tu viens? On sort, on va voir la neige, on va se baigner, on va faire un peu de vélo. Tu viens?

Mais lui secouait la tête. Il restait avec ses idées qui n'en finissaient pas de l'étonner. Mathilde l'occupait moins.

Atalanta habitait une maison de bois, somptueuse et délabrée, sur les bords du Bosphore. Avant de partir pour la Turquie, elle avait rencontré à Londres Javier Romero dans le rôle du dilettante, de l'amateur, du poète dans les tempêtes de la vie.

– Et ton mari? lui dit-il.

– Pas un mot : c'est un espion.

A Ankara, et plus encore à Constantinople où défilait l'Europe entière, des communistes, des hitlériens, des comtesses autrichiennes, des séducteurs français, des hommes d'affaires américains, Geoffrey Lennon essayait de déjouer les pièges diaboliques de M. von Papen, ancien ministre des Affaires étrangères, hôte de Vanessa à Vienne dans les temps de l'Anschluss, ambassadeur d'Allemagne en Turquie. Un soir, à Constantinople, il lui arriva une curieuse aventure. Il avait rendez-vous, au milieu du vieux pont qui enjambe la Corne d'Or, avec un ancien ingénieur militaire allemand installé à Istanbul et qui était en même temps un agent britannique. Cet homme, qui sortait d'une famille de hobereaux catholiques, avait eu, sur le tard, une grande passion pour une Bavaroise, d'une quarantaine d'années, qui sculptait et peignait. La Bavaroise avait une fille qui était tombée amoureuse d'un étudiant communiste. Les deux jeunes gens avaient milité ensemble vers le début des années trente avant d'être envoyés l'un à Dachau et l'autre à Ravensbrück. L'ingénieur militaire en avait conçu une haine violente et secrète contre le régime hitlérien. Geoffrey Lennon avait su exploiter ce désir de vengeance et il avait obtenu sur les chars allemands, déjà envoyés sur le front russe ou encore en fabrication, des informations qui avaient intéressé Londres. Quelques jours plus tôt, Kurt von Webern, d'une voix angoissée, avait téléphoné à Geoffrey : il voulait le voir, il se sentait menacé. Ils avaient décidé de se retrouver au milieu du pont et de se suivre à bonne distance jusqu'au lacis de rues qui entoure la tour de Galata. Geoffrey venait de Topkapi. En débouchant sur le pont, il reconnut aussitôt la silhouette de l'Allemand. Il le dépassa sans un mot et poursuivit son chemin vers Galata. Il approchait de la tour lorsque l'autre le rejoignit. Ils marchèrent encore quelques instants en silence, à peu de distance l'un de l'autre. Au coin d'une rue presque déserte où un chaudronnier tapait à coups de marteau sur une bassine en cuivre, ils s'arrêtèrent et s'abordèrent enfin.

– Il faut que je parte, dit l'Allemand en haletant, il faut que je quitte Istanbul.

– Pour aller où? demanda Geoffrey. Qu'est-ce qui vous fait peur?

– Ils veulent ma peau. Hier, j'ai évité de très peu une voiture qui s'est jetée sur moi. L'autre soir, j'ai été suivi : je suis entré dans un garage qui avait deux sorties. Ils finiront par m'avoir. Aidez-moi.

– Si vous voulez, dit Geoffrey, je...

Il y eut une détonation. Une balle siffla à leurs oreilles.

– Venez, cria Geoffrey en l'attrapant par le bras. Ne restons pas ici. Nous allons nous faire tirer comme des lapins.

Ils se mirent à courir. A quelques mètres, la rue tournait.

– Par là! cria Geoffrey.

Une deuxième balle s'enfonça dans une porte de bois, entre eux deux. Une ombre, là-bas, se détacha du mur, Geoffrey sortit le revolver qu'il portait toujours dans sa poche. Personne n'avait encore bougé : les maisons, les boutiques restaient obstinément closes. Ils étaient dissimulés tous les deux dans une encoignure entre deux échoppes.

– Eh bien, dit Geoffrey, qu'ils y viennent.

Un silence assez long succéda à leur course. On n'entendait plus le chaudronnier, effrayé peut-être par les détonations.

– La police va arriver, souffla l'Allemand.
– Restez là, dit Geoffrey. J'y vais.

Il revint en arrière, en se collant contre les murs, le revolver à la main. Une porte claqua soudain. D'une des boutiques dépassées par Geoffrey un homme surgit en courant et se rua vers le recoin où ils s'étaient tapis tous les deux. Geoffrey vit Webern en sortir tout à coup et se mettre à fuir à toutes jambes, poursuivi par l'agresseur qui frôlait les murs et qu'il n'apercevait que par instants et de dos. Un troisième coup de feu claqua, puis un quatrième. L'Allemand tomba. Celui qui avait tiré enjamba sa victime et disparut.

Geoffrey se précipita. Il se pencha sur le corps : il y avait du sang partout. Il leva la tête, regarda autour de lui. L'assassin s'était engouffré dans la rue en forme d'entonnoir ou de sifflet, et de plus en plus étroite. Geoffrey se releva : pour Webern, il n'y avait plus rien à faire. Il n'était resté que quelques secondes auprès du moribond, encore agité de mouvements convulsifs. Il reprit sa course, sans précautions, presque sans réfléchir, animé d'une sorte de fureur vengeresse contre le meurtrier d'un homme qu'il connaissait à peine. A l'instant même où il comprenait que la rue finissait en cul-de-sac, deux nouveaux coups de feu retentirent, faisant sauter des éclats derrière lui.

– Je le tiens, murmura-t-il en serrant les dents.

L'autre avait tiré six balles. Geoffrey avançait maintenant au milieu de la rue, surveillant portes et fenêtres. L'impasse était fermée par un café assez charmant qui débordait sur la rue. Au moment où, revolver au poing, Geoffrey atteignait le café, un homme en veston sombre et en pantalon gris, l'allure britannique, en jaillit tout à coup.

– Il est passé par là, Sir! je l'ai vu traverser le café. Il est passé par la cuisine et il a sauté comme un chat par-dessus le mur du fond.

L'homme s'exprimait avec un mélange de calme et de précipitation. Son apparence, sa figure étaient familières à Lennon. Geoffrey hésita un instant :

– Nous nous connaissons, n'est-ce pas?

– *But of course, Sir. Most certainly.* Je suis le valet de chambre de Son Excellence.

– De Son Excellence?... demanda Geoffrey.

– De l'ambassadeur d'Angleterre, Sir, dit l'homme, d'un ton vaguement choqué.

La guerre flambait. Les campagnes éclair n'étaient plus qu'un souvenir. Les Allemands s'enfonçaient dans la neige comme ils s'étaient enlisés dans la boue. les moteurs, le vin, l'essence, l'urine, les culasses des canons, les mains et les pieds des hommes, tout gelait. L'acier brûlait comme du fer rouge. Le soir, chez les Seignelay, et à Glangowness aussi, et même à Plessis-lez-Vaudreuil, confit dans les traditions, on déplaçait des petits drapeaux sur les immensités de la forêt et de la steppe. Les sables d'Egypte et de Libye répondaient aux neiges de Russie. Rommel avançait, reculait, avançait encore, prenait Tobrouk, poussait jusqu'à El-Alamein – et piétinait devant Le Caire comme les maréchaux von Bock et Kesselring et les blindés de Guderian piétinaient devant Moscou. A l'autre bout du monde, sur les plages du Pacifique, une aventure formidable commençait : l'amiral Yamamoto, l'état-major japonais et les avions au soleil levant attaquaient Hawaï.

Quand la nouvelle du bombardement de Pearl Harbor parvint à Winston Churchill, Pandora, depuis longtemps déjà, était de retour auprès de lui. Ils vinrent tous les deux passer Noël à Glangowness. Pâle et défaite, les yeux toujours brillants, plus exaltée que jamais et pourtant abattue, Vanessa était là. Elle venait de recevoir une longue lettre d'Atalanta, pleine d'histoires surprenantes. Elle la lut à haute voix. Winston Churchill écouta en pensant à autre chose : l'offensive japonaise dans le Pacifique l'occupait tout entier. Après l'échange traditionnel des cadeaux – Brian lui avait offert quatre boîtes de havanes démesurés – Pandora et Vanessa entendirent l'oncle Winston murmurer comme pour lui-même :

– Que se passe-t-il? C'est bien étrange : les Japonais attaquent, l'histoire du monde bascule et aucune des sœurs O'Shaughnessy n'est de passage à Pearl Harbor.

II

La fin des illusions

Dès le début de 1943, peut-être déjà vers la fin de 1942, la guerre, imposée et choyée par le national-socialisme et par le militarisme japonais, est perdue pour Hitler. Il ne le sait pas encore. Ses adversaires non plus. Mais la résistance victorieuse de Leningrad et de Moscou, l'héroïsme de Stalingrad, le débarquement des Alliés en Afrique du Nord, la conférence de Casablanca et la défaite de Rommel marquent la fin du grand rêve de domination mondiale par les dictatures militaires. Même les victoires apparentes – l'occupation par les Allemands de la zone libre française, la formidable expansion japonaise en Asie et dans le Pacifique – contiennent déjà en germe l'effondrement futur. La résistance intérieure s'organise dans les pays envahis. Les premiers attentats sont montés – en vain – contre Hitler. Darlan est assassiné. Le Duce limoge son gendre, le fameux comte Ciano, qu'il finira par laisser fusiller. L'avion de l'amiral Yamamoto est abattu dans le Pacifique Sud. Pour la première fois depuis Munich, depuis l'Anschluss en 38, depuis l'occupation militaire de la Rhénanie, depuis l'arrivée au pouvoir de Hitler en 1933, l'espoir change de camp.

Sans Anthony Eden, qui était resté à Londres, mais flanqué de Macmillan et d'une flopée de généraux, Winston Churchill était arrivé à Casablanca en compagnie de Pandora. Elle ne rencontra ni Giraud ni de Gaulle, mais elle plut beaucoup à Roosevelt qui avait gagné le Maroc au prix d'un grand détour aérien : Miami-Trinidad-Belém-Bathurst. Déjà malade et fatigué, le président américain avait surtout besoin, de l'aveu même de Hopkins et de Murphy, ses conseillers intimes, de quelques jours de repos au soleil.

Le voyage de Churchill et de Pandora n'avait pas été facile non plus : ils avaient cru brûler vifs dans leur avion. Pour cette raison peut-être, et aussi pour beaucoup d'autres – les menus musulmans ne comportaient pas d'alcool – l'humeur de l'oncle Winston, d'un bout à l'autre de la conférence, ne fut pas des meilleures. De Gaulle l'agaçait. Le général avait d'abord refusé de se rendre à Casablanca. Churchill dicta à Pandora un télégramme resté fameux : « Si vous persistez à rejeter l'opportunité unique qui vous est offerte, nous nous arrangerons pour nous passer de vous. La porte est encore ouverte... » Au neuvième jour de la réunion, le général céda et se fit déposer sur l'aéroport de Casablanca par un bombardier de la R.A.F. Mais la présence de Giraud l'irritait. Roosevelt et Churchill rivalisèrent de charme et de pressions pour l'amener à composition et pour obtenir qu'il se laissât photographier à leurs côtés en compagnie de Giraud. Dans une lettre à Brian et à Hélène qui est un document d'histoire et que j'ai, bien sûr, sous les yeux, Pandora donne sur la conférence une foule de détails que je saute. Elle raconte surtout une scène à laquelle elle n'avait pas assisté mais qui lui avait été rapportée de toutes parts et au cours de laquelle Churchill avait pointé son index à la figure du général et lui avait jeté, dans son français exécrable :

– Vous ne devez pas obstacler notre guerre!

A la grande satisfaction de Churchill, à l'amusement narquois de la fille de Brian, Roosevelt insista pour que Pandora prît part au dîner assez restreint offert en l'honneur du sultan et l'invita ensuite deux fois tête à tête avec lui. Pandora, après tout, avait longtemps vécu aux Etats-Unis et elle était devenue, par son mariage, et pour un temps au moins, à moitié américaine. Ils parlèrent de New York, de la Californie, de la vie à Hollywood, du *Dictateur* de Charlie Chaplin. Le président eut la bonté de se déclarer enchanté.

Lorsque la conférence se mit d'accord sur le principe d'un débarquement en Sicile pour le début de l'été, les hommes du Président échafaudèrent aussitôt toute une série de plans. L'un d'eux prévoyait l'utilisation des Siciliens d'Amérique dans la préparation de l'opération. Au cours de leurs rencontres, Pandora avait parlé incidemment au Président de ses liens avec un personnage pittoresque : c'était Zero Sant'Archangelo. Elle avait raconté en passant les aventures de Carlos et d'Agustin à Reggio de Calabre, leur rencontre avec Sant'Archangelo et l'installation en Amérique de ce Sicilien influent et peut-être même puissant. Elle n'avait naturellement pas soufflé mot de sa propre liaison avec Simon Finkelstein et, sans dissimuler les ressources et les pouvoirs de Sant'Archangelo, elle avait laissé un peu dans l'ombre le nom de la Mafia.

En préparant, avec Hopkins et Murphy, le dossier sicilien, Roosevelt se souvint aussitôt des confidences de Pandora.

– Dites-moi, mon cher Winston, cette jeune femme si charmante qui travaille avec vous...

– Pandora O'Shaughnessy?

– C'est ça, c'est ça... Est-ce que vous avez confiance en elle?

– Aveuglément, dit Churchill. J'en réponds comme de moi-même.

– Eh bien, il me semble qu'elle connaît assez bien les milieux siciliens d'Amérique. Est-ce que vous nous la prêteriez quelques semaines pour préparer le terrain en Sicile?

C'est ainsi que Pandora, à la fin de janvier 43, repartit, en pleine guerre, pour les Etats-Unis.

Les Allemands étaient à Lyon, à Vichy, à Marseille. Jérôme Seignelay avait retrouvé Paris. Grâce à M. Fouassier, il avait passé sans peine son bachot de philosophie. Il aurait décroché la mention très bien si le régime de Vichy n'avait pas eu l'idée saugrenue de remanier les matières qui figuraient au programme. Il ne s'était pas tiré trop mal des épreuves d'éducation physique : il avait appris à nager dans les rivières et dans les étangs des environs de Dijon et il courait assez vite. Mais la cosmographie, denrée inédite au menu, lui joua des tours pendables. Les sinus, les cosinus, la table des logarithmes lui restaient si étrangers que la dame, d'ailleurs plutôt charmante, affectée aux mouvements des planètes et à leur déclinaison se vit contrainte, l'air navré, de lui infliger un 1.

– Ne vous tourmentez pas trop, bredouilla-t-elle dans un élan d'affection pour ce jeune homme ignorant des étoiles et qui semblait si vif, je m'arrangerai pour que ma note ne soit pas éliminatoire.

Ç'aurait été dommage : Jérôme avait 17 en philosophie et 18 en histoire. Il passa des vacances délicieuses à Arcy-sur-Cure et se promena à bicyclette avec Mathilde dans les vignobles de Bourgogne. Le soir, après le dîner, ils regardaient sans rancune les étoiles ignorées briller dans le ciel obscur. Mathilde était heureuse et mélancolique. Elle savait que ces heures si douces étaient menacées par l'histoire collective et privée : la guerre qui battait son plein ou peut-être simplement les études allaient lui enlever son Jérôme dont elle voyait avec tendresse la silhouette en danseuse sur le vélo devant elle. Elle ravalait ses larmes et appuyait sur ses pédales pour se retrouver auprès de lui sous le soleil de l'été qui tombait sur les vignes.

M. Seignelay père repartit avec Jérôme faire la tournée des proviseurs des lycées de Paris. Le temps passe. Il court. L'armée allemande vacillait, les Romero se battaient, des jeunes gens privés de tout et parfois affamés étaient en train d'entrer dans une histoire très sombre. La dernière fois que Jérôme et son père avaient pénétré ensemble dans un lycée, la paix régnait encore et le proviseur avait prononcé des paroles mystérieuses où revenaient dans le désordre les mots de *khâgne* et d'*hypokhâgne* et le nom apparemment sacré de cette Ecole normale supérieure qui s'élevait quelque part derrière le Panthéon. Maintenant, c'était en hypokhâgne que voulait entrer Jérôme, pour tâcher, plus tard, de se présenter et d'être reçu – il n'en doutait pas un instant – au concours vaguement mythique de l'école de la rue d'Ulm. L'hypokhâgne de Louis-le-Grand, qui avait le vent en poupe, était déjà pleine comme un œuf. Il restait deux ou trois places libres dans l'hypokhâgne de Henri-IV, sur la montagne Sainte-Geneviève, de l'autre côté du boulevard Saint-Michel et de la vaste place du Panthéon, traversée de quelques rares voitures officielles ou à gazogène, en face de l'église Saint-Etienne-du-Mont où dorment Pascal et Racine.

– Notre première supérieure préparatoire, dit le proviseur d'un ton soutenu, notre hypokhâgne, si vous préférez, est le joyau de Henri-IV. Je vois que vous avez été en troisième et en seconde à Louis-le-Grand. C'est un excellent lycée : le proviseur est mon ami. C'est aussi notre rival. Dans tous les domaines, mais peut-être surtout dans la préparation à Normale, nous devons faire mieux que Louis-le-Grand. L'émulation est rude. Je ne veux prendre que des élèves qui puissent et veuillent gagner et défendre avec succès les couleurs de Henri-IV.

– A Dijon, dit M. Seignelay d'une voix peu assurée, Jérôme était premier de loin en philosophie, en histoire, dans toutes les disciplines littéraires.

– C'est ce que je constate, dit le proviseur. Dijon n'est pas Paris et, surtout en hypokhâgne, il faudra faire des efforts. Mais j'ai connu M. Nivat et le nom de M. Fouassier m'est familier. Je suis prêt à prendre le pari.

– Je vous remercie, monsieur, dit Jérôme, un peu étonné de sentir en soi tant de bonheur dans tant d'angoisse.

– Eh bien, dit le proviseur, je vous attends à la rentrée.

Et il se mit à donner un certain nombre d'indications pratiques qui retinrent les deux Seignelay père et fils pendant encore près d'un quart d'heure. En sortant, un peu étourdis par tout ce destin qui se dessinait si vite, ils poussèrent jusqu'à la rue d'Ulm et, par le boulevard Saint-Michel, redescendirent vers la Seine qu'ils suivirent jusqu'à la Concorde. Sous le soleil de cet été de guerre, Paris, vide de voiture, était plus beau que jamais. Place de la Concorde, des panneaux et des flèches indiquaient en allemand, sur fond blanc, la direction d'un certain nombre de services et de monuments. Après avoir discuté encore un peu, avec chaleur d'abord, puis avec une lassitude due à la longue marche, de Henri-IV et de l'hypokhâgne, M. Seignelay confia à son fils que des réseaux de fonctionnaires antiallemands et gaullistes étaient en train de se constituer. Il se tâtait.

Sant'Archangelo, à peine vieilli, accueillit Pandora avec sa chaleur coutumière. Il n'avait rien oublié. Il avait beaucoup appris. Ils parlèrent avec émotion de Simon et d'Agustin, de Capri, de Naples, de Reggio de Calabre et du portefeuille dérobé. Le passé est toujours beau. L'Italien voulait tout savoir de ce qui était arrivé à ses amis dans les tourmentes de la guerre.

– Et vous? demanda Pandora.

– Oh! moi, je me défends. L'Amérique est un grand pays. La Sicile, à côté, et l'Italie me paraissent minuscules.

– Je vous comprends, dit Pandora.

Somptueuse, classique, avec des colonnes partout, la maison de Sant'Archangelo s'élevait à Long Island. Elle n'avait rien à voir avec la grande bâtisse délabrée de la banlieue de Naples où Agustin puis Simon avaient discuté avec leur honorable correspondant. Il n'était pas question de trouver dans cette demeure, qui rappelait plutôt à Pandora les fantasmes du *Great Gatsby* et de Scott Fitzgerald, une école de voleurs. C'était un homme d'affaires, un financier, un *tycoon* qui habitait ce palais discrètement fortifié. L'argent avait remplacé le crime, dont il était issu. Pandora connaissait le caractère de Sant'Archangelo, ses qualités et ses défauts : elle était décidée à jouer le jeu le plus simple et à aller droit au but.

– C'est Roosevelt qui m'envoie. Je l'ai vu à Casablanca. Je lui ai parlé de vous. Il m'a...

– Il vous a conseillé de venir me voir parce que je peux lui être utile pour préparer le débarquement des Américains en Sicile. C'est bien cela, n'est-ce pas?

– L'avantage avec vous, dit Pandora, c'est que vous comprenez vite.

– Les gens s'imaginent encore qu'il faut savoir tirer vite. C'est de l'histoire ancienne. Des types qui savent tirer vite, on en ramasse à la pelle. Ce qu'il faut, c'est penser vite. Comment croyez-vous que je suis arrivé où je suis? Comment croyez-vous que j'ai construit cette maison? En comprenant les choses un peu plus vite que les autres. J'ai pensé avant le président que je pourrais rendre service en Sicile. J'attendais qu'il y pense à son tour.

– Est-ce que vous voulez nous aider? demanda Pandora en baissant un peu la tête et en levant ses yeux verts.

– Bien sûr que oui. Et pour deux raisons. D'abord parce que Mussolini est perdu et que Hitler est dangereux et que je veux rendre à ce pays un peu de ce qu'il m'a donné. Ensuite parce que j'ai besoin de Roosevelt. Vous lui passerez un dossier qui demande quelques coups de pouce. Il ne vous les refusera pas. En échange, la Sicile accueillera les Américains avec beaucoup d'enthousiasme. Vous me croyez, n'est-ce pas?

– Je vous crois, dit Pandora.

– Il y a autre chose, dit Sant'Archangelo.

– Autre chose? demanda Pandora.

– J'ai une dette.

– Quelle dette?

– Je n'ai jamais oublié l'histoire du portefeuille de Reggio. Je ne refuserai jamais rien à aucun Romero...

Il regarda Pandora.

– Ni à une O'Shaughnessy.

L'escadrille « Normandie », qui devait prendre plus tard le nom de « Normandie-Niemen », avait été formée en Syrie avant d'être transférée en Russie. Carlos et Simon, qui parlaient français à merveille, réussirent, non sans mal, à s'y faire verser l'un et l'autre. Simon Finkelstein avait un titre de gloire dont il ne se vantait pas : ancien aviateur du négus et en Espagne, il était l'un des pilotes les plus âgés de la guerre. Carlos, qui l'avait accompagné dans de nombreuses aventures tout au long des années trente, n'était pas très jeune non plus. Mais, à côté de Simon, il faisait figure de bambin. L'hiver 42-43 leur parut moins pénible parce qu'ils étaient enfin réunis. Le soir, avec les Français, dans la maison de bois qui leur servait de chambrée, ils parlaient de Paris, du socialisme et de cette liberté pour laquelle ils se battaient. Le thermomètre, dehors, descendait avec fureur.

– Est-ce que tu crois, demandait Simon, toujours un peu provocateur, que nous aurions été hitlériens si nous avions été allemands?

Carlos réfléchissait un instant.

– Je ne crois pas. Le marxisme pesait très fort sur moi. Déjà le capitalisme anglais me paraissait suspect. Je vomissais le fascisme.

– C'est peut-être parce que nous sommes à demi juifs que nous nous battons contre Hitler?

– Je ne crois pas non plus. C'est plutôt parce qu'il est injuste et que le monde avec lui serait tout à fait invivable.

– Et avec Staline? soufflait Simon en baissant la voix.

Carlos le regardait :

– On verra ça après la victoire.

Pandora faisait merveille. Dans l'Amérique en guerre, mais épargnée par les restrictions et par les bombardements, elle retrouvait la paix. Et elle se retrouvait elle-même. Après la mort de Jessica et auprès de l'oncle Winston, elle avait changé d'habitudes, de style, d'existence. Elle avait renoncé aux hommes. Elle était devenue une espèce de légende militaire et patriotique. Elle avait abdiqué en faveur de Churchill. En débarquant à New York – où elle avait pourtant été jadis, quand elle m'attendait sur les quais à ma descente de *Normandie*, si malheureuse et si perdue – elle se sentit libérée. Elle revivait.

Elle quittait son uniforme, sa casquette, ses horaires impitoyables, les routines de la hiérarchie et de l'administration. Ses cheveux blonds, longtemps retenus, retombaient en vagues sur ses épaules. Elle remit des robes dont elle ne rêvait même plus et des manteaux de fourrure. Elle se sentit belle à nouveau. Des hommes lui refirent la cour. Elle se jeta dans leurs bras. Elle n'y oubliait pas ses devoirs.

Zero Sant'Archangelo lui avait présenté un de ses compatriotes qui avait eu des ennuis avec la justice américaine. Il s'appelait Luciano et c'était un gangster. Avec son feutre sur les yeux et son costume croisé, avec son accent italien, avec sa suffisance de beau gosse à qui rien ne résiste, il donnait un peu l'image d'une caricature de lui-même. Il appartenait à la grande aventure qui, à travers l'immigration clandestine, la prostitution et les jeux, la lutte contre la prohibition, la pénétration du syndicat des dockers ou des camionneurs, faisait désormais partie de l'histoire de l'Amérique. Il avait été lié avec Al Capone, il avait échappé à plusieurs tueries et il en avait organisé d'autres, il continuait la tradition de ceux qui, près d'un demi-siècle plus tôt, avaient enlevé le petit Simon à Jérémie Finkelstein et à sa femme, Cristina Isabel. C'était un voleur de troupeaux converti aux temps modernes. Il était tout plein de secrets. En Pandora O'Shaughnessy, il trouvait à qui parler. Elle l'enchanta. Il la conquit.

Un soir, à New York, l'ami de Sant'Archangelo avait emmené Pandora dîner dans un minuscule restaurant tout en bas de la ville. Le cadre, la faune, la nourriture, tout amusait Pandora dans cet endroit si éloigné de ce qu'elle connaissait. En prenant la commande, la serveuse demanda si ces monsieur-dame voulaient de l'ail.

– Bien sûr que oui, dit Luciano.

– Ah? dit Pandora.

– J'aime beaucoup l'ail, dit Luciano.

Et il se mit à expliquer à Pandora qu'il avait appris d'Al Capone un usage de l'ail dont elle ne se doutait pas. Al Capone frottait d'ail les balles dont il se servait parce qu'il avait fait une découverte : la gangrène se mettait dans les blessures à l'ail. Pandora écoutait, l'air horrifié. Le soir même, malgré l'odeur pestilentielle et tenace qu'elle détestait jusqu'alors, elle se donnait à Luciano.

Ce qui ravissait surtout l'Italien, c'étaicnt les murmures qui échappaient, sous les caresses, à cette belle blonde épanouie. Il tendait l'oreille pour mieux entendre.

– Ah ! disait-elle très bas, c'est si bien d'être une femme...

Il croyait que ces paroles échappées étaient un hommage à sa virilité. Elle n'exprimait que la joie du retour à la nature après une longue parenthèse.

Ils parcoururent ensemble l'Amérique dans tous les sens. Ils se baignèrent en Floride et en Californie, ils jouèrent à Las Vegas, ils se promenèrent à San Francisco, à Los Angeles, à Seattle, à New York, à Washington. En même temps qu'elle rattrapait, d'un coup, tout son retard à vivre accumulé sous les bombes et dans l'ennui des bureaux, elle montait avec lui les réseaux de complicité qui allaient accueillir en Sicile, sur les mêmes plages où avaient débarqué, deux millénaires et demi plus tôt, un Alcibiade et un Nicias, les troupes de Patton et de Montgomery.

Avec gaieté, avec enthousiasme, écrivait Roosevelt à Churchill quelques semaines avant la conférence de Téhéran, *Mrs Gordon a puissamment aidé notre effort en Méditerranée et notre offensive en Sicile. Elle a fait preuve d'ardeur. Elle a accompli du bon travail.*

C'était aussi, je crois, l'opinion de Luciano sur Pandora. Et de Pandora sur Luciano. Ils étaient aussi contents l'un de l'autre que Roosevelt l'était d'eux.

Vanessa souffrait. Il lui semblait soudain qu'elle n'avait jamais rien fait d'autre. Elle sortait à peine de l'enfance quand elle était tombée amoureuse de Rudi. Par une espèce d'aberration, elle aimait aussi Agustin. Ce qui aurait dû être une consolation n'était qu'un tourment supplémentaire. Agustin n'était jamais là. Et, quand il était là, l'incertitude et le trouble s'installaient entre eux deux. Depuis l'arrivée de Hess en Angleterre, Vanessa n'avait plus jamais éprouvé avec Agustin ce sentiment de bonheur calme et confiant qu'elle avait connu à Glangowness. La vie de Vanessa s'arrangeait mal. Elle s'était édifiée sur des fondations impossibles, et maintenant elle vacillait. Pandora faisait tout ce qu'elle avait envie de faire et elle avait toujours l'air de s'amuser, même quand elle était malheureuse. Atalanta poursuivait en Turquie sa vie de mère et d'épouse entourée de devoirs et de reconnaissance officielle. Jessica était morte en héroïne rebelle, rattrapée par l'histoire, canonisée par une famille qu'elle avait scandalisée avant de finir par la rassembler sous sa houlette posthume. Seule Vanessa avait tout manqué.

Il lui arrivait encore, les jours où Pandora pouvait se libérer de son travail, de goûter avec sa sœur ou même de dîner avec elle. Avant le départ de Pandora pour les Etats-Unis, avant le départ pour la Turquie d'Atalanta Lennon, s'étaient tenues, dans la salle à manger du Ritz, accablée et magnifiée par la guerre, ou dans les pâtisseries presque désertes de Piccadilly ou du West End, des réunions, aussi plénières que possible, de l'ordre du Royal Secret. Jessica n'était plus là. Son ombre était présente et partageait avec les trois autres des muffins et des scones qui n'étaient plus ce qu'ils étaient.

– Tu te rappelles le jour où oncle Winston avait demandé à Jessica ce qu'elle avait l'intention de faire et où elle s'était levée, très calme, avait tendu le poing et avait répondu, de sa voix la plus douce : « *I am a communist* »?

– Et l'oncle Winston lui avait dit : « Et qu'est-ce que Brian pense de tout cela? »

– Elle avait réfléchi un instant et elle avait répondu : « Bah! il chasse le renard. »

– « Ah! bon, avait dit l'oncle Winston, mais il ne chasse pas tout le temps. Au printemps, par exemple, quand il ne chasse pas, qu'est-ce qu'il te dit? »

– « Il ne me dit rien, avait répondu Jessica. Il est debout près de la cheminée, il prend sa tête dans ses mains et il pense que dans trois mois il va se remettre à chasser. »

Elles riaient doucement toutes les trois et elles pleuraient en même temps. Et elles pensaient à Jessica qui les avait abandonnées avec un sans-gêne dont elles lui en voulaient et qui avait vraiment trop de chance : elle en avait fini avec la vie, avec ses chagrins et ses scones, avec ses muffins qui faisaient grossir et ses fous rires au goût amer.

Rudolf Hess, dans sa prison, perdait lentement la tête. Est-ce qu'il la perdait vraiment? Déjà dans sa cellule de la caserne Maryhill, à Glasgow, il avait répété sans fin à ses interlocuteurs, au duc de Hamilton, qui était venu déjeuner chez lui à Berlin pendant les jeux Olympiques, à sir Ivone Kirpatrick, un émissaire du Foreign Office qui avait été en poste en Allemagne, à Brian O'Shaughnessy, à Agustin Romero, qu'il avait décollé d'Augsbourg pour retrouver Vanessa et pour préparer avec elle et avec quelques autres la réconciliation nécessaire entre l'Angleterre et l'Allemagne. Il avait écrit à Hitler et nous savons par Keitel, collaborateur intime de Hitler à la tête de l'OKW – *Oberkommando der Wehrmacht* – la réaction du Führer : *Je le revois encore,* écrit Keitel, *marchant de long en large dans son grand studio* (à Berchtesgaden) *et se touchant le front du doigt en disant que Hess avait dû avoir un dérangement cérébral...* Churchill, de son côté, conformément à ce qu'il avait fait savoir à Staline par Carlos Romero et par Simon Finkelstein, puis par Pandora O'Shaughnessy, avait signifié à Rudolf Hess qu'il était prisonnier de guerre et qu'il serait traité comme tel jusqu'à la fin des hostilités. Les mois avaient passé, puis les années. Staline n'avait plus de motifs de s'alarmer de la présence sur le sol anglais du secrétaire, du favori, du deuxième successeur désigné d'Adolf Hitler – après Goering. L'oubli tombait peu à peu sur Rudolf Hess dans sa prison. Seule Vanessa venait encore, de temps en temps, lui rendre une brève visite.

Elle arrivait, chaque fois, avec un sentiment d'excitation et de joie. Elle repartait, chaque fois, bouleversée et un peu plus blessée. Oncle Winston n'avait pas manqué de lui faire la leçon. Il s'agissait d'abord de ne livrer au prisonnier, même par inadvertance et même s'il lui était impossible d'en faire le moindre usage, aucune indication sur l'effort de guerre britannique. Il s'agissait ensuite d'obtenir le plus d'informations possible sur l'état d'esprit des dirigeants hitlériens et sur les moyens dont ils disposaient. Au début surtout. Hess renouvelait à la fois ses offres de paix et ses menaces :

– Il faut bien vous mettre dans la tête, disait-il à Vanessa, que l'Allemagne est sûre de gagner la guerre. Hitler fait tout d'une manière massive et géniale. Vous n'avez aucune idée du nombre des avions et des sous-marins qu'il construit...

Devant le silence de Vanessa, déjà plus qu'à moitié convaincue mais tout à fait impuissante à agir sur Winston Churchill ou sur qui que ce fût en dehors de Mosley et de son groupuscule de fascistes, il s'exaltait et menaçait :

– Mon voyage vous offre votre dernière chance. Si vous ne la saisissez pas, Hitler n'aura pas d'autre choix que vous réduire en esclavage. Ce sera son droit et même son devoir.

Et puis, tout de suite après, il se jetait aux pieds de Vanessa et lui jurait un amour éternel qui la touchait encore mais auquel il n'était pas permis de prédire le moindre avenir. Elle restait immobile contre lui, les mains sur la tête ou les épaules du prisonnier, rêvant d'un passé évanoui, chassant de son esprit un futur impossible, maudissant la guerre, l'époque, les siens, son pays, le hasard ou la Providence, ces terribles constellations de l'histoire qui broyaient son amour. Ils pleuraient beaucoup. Elle le quittait brisée.

Plus tard, Vanessa apporta au prisonnier les grandes nouvelles du temps : l'invasion de la Russie, l'attaque sur Pearl Harbor, le débarquement en Afrique du Nord, la bataille de Stalingrad, la conquête de la Sicile, la capitulation de l'Italie. Les rêves s'en allaient en charpie. Au fur et à mesure que le temps passait et que l'armée allemande s'essoufflait, vacillait, refluait, Rudolf Hess s'accrochait, avec une violence de noyé, à l'image mythique de Vanessa. Et Vanessa, égarée, serrait contre elle le fantôme de ses amours perdues.

C'est Atalanta Lennon qui, la première, à Ankara, éprouva de la méfiance à l'égard du valet de chambre de Son Excellence l'ambassadeur d'Angleterre. Elle avait d'abord eu, pour lui, comme tout le monde, de la sympathie et de l'estime. Il était gai et débrouillard, il se mettait en quatre pour se rendre utile. Plus d'une fois, il servit de chauffeur à Atalanta, l'emmena faire ses courses, lui prépara un gâteau quand elle recevait des amis, garda même les enfants – qui l'adoraient et à qui il faisait parfois répéter leurs leçons de mathématiques ou des rudiments d'histoire romaine.

– Qu'est-ce que vous pensez de mon valet de chambre? disait, dans les dîners, l'ambassadeur à Atalanta.

– C'est une perle, disait Atalanta.

– N'est-ce pas? disait l'ambassadeur. C'est ce que tout le monde me répète. Mon collègue suisse m'a confié en riant que tout le corps diplomatique d'Ankara me l'enviait – sans même excepter, paraît-il, l'ambassadeur d'Allemagne.

– Eh bien! disait Atalanta qui pensait à autre chose.

– Vous connaissez Franz von Papen, n'est-ce pas? demandait l'ambassadeur.

– A peine, répondit Atalanta. Je l'ai vu ici ou là. Mais ma sœur Vanessa était liée avec lui.

– Est-ce celle qui travaille maintenant aux côtés de Churchill? demandait l'ambassadeur, extrêmement intéressé.

– Non, disait Atalanta. Celle de Churchill, c'est Pandora.

Geoffrey avait naturellement raconté à sa femme l'aventure d'Istanbul, l'assassinat de M. von Webern, la rencontre soudaine avec le valet de chambre. C'est le déroulement du récit, ce sont les mots répétés qui mirent Atalanta sur la voie d'une vérité qui échappait aux acteurs.

– ... Et alors, racontait Geoffrey pour la troisième ou la quatrième fois, à des agents britanniques de l'Intelligence Service ou du MI 5, qui est-ce que je vois? Ton ami, le valet de chambre. Il était là, dans le café, et il avait vu passer le type, son pistolet à la main.

– C'était une impasse, n'est-ce pas? demandait Atalanta.

– Une impasse, oui. Fermée par le café. Derrière le café, il y avait la cuisine et un jardin. L'homme était un athlète. Il a sauté par-dessus le mur. J'aurais pu le poursuivre. Mais ce n'était plus la peine : il avait pris trop d'avance.

– Tu l'as vu sauter par-dessus le mur? demandait Atalanta.

– Ah! bien sûr... J'arrivais au moment même où il disparaissait... Juste à temps.

– Tu l'as vu, sur le mur?

– Je ne sais plus... Je ne crois pas... Il venait de le franchir... Je me demande si je n'aurais pas pu l'entendre retomber de l'autre côté...

– Mais, à ce moment-là, tu étais encore dans le café, en train de discuter avec notre ami?

– Oui. Le mur était à deux pas. Le type venait de passer en trombe.

– Ah! oui, disait Atalanta.

Et les Anglais, fascinés par l'histoire et peut-être aussi par Atalanta, secouaient la cendre de leur pipe en la frappant contre leur talon et répétaient, en hochant la tête :

– Dommage. Ce Webern avait encore des choses à dire. *Too bad for him.* Mais vous en aviez déjà tiré pas mal d'informations. *Congratulations.*

Un des regrets de Jérôme fut de n'avoir pas Alquié. Les choses s'étaient passées de façon assez curieuse. Dans les tout derniers jours d'août, Jérôme se promenait sur le boulevard Saint-Michel, un peu ivre de la grande ville et de ses folles espérances, quand il vit un homme qui marchait devant lui, plutôt mince et de petite taille, laisser glisser d'un livre qu'il tenait à la main quelques feuilles de papier couvertes d'une fine écriture et repliées l'une sur l'autre. Jérôme ramassa les feuillets et hâta un peu le pas pour rattraper leur propriétaire.

L'homme avait un accent où il y avait des traces du Midi, une tentation de bégaiement, une ombre d'affectation indiscernable du naturel le plus parfait et beaucoup de drôlerie. Il se montra enchanté de retrouver ses papiers et demanda à Jérôme ce qu'il faisait dans la vie.

– J'entre en hypokhâgne, dit Jérôme, éclatant de fierté.

– Et où donc ?

– A Henri-IV.

– Eh bien, reprit l'autre, si, euh..., euh..., vous avez cinq minutes, venez donc boire un verre avec moi. Euh... je vous invite.

Et ils s'assirent tous les deux à la terrasse du café qui fait l'angle de la rue des Ecoles et du boulevard Saint-Michel, à peu près en face du Balzar et du cinéma Champollion. Jérôme ne savait pas très bien ce qu'il était convenable de demander. L'homme aux papiers le tira d'affaire en le consultant à peine et en commandant d'office une demi-bouteille de vin blanc.

– Je m'appelle Alquié, dit-il, Ferdinand, euh... Alquié. Et vous?

Le nom ne disait rien à Jérôme qui pensa très vite, il ne savait pas trop pourquoi, à Jouvet, à *Knock* qu'il avait vu à Dijon, aux *Copains*. La conversation n'était pas difficile. M. Ferdinand parlait tout le temps, avec des sortes d'écluses et d'échos intérieurs.

Jérôme Seignelay apprit successivement, avec stupeur, que M. Alquié était professeur de philosophie dans la khâgne de Henri-IV – les papiers tombés du livre étaient des notes pour son cours, – que le surréalisme était aussi important que le romantisme ou le kantisme et que le *Discours de la méthode* n'interdisait à personne de s'amuser de l'existence et d'aimer le bon vin.

Ils parlèrent longtemps. Peut-être une heure ou deux. La naïveté de Jérôme plaisait beaucoup à Alquié. Alquié, en quelques phrases bredouillées à toute allure, ouvrit des cieux à Jérôme. La psychanalyse apparaissait sous les traits familiers d'une activité aussi courante qu'une partie de tennis ou une séance chez le coiffeur. Il fallait se nettoyer l'esprit comme on se nettoyait les cheveux ou le corps. L'hypokhâgne, la khâgne, la vie en général se présentaient sous le masque à la fois de la gaieté la plus folle et du sérieux le plus implacable. Tout était frappé d'une drôlerie d'où sortait pourtant un sens.

– Ce qu'il y a de bien, disait Alquié, c'est que l'hypokhâgne, euh... n'existe presque pas, que la khâgne n'existe presque pas, que l'Ecole, euh... n'existe presque pas.

– Qu'est-ce qui existe? demandait Jérôme, pétrifié.

– La raison, disait Alquié. Elle est cachée partout. Et surtout dans son contraire. Vous avez, euh... bien de la chance : vous partez à sa conquête.

A tous les coins des mots échangés, des noms nouveaux pour Jérôme se faisaient soudain jour. Il y avait Breton et Descartes, il y avait Kant, Hegel, Kierkegaard. Il y avait Sartre et Maurras, et Trotski et Brasillach, dont tant de jeunes gens parlaient en même temps et dont les noms avaient déjà été prononcés, avec fièvre, quatre ou cinq ans plus tôt, à quelques mètres dc là, par Carlos et Agustin.

– Vous savez, dit Alquié, il y a autant d'imbéciles, euh..., en khâgne que partout ailleurs.

– Et à Normale aussi?

– Bien sûr. A Normale aussi. Des imbéciles, euh..., plus savants. Des imbéciles tout de même.

Jérôme partit la tête en feu. Tout tournait autour de lui. Il aurait donné sa vie pour une heure comme celle-là. Voilà qu'il entrait dans ce monde nouveau dont il n'osait même pas rêver.

Il y avait, à Henri-IV, deux hypokhâgnes et deux khâgnes. Jérôme Seignelay fut versé dans une classe où Alquié n'enseignait pas et où le professeur de philosophie parlait, comme tout un chacun, sur le rythme le plus normal. Ce fut une grosse déception. Un chagrin. Une hantise de tous les instants. Presque une catastrophe. Il lui semblait parfois qu'il ne s'en remettrait jamais et que sa vie était finie avant d'avoir commencé.

Toutes ces choses à travers le monde et le long des années... Ces passions, ces attentes, ces décisions brutales, ces effets et ces causes, cet enchaînement indistinct : voilà trois ans, ou un peu plus, que je les revis et les retrace. Que je les revis pour les retracer. Tous les personnages que je ressuscite, je les ai connus autant qu'il est permis de connaître un être humain. Je les ai interrogés pour en savoir davantage, pour apprendre ce qui s'est passé, pour deviner ce qu'ils pensaient et ce que pensaient les autres. Parfois le vertige me prenait. Déjà Atalanta ou Vanessa ou Jérôme Seignelay ou Rudolf Hess, je me demandais comment m'y prendre pour traduire leurs actes, leurs idées, leurs sentiments. Ce qui se passait dans le monde autour d'eux me paraissait terrifiant. Au-delà de tout contrôle et de tout compte rendu. Un imbroglio de pensées, une avalanche d'aventures, une fourmilière de projets, un torrent d'initiatives prises dans l'aveuglement. La guerre ajoutait encore à ce désordre monstrueux. Comment pouvait-il s'organiser pour donner quelque chose qui prenne un sens dans l'avenir? Carlos ou Simon abattaient sur le Niemen un avion hitlérien : est-ce que le sort du monde en était changé? Bien sûr que non. Bien sûr que oui. Il fallait, naturellement, abandonner toute tentative de reconstitution psychologique ou d'interprétation. Déjà le seul spectacle de ce que faisaient les gens que je connaissais le mieux, le seul procès-verbal de leurs conversations avait de quoi tourner la tête. La tête me tournait quand je pensais à Pandora aux côtés de Luciano, à Vanessa en larmes dans la prison de Rudolf Hess, à Atalanta en train de réfléchir – vous la voyez en train de se concentrer et de poursuivre son idée pendant qu'elle fait ses courses, pendant qu'elle habille ses enfants ? – à ce que lui disait son mari. La tête me tournait quand je pensais à Carlos et à Simon prêts à mourir pour Staline dont ils disaient tant de mal, à Agustin Romero qui admirait Hitler dont il souhaitait la défaite, à Brian et à Hélène, sortis d'un passé évanoui et que le monde moderne épouvantait.

Je n'avais plus beaucoup de nouvelles de Javier Romero. Celui des frères Romero qui m'avait toujours été le plus proche – et qui le redeviendrait, puisque c'était son arrivée à San Miniato qui avait déclenché toute l'avalanche de souvenirs que vous êtes en train de subir – avait, pendant de longs mois, pour ainsi dire disparu. Il avait marché sur les traces de Brian O'Shaughnessy vers la fin de l'autre siècle et au début de celui-ci : il était parti défendre les confins de l'Empire. En 1939, l'Empire britannique était encore debout. Il y avait des craquements dans l'édifice. Figure archaïque et d'autant plus moderne, Gandhi, à moitié nu, sans pistolet et sans bombe, était déjà installé devant le rouet de la révolte qui allait faire tomber les Indes. Mais les Canadiens, les Australiens, les Néo-Zélandais, les soldats égyptiens sous les ordres des Wavell, des Auchinleck, des Alexander, des Montgomery face au géant Rommel, les Gurkhas et les sikhs, chers aux quatre filles O'Shaughnessy, perpétuaient encore l'esprit de Disraeli, de Chamberlain, de Kipling et faisaient survivre l'Empire. Dès la fin de 40 ou le début de 41, Javier Romero était parti pour Singapour. Il y fréquentait comme tout le monde les cocktails de l'hôtel Raffles, chanté naguère par Somerset Maugham. Et il allait, le soir, danser au Tanglin Club.

Singapour, en ce temps-là, était un des piliers de l'Empire britannique. La place était réputée imprenable. Près d'une centaine de millions de livres avaient été dépensées pour la fortifier puissamment du côté de la mer. Il était impossible de passer du côté de la terre où une jungle inhumaine constituait un barrage rigoureusement infranchissable. Les Japonais passèrent du côté de la terre, à travers la mangrove et les palétuviers.

Les enfants d'Atalanta avaient maintenant l'un sept ans et l'autre huit. Mary était l'aînée. L'autre s'appelait Winston : Churchill était son parrain. Atalanta trouvait qu'elle avait bien de la chance d'avoir pu emmener ses deux enfants en Turquie. D'abord parce qu'ils étaient avec elle et qu'elle était avec eux. Ensuite parce que, comparés à l'Angleterre en guerre, Ankara et Istanbul, pour traversés qu'ils fussent par les rumeurs du conflit, étaient des havres de paix.

Un jour que Winston junior avait été insupportable et avait cassé un vase de Sèvres qui avait appartenu à la comtesse Wronski, Atalanta l'avait poursuivi à travers la maison assez vaste que les Lennon occupaient à Istanbul. Au moment où Winston, acculé au fond du couloir, allait être rattrapé par sa mère, il se mit à pousser de grands cris.

– Pourquoi cries-tu si fort? lui demanda sa mère.

– Parce que ce n'est pas moi qui ai cassé le vase.

– Et qui l'a cassé ?

– C'est Mary.

– Mais j'ai entendu le vase tomber et je t'ai vu décamper !

– C'est Mary ! C'est Mary ! Elle a couru plus vite que moi !

– Et où est-elle passée, Mary ?

Alors Winston, pris au piège, s'était mis à rire pour cacher sa gêne et il avait eu le culot de déclarer, en montrant le mur du fond où l'appartement s'arrêtait :

– Elle est passée par là.

Le soir même, Atalanta racontait à Geoffrey le mensonge de Winston.

Après l'invasion de la Chine, après l'attaque sur Pearl Harbor, après le débarquement aux Philippines, après l'occupation de Bangkok et de Hong Kong, après la promenade en Malaisie, conquise en quatre semaines, la chute de Singapour eut un retentissement prodigieux à travers toute l'Asie. Javier Romero fit partie de ces milliers et de ces dizaines de milliers de soldats britanniques qui passèrent des mois et des années dans des camps japonais, peut-être plus durs que les camps nazis, et dont *Le Pont de la rivière Kwaï* a donné au grand public une idée encore trop flatteuse.

Comme son frère Luis Miguel, mais dans un style très différent, avec plus de réserve et d'intériorité, Javier Romero avait longtemps joué le rôle d'un bon à rien de talent. Il caressait le projet, indéfiniment reporté, d'entreprendre une histoire monumentale de l'opéra, où Verdi bien entendu – peut-être, en partie, à cause de la comtesse Wronski dont l'histoire et l'allure avaient frappé Javier – aurait tenu une grande place. La guerre avait balayé ces ambitions, qui n'étaient peut-être que l'alibi d'un velléitaire et d'un flemmard. Mais aussi d'un poète. Car Javier Romero était d'abord un poète.

Parmi les geôliers de Javier et de ses compagnons figurait un Japonais d'une cinquantaine d'années qui n'était plus bon pour le service actif. D'une dureté proverbiale, il s'appelait Hamuro Tokinaga. Plusieurs années plus tard, en 1945, il devait illustrer son nom et connaître une gloire éclatante et sombre : il fut l'un des théoriciens les plus ardents des kamikazes, ces bombes vivantes qui n'emportaient dans leur avion que l'essence nécessaire à l'aller et qui jetaient leur appareil contre les navires américains. Hamuro Tokinaga lui-même fut l'un des derniers kamikazes : quelques heures avant la capitulation japonaise, il prit l'air pour ne plus revenir. Cette brute, ce fanatique, cet illuminé de la violence et de la mort était aussi un poète.

Les lettres de Hamuro Tokinaga furent révélées bien plus tard au public occidental. Elles connurent un vif succès. Dans la société de consommation, dans la culture du profit en train de triompher, elles apportaient un parfum de grandeur et de mort qui avait quelque chose d'assez neuf. L'illustre Mishima n'attendit pas cette révélation. Dès ses premiers écrits qui devaient bouleverser les jeunes gens du monde entier, Hamuro Tokinaga fut son maître.

Dans le camp de prisonniers où les officiers et les soldats britanniques étaient en train de mourir comme des mouches, des relations sulfureuses s'établirent assez vite entre Hamuro Tokinaga et Javier Romero. Elles laissent loin derrière elles les rapports des Japonais et de l'officier anglais joué par David Niven dans *Le Pont de la rivière Kwaï.* Elles rappelleraient plutôt les liens si ambigus entre Charlotte Rampling et son bourreau nazi dans le film *Portier de nuit.*

La première rencontre entre les deux hommes se produisit à l'occasion d'une série d'incidents. Un des sergents de Javier, sur le point de mourir de l'une ou de l'autre des épidémies qui ravageaient le camp, vivait ses derniers jours sous la forme d'un calvaire. Il s'écroulait au travail et ses gardiens le battaient jusqu'à ce qu'il se remît debout avant de s'effondrer à nouveau. Une sorte de jeu sadique avait fini par s'établir : le sergent, qui était un homme à l'apparence vigoureuse, était devenu une victime expiatoire et les scènes de torture succédaient, avec une régularité de métronome, aux séances de travail bientôt interrompues par l'épuisement ou l'évanouissement. Javier Romero était allé trouver Hamuro Tokinaga en train d'écrire et, du ton le plus calme, lui avait exprimé son indignation impuissante.

– Les hommes qui sont ici, avait dit Hamuro Tokinaga, ont le devoir de travailler.

– Dans la limite de leurs forces, avait répondu Romero. Vous n'avez pas le droit de les torturer.

– Les gardiens font leur métier. Ce sont des soldats comme vous et moi.

– Ce n'est pas vrai. Ce sont des bourreaux.

– Votre homme est un simulateur.

– Ce n'est pas vrai. Vous êtes un menteur.

Hamuro Tokinaga avait posé son pinceau. Il avait regardé Javier Romero.

– Parfait. Votre protégé sera libéré de son travail. Et vous ferez le sien en plus du vôtre.

– Je n'en demande pas plus, avait répondu Romero.

Une épreuve de force hallucinante s'était engagée entre le Japonais et Javier Romero. Elle était devenue le symbole de la résistance des vaincus à l'oppression des vainqueurs. Réduit à l'état de loque, titubant à chaque pas, l'esprit à demi égaré par les souffrances du corps, soutenu par les acclamations silencieuses de tous les siens, Javier Romero, dans le rôle de l'idole du camp, avait résisté pendant deux mois. Le troisième mois d'horreur était déjà entamé quand il fut convoqué par Hamuro Tokinaga.

Le débarquement en Sicile avait été un succès. Pandora avait obtenu de Churchill l'autorisation d'accompagner les troupes alliées et elle s'était fait attacher à la personne de Patton. Le Premier ministre avait un peu grogné : il n'avait plus sous la main aucune des sœurs O'Shaughnessy. Je crois bien qu'il poussa la partialité et peut-être l'inconscience jusqu'à envisager de se rabattre sur Vanessa. Il y renonça assez vite et accorda de mauvais gré à Pandora enchantée une permission illimitée.

– Au moins, bougonna-t-il, elle pourrait choisir Montgomery.

Mais Pandora s'était entichée de Patton.

Avec sa bouille ronde, sous son casque rond, Patton était un général de mouvement et qui n'avait pas froid aux yeux. Pandora le suivit pendant toute l'affaire de Sicile qui se déroula, point par point, selon les prévisions et les dispositions de Sant'Archangelo et de ce sacré Luciano. Il y eut de grands moments dans cette campagne de Sicile. A Corleano et à Enna, Pandora alla rendre visite aux familles, assez vastes, de ses deux amis d'Amérique. Ce furent des cérémonies émouvantes. Sainte Thérèse d'Avila allant rendre compte à une communauté spirituelle de ses conversations avec saint Jean de la Croix n'aurait pas été reçue avec plus de ferveur. On avait mis les petits plats dans les grands et Pandora eut beaucoup de mal à ne pas passer en Sicile le reste de son existence.

Quand les Anglo-Américains, après avoir un peu hésité, se décidèrent enfin à sauter le détroit de Messine et à débarquer successivement à la pointe de la botte, à Salerne, à Anzio et à Nettuno, Pandora était à nouveau dans les bagages des Alliés. Elle entra la première dans Amalfi libéré, dans Positano en liesse, dans Sorrente ressuscitée du long sommeil fasciste. Elle revit Naples et Capri. Elle se promena, solitaire, dans l'île presque déserte. Elle rêva à Simon, à Agustin et à moi devant les Faraglioni où une de ses vies successives s'était brusquement arrêtée. Peut-être parce qu'elle était en uniforme et qu'elle se revoyait à seize ans en train de nager avec le Kid dans les eaux transparentes autour des trois rochers, elle se sentit soudain très vieille. Usée par la vie. Pour ainsi dire hors d'usage. Elle avait vingt-huit ans. C'était l'âge, en effet, où, après avoir brisé tant de cœurs et ravagé tant de carrières, les héroïnes de Stendhal et de Balzac se mettent à verser quelques larmes avant de songer à la retraite.

Le monde est un long discours. Il est fait d'une accumulation à peu près inépuisable d'événements innombrables qui n'en finissent jamais de se dérouler en même temps et qui, dans tous les sens, à travers l'espace et le temps, se commandent les uns les autres. Pendant que Pandora pensait à eux – et à moi, qui raconte leur histoire – le Kid et Agustin tuaient des hommes, des femmes et des enfants. Il y avait un coupable à ces crimes : c'était Hitler.

Après les terribles attaques de 1940, la vie avait repris à Londres de façon presque normale. On y menait une existence comparable à celle qu'on menait à Paris. A Paris, il y avait la peur, les restrictions, les Allemands. A Londres, il y avait la peur, les restrictions, et il n'y avait pas d'Allemands. Il n'y avait même plus de bombardements : après le déluge de feu, pas une bombe n'était tombée sur Londres depuis la fin de 41. Les bombardements s'étaient déplacés vers la province, et surtout vers Coventry. Pour frapper les Anglais de terreur, Hitler avait décidé de rayer de la carte un certain nombre de villes de moyenne importance. Du coup, les Anglais avaient riposté et retourné contre les Allemands les armes même dont se glorifiaient un Hitler, un Goering, un Goebbels. Dès avant l'attaque allemande contre la Russie, Berlin avait été bombardé. On raconte qu'à Molotov, en visite d'amitié chez Hitler, Hitler et Ribbentrop avaient longuement expliqué que l'Angleterre était détruite. Puis tout le monde avait été contraint à descendre dans la cave. Sous les coups répétés des bombardiers britanniques, on aurait entendu Molotov murmurer à voix basse : « Si l'Angleterre est détruite, je me demande bien qui est en train de nous taper sur la tête. »

Pilote hors concours, Agustin avait obtenu de passer de la chasse aux bombardiers lourds. Après avoir défendu Londres tout au long de la bataille d'Angleterre, voilà qu'il attaquait à son tour les villes de la Ruhr et de la Prusse, de la Saxe et de la Rhénanie. Les Américains étaient entrés dans le jeu. Il n'était pas rare de voir cinq ou six cents bombardiers se concentrer sur un objectif. Les vagues succédaient aux vagues et Agustin apercevait avec une satisfaction mêlée d'horreur, quelques centaines de mètres plus bas, les ruines et les incendies dont il était la cause.

A l'aller, l'esprit tout occupé par les ordres qu'il avait reçus, il se confondait avec sa machine et avec sa mission. C'était au retour, après avoir évité, dans la nuit, les tirs de la Flak, la DCA allemande, qu'il se posait des questions. Il avait admiré le fascisme et le national-socialisme qu'il était en train de combattre. Il avait détesté et méprisé cette démocratie qu'il était en train de servir – et peut-être jusqu'au crime. Le crime, naturellement, avait été commis d'abord par Hitler et c'est pour cette raison qu'il avait défendu l'Angleterre et qu'il bombardait l'Allemagne. Mais les innocents, maintenant, mouraient dans les deux camps. Dans cette Allemagne qu'il survolait, il en massacrait autant et plus – et il fallait espérer qu'il en massacrait plus – que les barbares nazis n'en avaient massacré en Angleterre. Et, pour abattre Hitler qui était un assassin sans scrupule, Churchill s'était allié à Staline, qui était, lui aussi, un assassin sans scrupule. Les idées et les questions se mettaient à tourner dans sa tête à une allure et avec une violence qui lui faisaient presque mal. Il pensait à Vanessa qui devait souffrir plus que lui. Il pensait à Carlos et à Simon qui n'avaient pas ces problèmes parce qu'ils avaient choisi leur camp depuis longtemps avec un mélange – inégalement réparti entre eux deux – de cynisme et de convictions qu'il se surprenait à envier. Ils avaient bien de la chance.

– Nous avons de la chance, disait Carlos.

– Ah! Oui, peut-être, répondait Simon. Mais pourquoi?

– Parce que nous sommes ensemble, disait Carlos.

– Arrête ton charre, disait Simon. Tu vas me faire sangloter.

– A quoi crois-tu? demandait Carlos. Ni à la révolution, ni à l'amitié, ni à la liberté, ni à la justice.

– Tu vois, disait Simon.

– Qu'est-ce que je vois? demandait Carlos.

– Tu n'as pas tellement de chance puisque tu passes tes jours et tes nuits et une partie de ta belle jeunesse...

– De ma jeunesse...

– Enfin... je dis ça pour faire bien... avec quelqu'un qui ne croit à rien.

– C'est une malédiction, disait Carlos. Je t'aime bien tout de même.

– C'est le charme, disait Simon.

– Probablement..., disait Carlos. Il s'est exercé sur Pandora, sur Jessica, sur la comtesse Wronski, sur Lara, sur Paco Rivera, sur Brian, sur notre ami Molotov... Pourquoi pas sur moi?

– Je suis content pour toi, disait Simon.

– Tu es vraiment une ordure, disait Carlos. Pourquoi Jessica est-elle morte, pourquoi Luis Miguel est-il mort – et pourquoi, toi, es-tu toujours là, plus odieux que jamais?

– Il y a tout de même une chance, disait Simon.
– Quelle chance? demandait Carlos. De te voir devenir plus convenable?
– Non, non, disait Simon. De me voir mort, tué, abattu, réduit en cendres. C'est arrivé à d'autres. Ça pourrait bien m'arriver.
– Je ne crois pas, disait Carlos. Tu détruis les autres, et surtout ceux qui t'aiment. Toi, tu es indestructible.
– Eh bien, tant mieux, disait Simon. Les bonnes armées ne devraient être faites que de veinards indestructibles.
– Ce n'est pas la veine qui a sauvé la Russie. C'est la foi.
– La foi en quoi? demandait Simon.
– Ah! voilà!... Ce n'est pas commode... La foi en la révolution communiste, pacifiste et athée? Ou la foi en la Sainte Russie, traditionaliste et militaire?
– Tu sais..., disait Simon.
– Quoi encore?
– J'ai tendance à croire que tout ça n'est qu'une question de force. On a cru que Hitler était fort et que les démocraties étaient faibles. On est en train de découvrir que les faibles étaient plus forts que les forts. Et peut-être que Staline est plus fort que les plus forts.
– Tu ne crois pas que nous nous battons pour quelque chose qui ressemble vaguement à la justice et à la liberté?
– Avec Staline?
– Avec Staline. Malgré Staline. Contre Hitler, en tout cas.
– Je crois qu'on se bat pour gagner.
– Ce que tu dis là, mon cher Simon, n'est pas si loin du fascisme.

– Avec cette différence, mon cher Carlos, qu'il faut être plus malin que les fascistes et savoir distinguer entre l'apparence de la force et la vérité de la force.

– Entre l'apparence et la vérité, c'est l'histoire probablement qui fait la différence.

– Probablement. Avec cette nuance que l'histoire, c'est d'abord chacun de nous. Toi, tu croirais plutôt, pauvre pomme, que c'est l'histoire qui nous entraîne. Moi, je crois que c'est nous – ou quelques-uns d'entre nous : Hitler et Staline, par exemple, et moi, peut-être même toi, si tu ne fais pas trop le con – qui entraînons l'histoire.

Sur la montagne Sainte-Geneviève, occupée par les Allemands, Jérôme Seignelay, dans toutes les douleurs de l'allégresse, poursuivait sa découverte d'une Amérique fabuleuse et cachée qui donnait son sens au monde : la philosophie. La logique et la psychologie l'ennuyaient à mourir, avec leur prétention, insupportable et sèche, à découvrir des lois dont tout le monde se moquait. La morale avait un côté benêt qui ne cassait pas les pattes à un canard et qui ne faisait de mal à personne. Ce qui le jetait dans des transes, c'était la métaphysique et l'histoire des idées. Il retrouvait Platon, Spinoza, Kant, Hegel que lui avait présentés M. Fouassier. Il cueillait les fruits subtils, les champignons délicieux et souvent complémentaires de Parménide et d'Héraclite, des stoïciens et des épicuriens, des réalistes et des idéalistes, qui finissaient le plus souvent par échanger leurs positions et par se battre à fronts renversés. Il montait et descendait avec alacrité les échelons enchantés de nos généalogies : *Hume, qui genuit Kant, qui genuit Fichte, qui genuit Schelling, qui genuit Hegel, qui genuit Marx et Kierkegaard, qui genuit*... etc. A chaque page, à chaque mot, il était renvoyé un peu plus loin et il brûlait d'en savoir plus sur le τὸ τί ἦν εἶναι d'Aristote, sur *La Cité de Dieu* de saint Augustin, sur le fameux *Dasein* de Heidegger et sur les rapports mystérieux entretenus par Jean-Paul Sartre avec les phénoménologues et les existentialistes allemands à qui il avait tant emprunté.

La guerre faisait rage. L'hypokhâgne de Henri-IV puis la khâgne étaient autant d'îles savamment protégées au sein de la tempête. De temps en temps, les rumeurs du dehors parvenaient jusqu'au cœur de la classe refermée sur elle-même. Il y avait des trotskistes, il y avait deux ou trois fascistes qui ne la ramenaient pas trop, des gaullistes presque affichés, des communistes sagaces, disciplinés, raisonnables, des anarchistes appliqués, des poètes surréalistes qui hésitaient, écartelés, entre le raffinement et la sauvagerie.

Un soir, vers la fin de l'hiver, en hypokhâgne ou en khâgne, se produisit un incident. Un des camarades de Jérôme Seignelay s'appelait André Bernard. Il fut appelé, en plein cours d'histoire grecque, chez le surveillant général. On ne le revit plus jamais. Le bruit courut que son vrai nom était Cohen ou Lévy, qu'il avait été arrêté par la Gestapo et déporté, via Drancy, à Bergen-Belsen ou à Auschwitz.

Ce qui frappa Jérôme, c'est le silence qui se fit, parmi les khâgneux et les hypokhâgneux, sur la disparition de leur camarade. Il n'y eut pas la moindre protestation, pas le moindre début d'inquiétude ni même de curiosité. Il n'y eut aucun frémissement. André Bernard ne revint pas, voilà tout. Peut-être parce qu'il se souvenait des confidences de son père, le postier de Dijon, sur la constitution de réseaux et de groupes mystérieux, Jérôme fut bouleversé par cette tombe creusée sans bruit et si vite refermée.

J'ai marché ce matin parmi les oliviers. J'ai revu la route où je m'étais promené avec Javier Romero le jour, déjà lointain, où il est venu m'annoncer la mort de Pandora. Je suis monté, tout seul, jusqu'à la chapelle du cimetière qui abrite une Visitation attribuée à Signorelli. Et puis je suis revenu, comme chaque jour depuis trois ans, travailler à mes souvenirs sur la terrasse de San Miniato.

Dans ce calme de la Toscane et de l'Ombrie où le vent incline à peine le sommet des trois cyprès qui se découpent sur le ciel, je n'ai pas la moindre intention d'écrire un roman de guerre ni une mouture supplémentaire de ces livres honorables et innombrables sur les aventures de la résistance au national-socialisme. Ma seule ambition est de rassembler ces images éparses où rient et pleurent les quatre sœurs, où elles sillonnent le monde, où elles font tourner les têtes, où leurs destins se croisent avec ceux des quatre frères. Je ne mentionne la guerre que parce qu'il y a eu une guerre où furent mêlés Carlos et Simon et Pandora et Agustin et Rudolf Hess et Vanessa. Où, parmi beaucoup d'autres, parmi des millions d'autres, fut tué Luis Miguel. J'aurais pu, n'en doutez pas, aussi bien que personne, décrire la ruée des chars à travers les Ardennes ou dans les plaines de l'Ukraine, les combats de chasseurs au-dessus de Londres et des côtes de l'Angleterre, les avions surgis de nulle part et la foudre tombée du ciel et du soleil levant le matin du 7 décembre 1941 sur Pearl Harbor endormi – et il s'est trouvé des gens pour soutenir que Roosevelt avait laissé l'histoire se faire et le drame s'accomplir pour mieux ancrer dans la guerre une Amérique hésitante –, l'agonie de comptables, de cordonniers, de bûcherons, de laboureurs déguisés en soldats dans les tempêtes de neige sur la Volga et le Don ou dans les sables de la Libye, les formidables aventures dans les jungles du Pacifique où la moindre blessure équivalait à la mort, les batailles navales dans le brouillard où le feu et l'eau rivalisaient de cruauté, les menées parallèles, souterraines et perfides des services secrets truffés d'agents doubles et triples et de ruses infernales où personne ne savait plus qui avait tendu les pièges ni qui était pris dedans, les tortures des prisonniers, vendus par la trahison, dans les caves des hôtels de luxe occupés par la Gestapo. Tout cela, et bien d'autres choses, les changements imperceptibles dans la figure du monde, les liens dissimulés entre les puissants de la terre, la continuité de l'histoire sous ses révolutions, les conséquences démesurées des décisions les plus minces et les plus insignifiantes, oui, j'aurais pu m'y attacher, les dépeindre dans le détail, les assembler dans une fresque qui se serait confondue avec la marche du temps. Mes ambitions étaient autres : je voulais ressusciter Pandora et ses sœurs.

Hamuro Tokinaga était un tortionnaire, un bourreau, une variété de fauve sanguinaire. S'il n'était pas mort à la fin de la guerre en se jetant lui-même, à la façon de ces pilotes innombrables qu'il avait fanatisés, contre le porte-avions *Franklin* et si les Américains, sous l'inspiration de MacArthur, n'avaient pas adopté dans le Pacifique, à la fin du conflit, une politique radicalement différente de celle de Nuremberg, Hamuro Tokinaga aurait été condamné à coup sûr comme criminel de guerre. Ce monstre était délicat.

Il accueillit Javier avec un mélange de mépris et d'admiration. Les hommes sont imprévisibles. Chacun sait que les Japonais, qui ont des sabres et des traditions et qui couchent souvent par terre sur des tapis de paille tressée, sont difficiles à comprendre. Les Argentins aussi. Les Anglais encore plus. J'avais connu Javier très doux, très paresseux, plutôt moqueur, très effrayé par la souffrance et par la moindre contrariété. Il était devenu dur à la douleur, il était devenu ce qui m'aurait paru, il y avait encore quelques mois, le plus contraire à sa nature : un chef qui se sacrifie pour la dignité de ses hommes. Couvert de sang et de plaies, les yeux exorbités, le visage tuméfié, il tenait à peine debout. Pour ne pas s'écrouler aux pieds du Japonais, il ajoutait un peu de douleur à la souffrance diffuse qui se confondait avec lui et il serrait les poings jusqu'à faire jaillir un peu de sang sous ses ongles.

– *Well,* Mr. Romero, lui dit le Japonais en souriant et dans un anglais presque parfait, est-ce que tout va comme vous le souhaitez!

– *Everything under control, Sir,* répondit Javier avec autant de raideur que lui permettait son état.

– Mr. Romero, dit le Japonais, où avez-vous fait vos études?

– A Eton, dit Javier. C'était le bon temps. Il y avait bien une brute, mais elle se contentait de me donner des coups de règle sur les doigts. Et à Oxford.

– Moi aussi, Mr. Romero, dit le Japonais d'une voix très douce, j'ai fait mes études à Oxford.

– Je le regrette pour Oxford, dit Javier en regardant droit devant lui.

Il y eut un silence.

– Mr. Romero, reprit le Japonais, croyez-vous vraiment que vous pouvez vous permettre, dans votre situation, de faire preuve d'insolence ?

« Je n'avais rien à perdre, me disait Javier quand il me racontait cette histoire en se promenant avec moi autour de San Miniato. Je n'en pouvais plus. Je n'avais qu'une idée, c'était de me faire fusiller ou couper la tête au sabre pour en finir au plus vite. Si j'avais eu la force de me jeter sur Hamuro Tokinaga, je n'aurais pas hésité un instant. Mais je serais tombé à terre avant de l'avoir touché. La seule arme qui me restait pour pousser mon homme à bout et pour lui tirer ma révérence, c'étaient les mots. »

– Eh bien, Mr. Romero, reprit le Japonais en allumant une cigarette, qu'avez-vous à dire ?

– Que je suis le plus fort, monsieur.

– Pardon ? dit Hamuro Tokinaga.

– Que je suis le plus fort, monsieur, reprit Javier d'une voix soudain très ferme. Parce que je n'ai plus peur de souffrir et que je n'ai pas peur de mourir.

– Asseyez-vous, dit Hamuro Tokinaga.

– Non, merci, monsieur, dit Javier, au bord de l'évanouissement. Je préfère rester debout.

Et il s'écroula.

Atalanta Lennon avait découvert assez vite et en tout cas avant les autres que le valet de chambre, si charmant, si bien stylé, de l'ambassadeur d'Angleterre à Ankara était hautement suspect. Quelques-uns des secrets les mieux gardés de cette guerre – la pénétration par les Anglais et par les Américains des services de renseignement allemands, les liens ultra-confidentiels avec l'amiral Canaris, chef suprême de l'Abwehr, la bataille sans pitié autour des V1 et des V2 et autour de l'arme atomique, les tentatives allemandes de négociation séparée avec l'Ouest contre les Russes, et surtout la date et le lieu précis de l'opération Overlord, c'est-à-dire du débarquement allié sur les côtes françaises – sont liés, à travers le valet de chambre de Son Excellence, à Atalanta O'Shaughnessy.

Que les lecteurs et les lectrices qui ont eu la bonté de me suivre jusqu'ici à travers la vie des quatre sœurs et la marche de l'histoire veuillent bien me pardonner de m'avancer soudain avec d'extrêmes précautions. Tout au long de ces souvenirs qui s'étendent maintenant sur tant de pages, le moindre détail est, autant que je sache, conforme à la réalité. Il a pu m'arriver de me tromper sur la couleur d'un uniforme, sur la date d'une rencontre. Mais j'ai toujours mis le plus grand soin à vérifier mes sources, à interroger les témoins, à m'appuyer sur des documents indiscutables et indiscutés. Sur les rapports entre Atalanta et le valet de Son Excellence, je suis beaucoup plus hésitant. Parce que Atalanta m'a toujours refusé la moindre information et que tout son séjour en Turquie est entouré de mystère.

Avec son visage de madone, entouré de longs cheveux, ses manières si convenables et sa réserve naturelle, Atalanta O'Shaughnessy a pu longtemps passer pour la moins imprévisible et la seule raisonnable des quatre filles O'Shaughnessy. Sa douceur et son calme servaient de contrepoint aux audaces très diverses de ses sœurs Pandora, Vanessa et Jessica. Elle avait beau dire avec drôlerie qu'elle était une des rares femmes au monde à avoir hérité son mari de sa sœur, la vie de famille des Lennon était, comme leur vie publique, au-dessus de tout soupçon. Les troubles peuvent-ils naître d'un excès de vertu ? Il n'y a qu'une chose de sûre, c'est que Churchill, en personne, informé des soupçons qui pesaient sur un personnage peut-être aux ordres de Franz von Papen, exigea qu'on s'abstînt, pour mieux pouvoir le manœuvrer, de toute mesure contre le valet de chambre et demanda à Atalanta de nouer avec lui des relations aussi confiantes que possible. Ce n'était pas très difficile. J'ai déjà raconté qu'il s'occupait volontiers des enfants d'Atalanta. Parce qu'il leur parlait des grands hommes de l'Antiquité tels qu'ils apparaissaient dans le *De Viris illustribus Urbis Romae,* Mary et Winston Lennon l'avaient surnommé Cicéron.

Jérôme Seignelay passa sans la moindre difficulté de l'hypokhâgne à la khâgne. Les choses devenaient sérieuses. Au bout de l'année scolaire, il y avait le concours de la rue d'Ulm. Il y avait aussi la Libération. Mais personne encore, pas même l'oncle Winston, ne pouvait lire dans l'avenir.

Jérôme avait raté Alquié. En khâgne, il eut Hyppolite. Comme Alain, comme Jean Beaufret, comme Ferdinand Alquié. Jean Hyppolite était un grand professeur. Très différent d'Alquié, qui avait un côté prestidigitateur et qui faisait danser et presque chanter les idées, Hyppolite incarnait une philosophie souffrante, militante et glorieuse. Jean Hyppolite était hégélien. L'odyssée de l'esprit et l'idée absolue s'exprimaient par sa bouche.

Aussi massif qu'Alquié était fluet, il semblait, quand il réfléchissait, tourner son regard en dedans et il exhalait, avec une difficulté qui touchait au pathétique, des mots qu'il allait chercher dans la profondeur de son être. L'accouchement de l'esprit, qui se faisait chez Alquié dans une allégresse qui touchait à l'acrobatie, s'opérait, chez Hyppolite, dans le travail et dans la douleur. Une absence totale d'éloquence et de brillant finissait par aboutir à l'éloquence suprême et à une force prodigieuse. On le voyait penser. Le monde s'édifiait sous les yeux de ses élèves pendant qu'il le commentait. Toujours en proie à sa naïveté et à son emballement pour le ciel des idées, Jérôme Seignelay voua à Hyppolite le même culte, et au-delà, qu'il avait voué à Fouassier.

Depuis les temps les plus reculés jusqu'à la deuxième quinzaine du mois de mai de 1968, l'enseignement des maîtres avait joué un rôle capitale dans la vie intellectuelle des générations successives. Ce que Platon avait été pour Alcibiade, ce qu'Aristote avait été pour Alexandre, une foule de professeurs, de précepteurs, de tuteurs – du centaure Chiron ou de Mentor à l'abbé Vautrin ou à M. Hinstin – l'ont été, tour à tour, et avec les ambitions les plus opposées, pour des foules de disciples. A côté d'Hyppolite, il y avait, dans la khâgne de Henri-IV vers la fin de la Seconde Guerre, un autre personnage de grande stature qui avait joué un rôle dans la formation de beaucoup de jeunes esprits : c'était le professeur d'histoire, c'était Alba.

Alba était sec, plutôt désagréable d'accès, sans aucune chaleur humaine. Une bonne partie des fameux manuels de Malet et Isaac qui avaient formé plusieurs générations de lycéens avait été révisée et complétée par ses soins. Une espèce de gloire sinistre et glacée l'entourait. Il marchait à grandes enjambées, sa serviette noire à la main. Il avait une voix nasillarde et un bec d'oiseau de proie. Jérôme, qui ne savait pas grand-chose sur la nature des hommes, ne mit pas très longtemps à découvrir que cet être froid et rugueux cachait sous ses écailles la sensibilité la plus vive. Alba comprit aussitôt que Jérôme l'avait deviné. Il s'ensuivit entre eux une paradoxale amitié.

Avec Alba d'un côté et Hyppolite de l'autre, soutenu par Robespierre et Saint-Just qui étaient les dieux d'Alba et par le vieux Hegel qui était celui d'Hyppolite, Jérôme Seignelay n'était pas – et de loin – l'élément le plus brillant de la khâgne de Henri-IV, qui comptait des poètes, des génies et des fous. Mais dès le début de l'hiver, dès la rentrée de janvicr, tout le monde savait déjà – il y avait, dans la khâgne, un sentiment collectif comme il y a, dans les démocraties, une opinion publique – que Jérôme Seignelay avait des chances raisonnables de passer le fameux concours dès son premier essai ou, selon le jargon, d'intégrer rue d'Ulm en carré.

Javier Romero se réveilla sur quelque chose qui ressemblait à un lit. Le lit l'étonna. Mais davantage encore le haï-kaï dessiné sur une feuille en caractères japonais et glissé sous une pierre avec sa traduction. Le haï-kaï est un poème de dix-sept syllabes réparties en trois lignes, en forme d'épigramme très classique et très simple. Celui que lisait Javier parlait d'un vol de grues dans un ciel de printemps. Sur l'auteur du haï-kaï, Javier n'hésita pas un instant : c'était le tortionnaire que tout le camp haïssait.

Javier vit le régime auquel il était soumis s'améliorer peu à peu. La terreur continuait à régner sur le camp où les hommes mouraient en masse. Un matin sur deux ou sur trois, et parfois au travail, en plein milieu de la journée, sous le soleil écrasant, sur la route en construction à travers les collines envahies par la jungle, Javier recevait, par les voies les plus inattendues, dissimulé dans son pain, attaché à un outil, le poème qu'il redoutait et attendait à la fois. Au bout de quelques semaines, il possédait toute une liasse de poèmes rédigés dans un anglais parfait ou dessinés au pinceau sur un papier grossier. Il ne savait plus quoi en faire et il les dissimulait comme il pouvait. Aux siens autant qu'aux gardiens. Et il se disait avec épouvante que c'était de cette façon insidieuse et tout à fait involontaire qu'on glissait vers la trahison.

Est-ce que Pandora, après avoir été la maîtresse de Simon Finkelstein et peut-être de Luis Miguel, de Cary Grant et de Gregory Peck, de Scott Fitzgerald et du gangster Luciano, coucha avec Patton? Vous pourriez aller le demander à Pandora O'Shaughnessy si elle n'était pas morte il y a trois ans ou au général Patton s'il ne s'était pas tué bêtement en 1945 dans un accident d'auto du côté de Heidelberg – et il s'est trouvé des esprits forts pour soutenir, avec Agustin, que l'accident n'était pas vraiment fortuit et que beaucoup de gens, à commencer par les Russes qui estimaient que Patton avançait un peu vite vers le centre de l'Europe, avaient intérêt à cette mort prématurée. Pandora était belle, elle était encore toute jeune, elle aimait beaucoup les hommes et elle en avait été privée pendant tout le début de la guerre puisqu'elle passait ses jours et ses nuits avec l'oncle Winston et que, contrairement à ce qu'on a pu croire et murmurer, il ne s'est jamais rien passé de sérieux entre Churchill et elle. La guerre l'avait emportée comme des centaines de millions d'hommes et de femmes, à la façon d'une tornade qui en avait tué des millions. Chacun sait désormais que les sœurs O'Shaughnessy, dont je me suis fait le chroniqueur, avaient toujours eu de la chance. Elles étaient au plus haut point ce qu'on appelle des privilégiées. La guerre entre le fascisme et les démocraties alliées au communisme n'en a réclamé qu'une sur quatre – et encore : indirectement. Mais elle n'a pas laissé intactes celles qu'elle a épargnées. Vanessa, d'une certaine façon, et sans doute par sa faute, a été détruite – ou peut-être sauvée, chacun jugera à son gré – par un des chocs les plus violents que l'histoire ait connus. Au regard de ces drames, au regard de tant de femmes déportées par les nazis dans des camps de concentration ou mortes, des deux côtés, sous les bombardements, la vie de Pandora pendant la guerre est semblable à sa vie pendant les années folles de la grande crise économique et de la montée du fascisme : une aimable bluette, une insignifiance dorée. Quelques-uns se souviennent d'elle parce qu'elle a incarné, grâce à la propagande britannique aux pires moments de la tragédie, une image de l'Angleterre en train de résister toute seule à la plus formidable de toutes les machines de guerre. Mais elle n'est, je l'accorde, qu'une femme parmi beaucoup d'autres, et une de celles, bien sûr, qui ont eu le plus de chance. Ce qu'il y a, c'est que, dans la guerre comme dans la paix, sa bonne étoile la poursuit – ou sa malédiction : elle plaît aux hommes, les hommes lui plaisent.

Elle a souffert, j'en suis sûr, et tant pis pour les ricanements, de n'avoir jamais pu être la femme d'un seul homme. Je crois qu'à chaque aventure elle espérait atteindre le port où s'installer pour toujours. Mais à chaque aventure aussi il lui devenait plus difficile de s'engager pour de bon. Je suis persuadé qu'avec Luciano lui-même Pandora s'est imaginé qu'une histoire d'amour commençait qui pourrait durer longtemps. Elle dura le temps nécessaire pour que la Mafia – qui avait longtemps collaboré avec Mussolini – mît en place les réseaux antifascistes qui allaient faciliter le débarquement américain. J'ai toujours eu le sentiment, devant la stupeur suscitée par la puissance de la Mafia en Sicile aux lendemains de la Seconde Guerre, de détenir, avec Pandora, une des clefs minuscules de l'impressionnant trousseau qui cadenassait le mystère. Je crains que Roosevelt et Churchill, ou au moins leur entourage, n'aient poussé Pandora, sans avoir l'air d'y toucher, dans les bras de Luciano. N'importe : au moins pendant quelques semaines – ou peut-être, allez, quelques jours – Pandora s'imagina qu'elle avait trouvé, ou retrouvé, le grand amour de sa vie. Luciano, après tout, n'était pas si loin de ce Kid, prêt à tout, sans le moindre scrupule, qu'avait été, dans ses jeunes années, le beau, le charmant, l'inquiétant Simon Finkelstein qu'elle avait tant aimé.

Je sais : dès qu'il s'agit de Pandora, je perds

toute mesure, la partialité m'égare. Je ne cherche pourtant ni à la défendre – elle s'en moquerait éperdument – ni à donner d'elle une image plus conforme à je ne sais quelle morale communément admise. J'essaie seulement de traduire ce sentiment que – peut-être à tort – j'ai toujours éprouvé dans mes rapports avec l'aînée des quatre sœurs : elle plaisait, elle avait tout, les hommes se traînaient à ses pieds, elle n'était pas heureuse.

Pour la première fois, Carlos et Simon étaient dans le camp des vainqueurs. Ils n'en revenaient pas eux-mêmes.

– Franchement, disait Simon, je finissais par croire que nous portions la guigne à ceux pour qui nous nous battions. Nous étions pour le négus : il s'est cassé la gueule. Nous étions pour les républicains : ils se sont fait torcher. Nous étions pour les Français : la guerre a duré cinq semaines. Je suis content que les Russes n'aient pas été contaminés.

– Ça ira, disait Carlos. Il fallait bien qu'à un moment ou à un autre je finisse par avoir raison. A quoi auraient servi mes études si les fascistes avaient gagné?

Le temps était loin des troubles de Molotov, des hésitations de Staline, des leçons de résistance administrées par Pandora. La machine allemande s'enrayait. La masse russe s'ébranlait. Le rouleau compresseur dont on avait annoncé le déclenchement en 14 et dont on s'était tant moqué prenait le départ avec trente ans de retard. Le mécanicien avait changé. Il avait même changé plusieurs fois. Lénine avait remplacé le tsar. Staline avait remplacé Lénine. Et Staline lui-même était si mystérieux, si obscur, si insaisissable que Simon et Carlos n'en finissaient pas de s'enthousiasmer et de s'indigner à son égard, pendant que l'armée soviétique reprenait peu à peu tout le terrain conquis par les Allemands et, retraversant tour à tour la Volga, le Don, le Dniepr, le Niemen, l'ancienne frontière russe, s'avançait lentement vers le cœur de l'Europe.

– Les cons, disait Simon. Ils s'imaginent que, demain, la France, l'Angleterre, la démocratie triomphante, ces chers vieux Américains vont pouvoir jouer au petit soldat. Il n'y en aura qu'un pour décider de tout : ce sera Staline.

– Eh bien!... disait Carlos.

– Tu en doutes? demandait Simon.

– Ce n'est pas tellement que j'en doute, répondait Carlos. Mais je m'en inquiète.

– Je te croyais marxiste, disait Simon.

– Et lui, disait Carlos, tu le crois marxiste?

Les troupes russes poussaient vers la Pologne et vers la Roumanie. « Normandie-Niemen » se couvrait de gloire. Le crépuscule des dieux commençait.

– Je me demande, disait Carlos, quand Hitler a compris qu'il avait perdu la guerre.

– Très vite, disait Simon. Il l'a su très vite.

– Je ne crois pas, disait Carlos. En 33, en 34, en 36, en 38, en 39, en 40 et même en 41, et peut-être encore il y a quelques mois, il a cru que le monde allait lui appartenir. Et il le croit peut-être encore.

– Des coups de bluff, disait Simon. Au fond de lui-même, il savait. Toute l'aventure de Hitler n'est qu'une angoisse camouflée, une espèce de long suicide aux allures de victoires.

Javier reçut de Hamuro Tokinaga des dizaines de haï-kaï, tantôt traduits en anglais, tantôt dessinés au pinceau en caractères japonais. « Ceux qui ne sont pas traduits, se disait Javier, doivent être des cochonneries. Si ça continue comme ça, je deviens son amant ou un agent des Japonais – et peut-être les deux à la fois. »

Les choses tournèrent autrement. On mourait beaucoup autour de Javier. Dans les conditions détestables du climat et du camp, la moindre blessure était une condamnation. Les fièvres, le choléra, l'épuisement frappaient sans discontinuer. Le nombre des prisonniers aux mains des Japonais n'était pas très élevé et les noms des camps japonais n'acquirent jamais la gloire affreuse des Auschwitz ou des Bergen-Belsen. Mais les conditions de vie, ou plutôt de mort, y étaient au moins comparables. Je crois – et je ne me suis pas contenté, bien entendu, des confidences de l'intéressé – que Javier Romero fit ce qu'il put, avec une audace parfois démente, pour partager le sort de ses camarades. Mais, par un mécanisme stupéfiant, plus il manifestait son indignation à Hamuro Tokinaga, plus il se sentait entouré d'une protection invisible, mystérieuse et, en fin de compte, oppressante. Javier Romero, à plusieurs reprises, pensa y échapper en faisant délibérément le sacrifice de sa vie. Le résultat, à chaque coup, alla en sens inverse de ce qu'il prévoyait.

« Tu me connais, me disait Javier. Je n'ai rien d'un héros. Les choses se sont enchaînées de façon si bizarre... D'abord, j'étais épouvanté à la seule idée de perdre l'estime de mes camarades. Ensuite, et peut-être surtout, je pensais à l'avenir. Si jamis nous nous en tirions, je ne tenais pas à passer aux yeux des gens de mon club et du portier du Ritz pour un mouchard poétique aux ordres des Japonais. J'avais très peur. Et, parce que j'avais si peur, j'avais envie de mourir. Je crois que les Japonais, pour une raison ou pour une autre, peut-être par esprit de contradiction, s'étaient mis en tête que je ne devais pas mourir. Quand nous avons été libérés, j'ai reçu pas mal de médailles parce que j'étais mort de peur. »

J'aurais dû, naturellement, pour jeter un peu de lumière sur ces images trop obscures, interroger non seulement, comme je l'ai fait, quelques-uns des camarades de Javier Romero – ceux, du moins, qui n'étaient pas morts – mais aussi et surtout le poète tortionnaire qui lui envoyait des haï-kaï et qui l'obligeait à vivre. Je n'ai pas pu le faire puisqu'il n'avait pas voulu survivre à la catastrophe monstrueuse que représentaient pour lui la défaite du Japon et l'humiliation d'un empereur qui descendait du Soleil et de l'œil gauche d'une divinité dont j'ai le nom au bout de la langue.

Dans une des scènes innombrables et plus invraisemblables les unes que les autres qui avaient mis face à face le Japonais et son prisonnier, Javier avait annoncé, sans rien savoir, bien entendu, du déroulement du conflit, l'écroulement de l'orgueilleux empire. L'autre s'était mis dans une de ces colères qui avaient cessé de menacer Javier, mais qui s'en prenaient à sa sottise et à son incompréhension.

– Impossible! Impossible! Nous avons vaincu la Chine, nous avons conquis l'Indochine. Nous sommes descendus jusqu'à Singapour. Nous avons occupé les Philippines et toutes les îles du Pacifique Nord. Nous avons écrasé la flotte américaine à

Pearl Harbor et nous mettrons à genoux les Américains, pourris par la démocratie. Nous envahirons les Indes qui nous attendent comme les Egyptiens attendent Rommel et nous tendrons la main aux Allemands qui arriveront par la Caspienne. Essayez donc de comprendre : le monde est à nous.

– Vous serez battus par l'Amérique, par l'Angleterre, par la Chine, qui sont plus nombreuses et plus riches que vous. Et vous passerez en justice pour les crimes que vous avez commis.

– Vous ne pouvez pas croire ce que vous dites et qui est si loin de la réalité. Regardez une carte : nous sommes vainqueurs partout.

– Vous finirez par être battus.

– Vous vous obstinez parce que vous n'êtes pas très intelligents. Les Japonais sont plus intelligents que vous.

– Ce ne serait pas la première fois que des imbéciles humiliés et vaincus l'emporteraient à la longue sur des vainqueurs intelligents, rendus fous par leurs succès.

– Eh bien, je vous donne rendez-vous au lendemain de la victoire. Vous serez là pour la voir et vous me direz que j'ai eu raison.

– Et si c'est moi qui ai raison et si c'est vous qui êtes battus ?

– Alors, je me tuerai. Vous n'avez pas peur de la mort. Et moi, croyez-vous que je la craigne ?

– La différence entre vous et moi, disait Javier, n'est pas faite par la mort. Elle est faite par la vie. Je suis sûr qu'en face de la mort vous êtes au moins aussi courageux que moi. C'est en face de la vie que votre conduite est ignoble. Vous ferez bien de vous tuer quand le Japon aura été vaincu parce que je serai bien obligé, si je suis encore vivant, de témoigner contre vous : vous avez tué trop de gens. Peut-être feriez-vous mieux de me tuer tout de suite, moi aussi : il y aura de toute façon un de nous deux qui mourra.

« Ce que je regrette le plus de ne pas lui avoir demandé, me disait Javier bien des années plus tard, c'est comment un pays où l'influence du bouddhisme avait été si forte pouvait porter à un tel point le mépris de la vie. »

Il marchait quelques instants en silence auprès de moi.

« C'est peut-être pour ça, après tout, reprenait-il à mi-voix et comme s'il pensait tout haut, que je suis sorti de là et que je me promène avec toi : entre la vie et la mort, il ne faisait pas de différence. Et il ne me tuait pas parce qu'à la fin des fins il me voulait encore auprès de lui pour voir la victoire du Japon et pour être obligé de reconnaître que c'était lui qui avait raison. »

La bataille de Salamine, la Révolution française, le dialogue de Créon et d'Antigone, les poèmes de Hugo, ce n'était pas mal non plus. Et entre Verlaine, qu'il adorait, et les splendeurs de Baudelaire, il avait du mal à choisir. Quand il allait se promener, le dimanche, sur les bords de la Marne ou dans la vallée de Chevreuse avec André Bernard avant sa disparition ou avec tel ou tel de ses camarades de délices et de bagne, ils mêlaient les poèmes et des uns et des autres aux chants révolutionnaires, à l'*Ave Maria* qui leur rappelait leur enfance et aux chansons de Piaf :

Quand nous en irons-nous où vous êtes, colombes,
Où sont les enfants morts et les printemps enfuis,
Et tous les chers amours dont nous sommes les tombes
Et toutes les clartés dont nous sommes les nuits...

Ou :

J'arrive tout couvert encore de rosée
Que le vent du matin vient glacer à mon front.
Souffrez que ma fatigue à vos pieds reposée
Rêve des chers instants qui la délasseront.

Sur votre jeune sein, laissez rouler ma tête,
Toute sonore encore de vos derniers baisers.
Laissez-la s'apaiser de la bonne tempête
Et que je dorme un peu puisque vous reposez.

Ou :

C'est un cri répété par mille sentinelles,
Un ordre renvoyé par mille porte-voix,
C'est un phare allumé sur mille citadelles,
Un appel de chasseurs perdus dans les grands bois...

Ils ne savaient presque rien de la vie qu'ils ne connaissaient qu'à travers les livres. L'image de Mathilde s'effaçait chaque jour un peu plus de l'esprit de Jérôme. L'histoire, une poésie abstraite et vague, le bouillonnement effrayant des idées suffisaient à le griser. Mais c'était encore la machinerie inflexible de Hegel, démontée pour lui, pièce à pièce, et remontée par Hyppolite, qui lui imposait le plus.

Il pensait beaucoup au concours dont la date approchait. Au-delà de cette formalité qu'il aurait aimé mépriser – mais il n'y parvenait pas – il lui semblait que le monde lui tendait quelques-unes de ses clefs. Des événements, des idées, des rapports entre les êtres et les choses auxquels il n'avait jamais pensé lui semblaient s'organiser peu à peu autour de lui. Quelque chose l'envahissait peu à peu, qui lui avait été jusqu'alors tout à fait étranger : c'était un sens de l'histoire et du monde.

Avec les moyens qui étaient les siens, Atalanta Lennon joua un petit rôle dans la préparation de l'opération Overlord – c'est-à-dire dans l'ouverture de ce nouveau front à l'ouest, depuis si longtemps réclamée par Staline, et dans le débarquement en Normandie.

Sauf peut-être Churchill et le général de Gaulle, personne n'osait imaginer en 1940 ou en 1941 que les Anglais seraient un jour en mesure de débarquer sur les côtes françaises. C'est, me semble-t-il, entre la fin de 1942 et le début de 1943 que l'idée d'un débarquement cesse d'être ridicule, délirante, impossible. L'armée allemande, qui devait vaincre en quelques mois, connaît son deuxième hiver sur le front russe – et il ne prête pas à rire. A l'ouest, la maîtrise de l'Atlantique échappe aux sous-marins allemands. Au sud, non seulement Rommel n'est pas entré au Caire – où beaucoup l'attendaient dans une floraison de croix gammées – mais toute l'Afrique du Nord est aux mains des Alliés, qui, sur leur lancée, sont venus à bout de l'Italie. Staline fait le siège de Churchill et de Roosevelt pour qu'un deuxième front – un vrai, pas celui de l'Italie, pas celui de la Grèce, ou des Balkans, ou des Dardanelles, cher à Winston Churchill, mais dont Staline, qui guigne déjà l'Europe de l'Est, ne veut à aucun prix – soit ouvert au plus vite pour soulager l'armée rouge qui se bat avec héroïsme, depuis l'été 41, contre son ancien ami et allié.

Après avoir relevé longtemps du seul domaine des songes et des illusions pieuses, le problème du second front se pose dans les termes les plus simples. Il se résume en deux mots : *Quand?* et *Où?* Le sort de la guerre se joue autour de l'échiquier où s'affrontent l'intoxication, la contre-intoxication, la contre-contre-intoxication sur le lieu et la date du débarquement allié en Europe de l'Ouest. C'est là qu'intervient, pour une part naturellement minuscule, mais tous les grands mouvements collectifs ne sont faits que de détails, Atalanta O'Shaughnessy.

Jamais régime n'avait connu, en France, un appui populaire aussi massif que celui du Maréchal. Sous le coup de l'émotion, du chagrin, du désespoir, la France entière fut pétainiste. Le culte exclusif et presque idolâtre du Maréchal dura plusieurs semaines, peut-être plusieurs mois. Faut-il rappeler, une fois de plus, que la Chambre qui, à quelques exceptions près, abdiqua ses pouvoirs entre les mains du Maréchal était celle du Front populaire? De gauche comme de droite, les Français, sonnés, se jetèrent dans les bras du maréchal Pétain. Les choses changèrent assez vite. Le nom et le mystère du général de Gaulle balancèrent peu à peu le nom et le prestige du maréchal Pétain. Au bout de quelques mois, et plutôt d'un ou deux ans, des réseaux se constituèrent. Comme beaucoup de postiers, de cheminots, de travailleurs, de bourgeois aussi, et de femmes, M. Seignelay père entra dans la Résistance.

Il parla peu de ses activités à Mme Seignelay. Il n'en dit presque rien à Jérôme qu'il ne voulait ni inquiéter ni distraire de ses études. Une fois, pourtant, au cours de l'hiver 43-44, les destins du père et du fils se nouèrent dans des circonstances qui tranchaient sur le climat obsidional et insulaire de la khâgne.

Jérôme Seignelay était en train de travailler sur un thème grec dans l'étude de Henri-IV lorsqu'il fut appelé au parloir. Il y trouva un homme jeune, brun, sympathique, vêtu d'un chandail beige, qui lui demanda s'il était bien Jérôme Seignelay.

– Oui, répondit Jérôme.

– Alors, venez avec moi. Il est arrivé quelque chose à votre père.

– A Dijon? demanda Jérôme, devenu soudain très pâle.

– Non, ici, à Paris.

– Mais mon père n'habite pas Paris, dit Jérôme.

– Il y est de passage. Venez.

Ils débarquèrent tous les deux dans une chambre de la rue Lhomond, à deux pas du lycée. Le père de Jérôme était étendu sur un lit. A demi inconscient, il paraissait souffrir beaucoup. D'une large blessure à la cuisse, mal contenue par des lambeaux de toile visiblement arrachés à la hâte, le sang avait coulé en abondance.

– Mais qu'est-ce qui s'est passé? cria Jérôme en se précipitant vers son père.

– Ne vous affolez pas, dit le jeune homme. On vous expliquera tout plus tard. Ce qu'il faudrait pour le moment, et tout de suite, c'est un médecin. En connaissez-vous un dans les parages?

Jérôme avait l'adresse d'un médecin qui habitait

dans le haut du boulevard Saint-Michel et qui soignait les grippes et les jambes cassées de la colline Sainte-Geneviève. Il se précipita chez lui. C'était une chance : le médecin était là. Il s'appelait le docteur Rémy. C'était un homme de taille moyenne, les cheveux blancs, toujours mis avec beaucoup de soin. Jérôme le ramena rue Lhomond.

– De quoi s'agit-il? demanda le docteur Rémy.

– Je ne sais pas bien, dit Jérôme. Je n'étais pas là. Une blessure, je crois. Il saigne beaucoup.

– Où?

– A la jambe. A la cuisse, plus exactement.

– Quel genre de blessure?

– Je ne sais pas.

– Ah, ah! dit le docteur.

Le docteur Rémy portait la Légion d'honneur sur un manteau marron d'allure chaude et confortable. Il avait pris avec lui une trousse noire assez lourde qu'il confia à Jérôme pendant une bonne partie du trajet. Quand ils arrivèrent rue Lhomond, le blessé avait perdu connaissance.

Patton, après l'occupation de la Sicile, avait été transféré en Angleterre. Il y travaillait, avec Eisenhower, au débarquement en France. Sa réputation était douteuse : il avait flanqué à un G.I. un coup de poing ou une gifle qui avait bouleversé les mamans américaines. Ce n'était pas de chance : il avait plus de talent que les autres. Réclamée à la fois par Churchill et par Patton, Pandora n'avait plus de raison de se promener en Italie où elle était devenue, comme toujours, l'idole des troupes alliées. Elle rentra à Londres où elle fut affectée, tout naturellement, à la liaison entre les Américains et Churchill.

La question du commandement unique de l'opération Overlord avait longtemps été épineuse. Churchill souhaitait qu'il fût confié à un Anglais, le général Alan Brooke. Sur l'insistance de Roosevelt, il se résigna à la solution américaine et finit par accepter, sans trop d'amertume apparente – au point que le général Brooke s'en montra affecté – l'autorité d'Eisenhower sur l'opération militaire la plus importante de la guerre et peut-être de l'histoire. Entre l'état-major américain et le gouvernement du pays où il était installé, les relations risquaient d'être difficiles. Avec sa connaissance intime des différents partenaires, Pandora contribua à les améliorer.

Rien n'était plus important que de tromper l'ennemi sur les intentions du haut commandement. Pandora fit partie du petit groupe d'hommes et de femmes qui tissèrent à travers le monde le rideau de confidences ambiguës et de fausses informations derrière lequel allait s'avancer, au-devant d'un mur de l'Atlantique hérissé de casemates et de batteries d'artillerie lourde, la flotte de l'invasion. Dans ce travail de taupe au fond de ses galeries, elle devait se trouver plus d'une fois nez à nez avec ses sœurs.

Vers la fin de l'hiver 43-44, Geoffrey Lennon fut rappelé à Londres pour consultation. Avec la Suisse et la Suède, la Turquie était la plaque tournante de la guerre des services secrets. Geoffrey devait recevoir des instructions trop confidentielles pour ne pas être remises de la main à la main. Atalanta l'accompagna.

Les trois sœurs se retrouvèrent avec ce mélange d'émotion et de joie qui présidait toujours à leurs rencontres. Il y eut une nouvelle réunion de l'ordre du Royal Secret, avec larmes et fous rires et sandwiches aux concombres. Grâce à Dieu, il y avait encore des concombres. Il y avait aussi un peu plus d'espoir que deux ou trois ans auparavant.

– Nous allons gagner la guerre, dit Pandora.

– Ça nous fera une belle jambe, dit Vanessa.

– Nous revivrons peut-être comme avant, dit Atalanta. Très lentement, au milieu des vieilles choses. En faisant le moins de bruit possible.

– Nous courrons encore le monde, dit Pandora. Nous porterons des robes du soir et des manteaux de fourrure. Nous ferons un potin de tous les diables. Et nous tomberons sur des hommes qui ne seront plus nécessairement des monomaniaques de la guerre et de la victoire. On pourra penser à autre chose qu'à se conduire comme il faut.

– C'est drôle, dit Atalanta. Je vois plutôt la paix comme une époque où, enfin, nous nous tiendrons à nouveau comme il faut. J'en ai par-dessus le dos de la vie que je mène.

– Quelle vie mènes-tu donc ? demanda Pandora.

– Mais la même que toi, répondit Atalanta. Je sers le pays.

– Quelles tartes ! dit Vanessa.

Vanessa buvait beaucoup. Avant d'aller voir Rudi et en sortant de la prison, elle avait pris l'habitude de s'encourager à l'alcool. Maintenant, elle passait son temps dans une espèce de torpeur où elle fuyait ses problèmes. Un soir, elle entraîna ses deux sœurs dans des libations successives. Elles se retrouvèrent vacillantes dans l'appartement de Pandora.

Pandora raconta avec des détails osés tout ce que nous savons déjà sur les coulisses des armées alliées dont elle était la mascotte. Elle aussi en avait assez de ce rôle. Elle rêvait de longues plages avec des cocotiers, de descentes à skis dans les Alpes enneigées, de ces fêtes qu'elle aimait tant et dont elle était privée depuis si longtemps par les rigueurs de la guerre. Elle avait envie de se promener, dans la paix, à travers ces petites villes italiennes qu'elle avait traversées dans la guerre.

– J'ai peur de vieillir et de devenir une espèce de secrétaire en chef enfouie sous les paperasses et sous les coups de téléphone. Je me suis transformée en centrale téléphonique. J'ai des boutons partout. Ce n'était pas à quoi je rêvais à Venise ou à Capri. Vous rappelez-vous comme nous étions gaies, toutes les quatre ? Et même encore à Barcelone, juste avant la mort de Jessica, nous n'arrêtions pas de nous amuser. Avec l'oncle Winston, avec Patton, et même avec Luciano qui était terriblement sérieux quand il s'agissait de ses affaires, je me suis moins amusée. Est-ce que nous rirons encore ensemble, toutes les trois, sans nous occuper du salut de l'Empire et de la cause de la liberté ?

– Tout est foutu, disait Vanessa. Vous me faites pitié avec vos projets. Ce qui peut nous arriver de pire, c'est de gagner la guerre. Vous ne voulez pas voir que notre ennemi est seul à nous protéger d'un ennemi bien plus dangereux encore. Profitez de la guerre qui vous paraît si jolie. La paix sera moche.

– Tu sais bien, ma chérie, disait Pandora à voix basse en entourant sa sœur de ses bras, que nous serons toujours là pour t'aimer et pour te protéger.

Et elle lui versait à boire parce qu'elle avait compris tout ce qu'il y avait de chagrin et d'angoisse dans les paroles de sa sœur.

La surprise vint d'Atalanta. Ses sœurs étaient si habituées à sa rigueur et à sa perfection dans toutes les circonstances de l'existence que le peu qu'elle leur raconta sur sa vie à Ankara et plus encore à Istanbul les plongea dans la stupeur.

– Toi qui étais pour nous le modèle de toutes les vertus...

– Mais je le suis toujours, dit Atalanta avec un mélange de simplicité et de difficulté d'élocution due à l'abus de l'alcool. Je me suis contentée de passer des vertus privées aux vertus publiques. Et, vous savez, elles exigent des sacrifices.

– Moi, dit le docteur Rémy, je suis pour le Maréchal. Et contre les terroristes communistes et gaullistes.

Le docteur Rémy venait d'examiner le père de Jérôme qui avait reçu une balle dans la cuisse et perdu beaucoup de sang. Il avait extrait la balle. Et puis il s'était tourné vers les deux jeunes gens :

– Vous savez, j'imagine, que je suis obligé de faire une déclaration à la police. Le blessé, de toute façon, doit entrer à l'hôpital. Il serait très imprudent de le soigner ici. Qu'est-ce qui s'est passé?

– Il s'est blessé lui-même, répondit Jérôme très vite.

– Avec quelle arme? Vous n'étiez pas là. Vous n'en savez rien du tout. Vous me prenez pour un imbécile.

– Une bagarre, dit brièvement le jeune homme brun en chandail qui était venu chercher Jérôme à Henri-IV et qui s'appelait Philippe.

– Très bien. C'est ce que je pensais. Je vais donc prévenir la police.

Les deux jeunes gens s'étaient regardés. Philippe avait hésité un instant avant de se jeter à l'eau :

– Ecoutez. Vous ne pouvez pas faire ça. Le sort de cet homme dépend de vous. Sauvez-le.

C'est alors que le docteur Rémy s'était livré à sa profession de foi politique.

A Dijon, à Arcy-sur-Cure, Jérôme avait toujours été un petit garçon à la fois turbulent et très sage et doux. Il aimait beaucoup son père. Il savait que sa famille s'était saignée aux quatre veines pour lui permettre de venir à Paris. Quand il retrouvait ses parents pour Noël ou les grandes vacances, il éprouvait le sentiment presque physique d'un fossé de plus en plus large, creusé par Descartes et Mallarmé, par le latin et le grec, par Racine et par Proust, entre sa famille et lui. Plusieurs fois, il avait eu honte de l'admiration aveugle que lui portaient son père et sa mère. Voilà, tout à coup, qu'il avait l'occasion de rembourser sa dette. Il lui semblait que la conversation avec le docteur Rémy n'était qu'une application de tout ce qu'il avait appris, en hypokhâgne et en khâgne, de Platon, de Kant, de Karl Marx, d'Hyppolite : des espèces de travaux pratiques. L'image d'Alquié dans le café du boulevard Saint-Michel lui traversa l'esprit.

– Il faut que nous parlions quelques instants, dit-il au docteur Rémy.

Sa propre audace le stupéfiait.

Quelques semaines avant le débarquement allié en Sicile, les services secrets allemands avaient été alertés par un incident en apparence mineur : le cadavre d'un officier britannique appartenant à l'état-major de Lord Louis Mountbatten, le major William Martin, des Royal Marines, avait été rejeté par les vagues sur la plage de Huelva, non loin de Séville, en Espagne. Dans les poches du major, les autorités espagnoles avaient trouvé des papiers qu'après quelques hésitations elles avaient communiqués aux Allemands. Parmi ces papiers figurait une lettre, tout à fait authentique, adressée par le général Nye, sous-chef de l'état-major impérial, au commandant en chef britannique en Méditerranée, le général Alexander. La lettre laissait entendre que les Anglo-Américains se proposaient de débarquer en Grèce et que les préparatifs contre la Sicile ne constituaient qu'une feinte. La lettre était un piège. Le cadavre avait été mis à l'eau, dans un courant propice, par le sous-marin britannique *Seraph.* Ce qui avait été entrepris avec succès pour écarter la Sicile des préoccupations de l'OKW devait être répété à propos de l'opération Overlord et du débarquement, autrement important, sur les côtes de la France. Il fallait naturellement trouver autre chose que le cadavre, roulé par les flots, d'un officier d'état-major. Personne ne pouvait inspirer plus de confiance aux Allemands qu'un de leurs propres agents dont ils étaient tout à fait sûrs. C'est ainsi qu'Atalanta Lennon fut chargée de se servir, dans le secret le plus absolu, de l'espion allemand qui croyait se servir de l'ambassadeur d'Angleterre.

L'affaire Cicéron, qui a fait couler tant d'encre avant d'être portée à l'écran, est l'histoire d'une double intoxication et la version policière de l'arroseur arrosé. Lorsque Atalanta Lennon eut convaincu son mari que l'assassin de Kurt von Webern dans l'impasse au pied de la tour de Galata ne pouvait être que le valet de chambre de l'ambassadeur – celui que les enfants surnommaient Cicéron – Geoffrey avait pris contact avec les chefs du MI5 et de l'Intelligence Service. Il avait été décidé de ne pas démasquer Cicéron et de tâcher plutôt de le retourner, à l'insu de l'ambassadeur et à son propre insu, au bénéfice des Alliés. Cicéron avait déjà transmis à Franz von Papen et aux services secrets allemands toute une série d'informations tout à fait authentiques en provenance de l'ambassade d'Angleterre en Turquie. Le rôle deux et trois fois secret, triplement confidentiel – et jusqu'à présent ignoré – d'Atalanta Lennon fut de le persuader de la fausseté des documents officiels et de lui distiller de prétendus secrets d'Etat qui contribuèrent à convaincre le Führer de la probabilité d'un débarquement dans le Pas-de-Calais.

Cicéron était un homme plutôt grand, très bien élevé, *very good looking,* disait Atalanta. Elle n'eut pas beaucoup de peine à lui tomber dans les bras. Ni Atalanta ni ses enfants – je ne dis rien de Geoffrey : je ne veux rien savoir de son rôle dans cette affaire – à qui j'ai bien souvent parlé, avec toute la discrétion nécessaire, de l'affaire Cicéron n'aimaient à évoquer l'enchaînement de circonstances qui avait conduit à une inversion de la situation dépeinte dans *Ruy Blas* ou dans *Le Rouge et le Noir :* la séduction par la reine ou par Mme de Rénal du précepteur et du valet.

Plus d'une fois, je l'avoue, j'ai tenté d'obtenir de l'une ou l'autre des trois sœurs rendues plus loquaces par l'alcool des informations plus précises qui m'auraient été bien utiles. Dès que nous approchions du sujet interdit, une sorte de barrière surgissait, un rideau de fer tombait. Il ne me restait que d'imaginer ce qu'avait pu être la tactique politique et sentimentale d'Atalanta O'Shaughnessy.

Les enfants, je suppose, avaient fourni le prétexte le plus simple à un resserrement des liens entre Atalanta et Cicéron. Je crois que Cicéron les aimait sincèrement. Il pensait peut-être aussi que la familiarité avec eux l'aiderait à fortifier sa position à l'ambassade. Atalanta ne demandait pas mieux. Elle ne marqua un peu de réserve, et peut-être d'hostilité, que pour mieux tromper l'adversaire, pour mieux lui céder sans éveiller ses soupçons. Ce qu'il ne faut pas me demander, c'est la part d'elle-même qu'Atalanta mit dans son jeu. Atalanta, après tout, était la sœur de Pandora, de Vanessa, de Jessica. La violence des sentiments familiaux, elle la ressentait aussi. Longtemps, elle avait paru flotter, en déesse intouchable, au-dessus des passions qui accablaient ses sœurs. Je ne suis pas tout à fait sûr qu'elle ne se soit pas laissée aller à une espèce de revanche sur son existence si convenable et qu'elle n'ait pas trouvé un extrême plaisir dans un devoir si rude.

Atalanta entrait brusquement dans la pièce, transformée en salle d'étude, où Cicéron dévoilait les mystères de la règle de trois ou de l'ablatif absolu à Mary et à Winston. Un parfum de gardénia pénétrait avec elle.

– Ah! vous êtes là? disait-elle d'une voix distraite où la gratitude et l'agacement se mêlaient avec subtilité.

– Je les aide dans leurs devoirs. Ils ont un peu de mal.

– Je vous suis très reconnaissante. Mais je ne voudrais pas abuser de votre temps. L'ambassadeur a sans doute besoin de vous ?

– J'avais une heure de battement. Si je peux vous rendre service, j'en suis toujours heureux.

– Eh bien, disait Atalanta, je vous rends votre liberté.

D'une fois à l'autre, dans la répétition des situations et des rites, un très léger glissement des attitudes et des mots faisait penser à cette technique des voleurs chinois qui déplacent insensiblement l'objet qu'en fin de compte ils se proposent de faire disparaître. Un soir, Atalanta reconduisit Cicéron jusqu'à la porte. La fois suivante, elle lui tendit la main. Cicéron hésita un instant et se pencha pour la baiser. Atalanta la retira d'un geste vif. Le surlendemain était un samedi. Cicéron venait tous les samedis pendant une heure ou deux. Atalanta ne parut pas.

Winston tomba malade, d'une de ces maladies d'enfant qui épouvantaient tellement avant la pénicilline et les antibiotiques. La fièvre monta. Cicéron alla chercher le médecin, puis les médicaments. Il y eut une soirée un peu difficile où l'enfant se plaignit beaucoup avant de s'endormir. Cicéron fut merveilleux – et plus présent que Geoffrey qui courait à Istanbul derrière des agents de M. von Papen. Lorsque Atalanta, épuisée, se laissa tomber sur le canapé du salon, il lui apporta un coussin, il l'étendit sous une couverture et il lui prit la main. Elle la lui refusa d'abord. Et puis, comme à bout de forces, elle la lui abandonna. Il crut – et peut-être même, est-ce que je sais ? peut-être même était-ce vrai – qu'il avait remporté une victoire.

– Tu as vu? demanda Carlos en agitant un papier.
– Vu quoi? dit Simon qui astiquait ses chaussures comme pour aller à la parade.
– La proclamation de Joukov.
– Pas du tout. Aucune idée. De quoi s'agit-il?
– Regarde.
Et Carlos tendit à Simon le tract qu'il tenait à la main.
– Lis-moi ça, dit Simon. Tu vois bien que je suis occupé.
– Ça va, dit Carlos.
Et, avec un accent qui faisait rire Simon, il lut le texte rédigé en allemand :

> Vous êtes complètement encerclés. La prolongation de votre résistance est absurde. Je donne jusqu'au 2 avril pour capituler. Passé cette date, un prisonnier sur trois sera fusillé.
>
> JOUKOV,
> Maréchal de l'Union soviétique.

– Ah, ah! dit Simon.
– Qu'est-ce que tu en dis?
– C'est bon signe. Ils doivent être encerclés au-delà du Dniestr, peut-être déjà sur le Pruth, du côté de Tchernovtsi, ou de Kamenets-Podolski.
Tout en parlant, Simon s'était approché du mur où était fixée une carte et il montrait du doigt, vers le sud, au nord-ouest de la mer Noire, des points abstraits sur le papier : ils figuraient beaucoup de sang, de souffrances et d'angoisse.
Le tract de Joukov à la main, Carlos regardait,

l'air un peu absent. Quelque chose le tourmentait.

– Qu'est-ce qui se passe? demanda Simon.

Carlos se tourna vers lui :

– Fusiller des prisonniers, c'est tout de même embêtant. Qu'est-ce que tu en penses?

– Bah! les autres en ont autant à notre service, et pis. Et puis Joukov dit ça, mais il ne le fera pas.

– Je croyais que, de nous deux, le plus antistalinien, c'était toi?

– Tu sais, les anarchistes ou les trotskistes ne sont pas des enfants de chœur non plus. Moi, ce que je veux d'abord, c'est qu'on flanque une pile à Hitler.

– Bien sûr, dit Carlos.

Voilà. Il se passait naturellement beaucoup, beaucoup d'autres choses pendant ce printemps 44. Il n'est pas tout à fait sûr que je ne me trompe pas sur telle ou telle date, sur telle ou telle rencontre, que je n'oublie pas des pans entiers de ce que m'ont raconté Carlos ou Simon ou Pandora ou Javier, que je n'ajoute pas ici ou là, emporté par mon élan, des détails inventés. Même si ma mémoire était fidèle et qu'elle fût aussi précise et aussi exacte que possible, j'aurais beaucoup de mal à rendre tous les faisceaux croisés de sentiments et d'actions de ma pauvre poignée de héros et d'héroïnes. En prendre un seul ou une seule, pendant une seule minute, suffirait à remplir des pages et des volumes qui ne parviendraient jamais à en épuiser la richesse. Que dire des millions et des millions de personnages emportés dans une tourmente qu'ils constituent à eux tous et qui influe à son tour sur le destin de chacun? La guerre est un lien formidable entre les individus. La comtesse Wronski et Jérémie Finkelstein et Pericles Augusto et Conchita Romero pouvaient poursuivre séparément leurs carrières respectives. Entre Agustin et Molotov, entre Rudolf Hess et Jérôme Seignelay, entre Pandora et Rommel qui ne se sont jamais rencontrés se tissent les liens de la guerre. Le sort de tous dépend de chacun, le sort de chacun dépend de tous. Parce que, dans la guerre mondiale, il n'est pas de recoin si éloigné qui ne contribue à l'avenir en train de sortir du présent. Pour poursuivre le portrait que j'avais entrepris des sœurs O'Shaughnessy et des frères Romero, il ne suffit plus de raconter leur enfance ou leur famille, il faut s'étendre au monde, à l'histoire collective et à son accouchement monstrueux. Personne, de moins en moins, n'aura le droit d'être seul. L'univers entier est lié au moindre des gestes de Vanessa, d'Agustin, d'Atalanta, de Carlos. Un peu plus tard, dans la paix, la pieuvre de la télévision prendra le relais de l'hydre de la guerre. Tout le monde, pour toujours, sera présent à tout le monde.

Pendant qu'au sortir du troisième hiver russe des millions d'hommes s'affrontent à l'est, une des plus formidables entreprises collectives de l'histoire se met en place à l'ouest. Peut-être parce que le printemps normand remplace les neiges de l'Ukraine, du Caucase et de la Russie blanche, peut-être parce que la nature, les distances, la masse des hommes sont moins démesurées, peut-être parce que, brisé par les Russes, l'effort de guerre allemand est au bout du rouleau et que, même sous le feu le plus violent, les villages répandus entre la Seine et la Loire gardent quelque chose de touchant et d'humain, le débarquement en Normandie n'a pas le caractère monstrueux de la mêlée sauvage à l'est, dans la boue et la neige ou sur les plaines interminables brûlées par le soleil. On meurt beaucoup à l'ouest, des villes entières sont détruites, les larmes coulent avec le sang, mais l'enfer du débarquement ne rappelle que de loin l'hallucinante apocalypse de la guerre sur le front russe. Pour les soldats allemands, l'envoi sur le front de l'Est a des allures de cauchemar. La France meurtrie et déchirée demeure un paradis. Il vaut mieux être vaincu, il vaut mieux être prisonnier, il vaut mieux être blessé, il vaut mieux être tué en France – ou en Italie – que survivre en Russie.

Jusqu'aux surnoms des plages de débarquement – *Utah, Omaha, Gold, Juno, Sword* – qui ont quelque chose de gai et de pimpant. On dirait Hollywood et Cecil B. De Mille aux couleurs de la guerre. Deux des noms qui reviennent le plus souvent dans les discours de Philippe Henriot sur le point d'être abattu, dans les diatribes de Jean-Hérold Paquis sont ceux de La Haye-du-Puits et de Sainte-Mère-Eglise : on s'y bat avec acharnement, mais ce sont des noms d'espérance. Caen, Coutances, Saint-Lô, tant d'autres villes encore sont en ruine. A Ascq, à Tulle, à Oradour-sur-Glane, dans le Vercors, les massacres se succèdent. La liberté retrouvée est au bout des fusils. Du côté d'Arromanches, à peu près à la jointure du secteur américain et du secteur britannique, un personnage étonnant, en col roulé blanc sur un kilt traditionnel, débarque, imperturbable, au son des bagpipes, des cornemuses écossaises : c'est Geoffrey Lennon à la tête de ses Highlanders qu'il a obtenu de rejoindre. A Londres, Pandora fait partie du petit groupe qui assure la liaison entre les

Anglais de Montgomery et les Américains d'Omar Bradley. Elle passe le plus clair de son temps à apaiser Patton qui ronge son frein en Angleterre où Eisenhower le retient pour deux raisons différentes : d'abord parce que le caractère impulsif et violent de Patton répand une sorte de terreur jusque chez ses amis et chez ses partisans, ensuite parce qu'il s'agit de faire croire aux Allemands qu'un autre débarquement est toujours possible ailleurs, avec, à sa tête, le plus combatif des généraux américains. A Paris, Jérôme Seignelay, qui a vaguement entendu parler à la radio, qu'il n'écoute guère, de Montgomery et d'Eisenhower, mais qui ignore jusqu'au nom de Patton et de Bradley, s'efforce de se concentrer, pour la dernière ligne droite, sur le théâtre d'Eschyle, sur les *Géorgiques* de Virgile, sur le schématisme transcendantal chez Kant, sur les révolutions de 1848 dans l'Empire austro-hongrois. Il a réussi à convaincre le docteur Rémy, qui est un brave homme, admirateur du colonel de La Rocque, ennemi à la fois des communistes et des Allemands, fasciné par le Maréchal. Mais le sort de son père, convalescent et caché aux environs d'Arcy-sur-Cure, continue à le tourmenter. Le matin du 6 juin, il a appris par la rumeur le débarquement en Normandie. On se bat autour d'Avranches et, en apparence presque calme, la vie se poursuit à Paris. Le plus clair de l'affaire est que le concours n'aura pas lieu. Le concours n'a pas lieu! Le concours est repoussé! La terre tremble sur ses bases. Vanessa, en Angleterre, annonce coup sur coup à Rudolf Hess que le débarquement a réussi, qu'un attentat a échoué contre Adolf Hitler, que le maréchal von Kluge a disparu – et Rommel un peu plus tard. Rudi lève les yeux au ciel. Vanessa ne se demande même plus à quoi peut bien penser le favori du Führer, son successeur désigné, après Hermann Goering. Ils restent silencieux à quelques pas l'un de l'autre. Elle rêve à sa vie détruite, à ses espoirs saccagés. Bientôt, à Paris, le général von Choltitz reçoit un ordre de Hitler : « Paris doit être transformé en un champ de ruines – *ein Trümmerfeld.* » Le général, avec ironie, remercie du *schönen Befehl* et énumère ses dispositions : « J'ai fait déposer trois tonnes d'explosifs à Notre-Dame, deux tonnes au Louvre, une tonne aux Invalides et je vais faire sauter la tour Eiffel pour que ses débris obstruent la Seine. » Sainte Geneviève n'en finit pas de veiller sur sa ville. A l'est, Carlos Romero et Simon Finkelstein participent à la guerre en train de sortir de Russie. A des années d'expansion succède, pour l'armée allemande, le temps de la contraction. La partie est jouée. Il ne reste qu'à l'achever.

– Eh bien, dit Brian à Hélène dans la grande salle à manger un peu vide de Glangowness, est-ce que je ne l'avais pas toujours annoncé? Il n'y avait qu'à tenir : la victoire était sûre.

Elle était peut-être sûre. Elle ne se donne pas pour rien. Mary et Winston Lennon sont venus rejoindre leurs parents, rentrés en Angleterre. Miss Prism est sortie de l'ombre, avec ses cheveux tout blancs, pour s'occuper encore d'eux comme elle s'occupe déjà du jeune Francis, vous vous souvenez, le fils de Pandora, qui a vécu avec elle beaucoup plus qu'avec sa mère et qui a maintenant dix ans. Ils ne passent à Londres que quelques heures, le temps d'aller voir un médecin pour les amygdales de Winston et de faire quelques courses réputées très urgentes. C'est le moment que choisit la fameuse arme absolue, promise depuis longtemps par Hitler, pour s'abattre sur l'Angleterre. Ce ne sont pas encore les V2 qui viendront en automne, dans un silence absolu, avec un rayon de mort terrifiant. Hâtivement bricolés et plutôt imprécis, les premiers V1 font un vacarme d'enfer. On entend la mort arriver avant qu'elle vous emporte. Miss Prism eut juste le temps de se jeter sur les deux enfants et de leur faire un rempart de ce corps qui, dans ce monde et dans l'autre, était voué aux Romero et aux O'Shaughnessy. On la ramassa morte, les enfants dans ses bras, un sourire sur les lèvres, enchantée d'avoir tenu jusqu'au bout le rôle qui était le sien.

Ses garçons, qu'elle aimait tant, furent empêchés d'assister à l'enterrement d'Evangeline. Carlos était en Russie. Agustin était en l'air. Javier était en Asie, plutôt en mauvais état, accablé de haï-kaï. Et Luis Miguel était mort. Le terrain se déblaie. Vous rappelez-vous ce fouillis, aux débuts de notre rencontre, il y a deux ou trois ans, à l'époque où Javier m'apportait à San Miniato une nouvelle accablante? Rien ne vaut le temps pour mettre de l'ordre dans les choses. Pandora, Atalanta, Vanessa oublièrent pour quelques instants Patton en train de foncer vers la Lorraine, Geoffrey sur le point de pénétrer en Belgique et ce sacré Rudi dans sa prison anglaise pour tenir une assemblée de l'ordre du Royal Secret qui rappelait curieusement les toutes premières réunions des Altesses du placard : elle tournait, une fois de plus, autour d'une rousse flamboyante à qui il n'avait pas suffi de leur donner sa vie et qui leur donnait sa mort. Elles versèrent beaucoup de larmes sur ce temps qui passait.

Dans deux ou trois mille ans, dans dix mille ans, dans vingt mille ans, le nom de Hitler ne dira plus grand-chose aux enfants des écoles, s'il en existe encore et si le monde n'est pas détruit. Il apparaîtra comme un Shamash-Shoum-Oukîn acculé au suicide ou comme un Gengis Khân qui aurait raté son coup. Son règne aura été plus court que celui de Napoléon – douze ans au lieu de quinze. Et il n'en restera rien : ni Code civil, ni lycées, ni Comédie-Française. Une sorte de long hold-up, une aventure sans lendemain, un polar mécanisé, une chevauchée fantastique, mêlée de banditisme et d'assassinats à une échelle industrielle. Ce qu'il y a peut-être de plus étrange, c'est qu'à une exception près – de taille, il est vrai : la perte de l'Allemagne de l'Est – les conséquences économiques de la formidable aventure seront effacées en un rien de temps. Quatre ou cinq ans après des triomphes qui lui ont fait dominer toute l'Europe, l'Allemagne est détruite de fond en comble, sa capitale n'est qu'un champ de ruines, des colonnes de réfugiés se sont répandues à travers le pays, physiquement et moralement une des plus grandes nations du monde, peut-être la plus cultivée, celle qui a le plus contribué à l'éclat de la musique et de la philosophie, est littéralement en miettes, écrasée par une guerre qu'elle a voulue et déclenchée et qui a entraîné trente ou quarante millions de morts. Et quelques années plus tard il n'y paraîtra plus. On dirait que le désastre n'a servi à rien d'autre qu'à faire place nette pour l'avenir. Un peu avant le milieu du siècle, le Japon et l'Allemagne sont rayés de la carte du monde. Dès les années soixante, on devine déjà sans trop de peine que les vaincus de la guerre vont dominer la paix.

La dernière fois que Vanessa alla voir Rudolf Hess dans sa prison anglaise, un interminable silence s'installa entre eux. Que pouvait-elle dire? Que pouvait-il répondre? Elle avait obtenu de l'oncle Winston l'autorisation de lui annoncer elle-même son transfert en Allemagne. Il avait commencé par ne pas comprendre.

– Je suis venue, Rudi, pour...

– Ne dis rien. La guerre est perdue. Je suis un homme fini. Mon plus grand regret est de n'avoir pu servir mon Führer jusqu'au bout. Et mon autre remords est de t'avoir entraînée dans une aventure sans issue.

– Je ne regrette rien. Ce qui était insupportable, pendant toutes ces années, c'était le déchirement et l'incertitude. Maintenant, il me reste des souvenirs. Ils sont très beaux.

– Qu'est-ce que tu vas devenir?

– Je m'arrangerai très bien. C'est à toi qu'il faut penser. Tu vas retourner en Allemagne.

– En Allemagne?

– Tu sais, l'Allemagne a beaucoup changé. Tu ne reconnaîtras pas grand-chose. C'est une nouvelle épreuve pour toi. Je tâcherai d'être auprès de toi.

– Chez moi?

– Non. Pas chez toi.

– Qu'est-ce qu'ils vont faire de moi? Je vais rentrer dans la vie civile. J'y ai déjà pensé. J'ai des projets. Ecoute, voilà longtemps que je voulais t'en parler. Je...

– Non, Rudi. Il faut que je t'explique.

Ils s'étaient tus longtemps. Il s'était assis par terre. Il avait posé sa tête sur les genoux de Vanessa. D'un geste mécanique où il y avait de la tendresse, de la pitié et de l'horreur, elle caressait les cheveux d'un des hommes les plus redoutés et les plus haïs du siècle.

Lentement, elle se mit à lui raconter ce qui s'était passé depuis sa dernière visite.

– Il va y avoir un tribunal. A Nuremberg. Tu vas être jugé avec les autres.

– Jugé ? Mais par qui ?

– Par les Anglais, les Américains, les Français, les Russes.

– Les Français aussi ? Et les Russes ?

Vanessa fit oui de la tête.

Un nouveau silence. Les lèvres de Vanessa tremblaient. Non, non, il ne fallait pas pleurer. Sur quoi pleurait-elle ? Sur elle, sur lui, sur un amour qui n'était plus qu'un souvenir. Mon Dieu, que ce cauchemar finisse et que cette vie s'achève ! Le mieux serait peut-être que Rudolf Hess fût condamné à mort et qu'elle s'en allât avec lui. Une révolte l'emporta, avec une violence dont elle ne se croyait plus capable. Quels que fussent les crimes commis par les nazis et dont, chaque jour un peu plus, les journaux étaient pleins, il lui fallait sauver cette tête dont elle sentait le poids contre son corps.

– Rudi...

Il ne répondait plus. Il était tombé dans un rêve, dans une torpeur.

– Ecoute-moi, Rudi...

Elle eut soudain le sentiment d'avoir un mort entre les bras. Elle se leva brusquement. Rudolf Hess s'effondra.

Elle se jeta contre lui.

– Rudi!

Ils pleuraient tous les deux, serrés l'un contre l'autre.

– Réponds-moi, je t'en prie!

Il levait vers elle des yeux vides. Elle lui prit la tête entre ses mains.

– Ecoute, mon chéri, il faut que tu expliques aux juges que tu ne comprends plus rien à rien, que tu n'as jamais rien compris, que la réalité t'échappe. Il faut que tu leur dises que tu n'es pas responsable. Tu comprends? Tu n'es pas responsable.

Il la regardait avec ses yeux fous, de plus en plus enfoncés sous les sourcils épais. Une idée brutale traversa Vanessa : il était vraiment fou, il l'avait toujours été. Ou faisait-il seulement semblant, pour mieux lui obéir? Est-ce qu'il avait déjà commencé à marcher sur le chemin obscur qu'elle essayait de lui indiquer? Un sanglot bref retentit, Vanessa se demanda s'il venait de lui ou d'elle.

Rudolf Hess s'était laissé glisser à terre, le visage contre le plancher, et il frappait le sol de sa main. Des mots sans suite sortaient de sa bouche. Il parlait de guerre et de sang, de la patrie allemande, du communisme, des juifs, d'un crépuscule des dieux. Il se traînait comme une bête. Un peu d'écume sortait de ses lèvres. Il battait l'air de ses bras.

Vanessa reculait, reculait, jusqu'à se coller contre le mur où elle s'immobilisait, les bras en croix, la gorge en feu.

– Mon Dieu! dit-elle. Mon Dieu!

La vie se poursuivait. Un peu partout, la Libération, l'achèvement de la guerre semblaient marquer la fin d'une époque, l'avènement d'un âge nouveau. On rêvait de changer le monde. Des liens continuaient à courir entre le passé et l'avenir. Hitler, Goering, Goebbels, Himmler n'étaient pas encore morts que Jérôme Seignelay passait enfin le concours qui avait été son seul but pendant plus de deux années. Les choses se déroulèrent avec une sage lenteur. Il y eut d'abord l'écrit et ses épreuves interminables qu'il confondit ensuite, dans son souvenir, avec celles de l'agrégation. Et peut-être avec celles du concours général. Elles duraient sept heures d'affilée. Les candidats apportaient du café dans des thermos, des sandwiches au fromage ou au jambon, des bouteilles d'encre au bout d'une ficelle, des réveille-matin qui se déclenchaient tout à coup pour marquer la fin de la première heure ou la moitié du parcours. Ils étalaient autour d'eux ces trésors familiers, chargés de les rassurer, et les jeunes filles s'évanouissaient. Les cancres et les coureurs s'affairaient autour d'elles. Jérôme ne fut pas mécontent de son français, de son grec, de son histoire. Il rata son latin.

Il partit pour Arcy-sur-Cure attendre les résultats de l'écrit et préparer l'oral – au cas, très improbable, où... Mathilde était là, toujours fraîche et charmante, avec une ombre d'amertume. Elle lui reprocha son silence : il aurait pu lui écrire, lui donner de ses nouvelles... Ils se promenèrent encore ensemble, parmi les vignes, se tenant par la main. Jérôme se demandait s'il n'aurait pas été plus heureux en Bourgogne qu'à Paris. Il aurait épousé Mathilde, ils auraient eu des enfants avec l'accent bourguignon et ils auraient vécu dans le silence et le calme, sans ambition, sans trouble, loin des bruits de l'histoire et de la ville. Maintenant, il était trop tard. Il ne s'était rien passé : le temps avait passé.

– Qu'est-ce que tu fais, le soir? demandait Jérôme à Mathilde. Est-ce que tu vois des garçons?

– Bien sûr, répondait Mathilde sur un ton de reproche. J'imagine qu'à Paris tu sors avec des filles?

– Pas souvent, disait Jérôme. Je travaille beaucoup, tu sais.

– Eh bien, disait Mathilde d'une voix un peu trop haute, pendant que tu fais du latin et du grec, moi, je sors avec des garçons. Il y a une lettre de Paris pour toi. Je ne crois pas qu'elle soit de Platon ou de Montaigne. Je parierais plutôt qu'elle vient d'une de tes petites amies.

Mathilde perdait son pari. La lettre ne venait pas d'une petite amie de Jérôme. Pas de Platon, non plus, ni de Montaigne. Un de ses camarades lui écrivait pour lui annoncer une nouvelle : il était admissible, on l'attendait à Paris pour l'oral du concours.

Il me semble que la guerre ne s'arrêta pas d'un coup et que la gaieté et l'insouciance mirent du temps à revenir. La poursuite de la guerre contre le Japon jusqu'à l'éclatement de la bombe atomique au-dessus d'Hiroshima et de Nagasaki, la découverte des camps de concentration et le retour de leurs survivants, les difficultés d'approvisionnement qui durèrent encore longtemps après la fin des hostilités, l'inquiétude entraînée chez beaucoup par l'évidence de la puissance soviétique, la conviction que le monde entrait dans une ère nouvelle où les risques d'un anéantissement collectif remplaçaient le fascisme et le nazisme enfin vaincus, tout cela contribuait à entourer la victoire d'une ombre de tristesse, d'un halo d'inquiétude. Même dans l'ivresse de la liberté retrouvée – et, chacun dans son coin, Carlos et Pandora et Jérôme Seignelay eurent leurs heures d'enthousiasme – personne n'aurait juré, en 1945, que la guerre, la violence, l'injustice qui s'étaient déchaînées pendant quelque six ans étaient bannies à jamais.

Libéré par l'avance américaine dans le Pacifique, Javier regagna Londres dans un état lamentable. J'étais allé l'accueillir à l'aéroport de Croydon avec Pandora et Agustin. Il fondit en larmes en se jetant dans nos bras. Pendant des jours et des jours, pendant des semaines, pendant des mois, nous nous succédâmes à son chevet. Il avait des cauchemars effroyables où le pire était fait de souvenirs. Il voyait des tortures, des massacres, des crucifixions et des monstres grimaçants qui récitaient des poèmes. Il fallut, peu à peu, lui réapprendre à vivre.

Un jour où j'écoutais avec lui une symphonie de Haydn, il se pencha vers moi :

– Il faut que je te demande quelque chose.

– Tout ce que tu voudras.

– C'est un peu difficile.

– Je ferai de mon mieux.

– Non, je veux dire... C'est un peu difficile à exprimer...

– Tu sais que tu peux tout me dire.

– Eh bien, voilà. Je voudrais avoir des nouvelles de Hamuro Tokinaga.

Je n'eus pas beaucoup de peine à apprendre de

l'Amirauté le sort de Hamuro Tokinaga : il avait été un des derniers kamikazes et il avait péri quelques jours avant la fin de la guerre en jetant son avion contre le porte-avions *Franklin.*

J'apportai l'information à Javier, un soir d'été, un peu tard. Il regardait par la fenêtre le soleil se coucher. Il tenait à la main une feuille de papier qui lui était parvenue par des voies mystérieuses. Il me la tendit sans un mot. Elle comportait trois poèmes.

J'entends les oies sauvages
De nouveau voici les nuits
Au sommeil léger

Durcies par le gel
Les traces de ses pas
Et celles de mes regrets

Fleurs de glycine
Baissant la tête
C'est l'instant des adieux

Quand je voulus lui rendre la feuille de papier satiné où les poèmes étaient tracés au pinceau, il secoua la tête sans me regarder.

– Garde-la, me dit-il.

Je l'ai sous les yeux en écrivant ces lignes.

Il est toujours amusant de constater à quel point les gens sont imprévisibles. Et même ceux et celles qui nous sont les plus proches. Et ce qu'il y a souvent de plus imprévisible, c'est qu'ils agissent exactement comme nous aurions pu et dû le prévoir. Peut-être parce qu'il était affaibli et qu'elle l'entoura de beaucoup de soins et d'affection, peut-être parce qu'il essayait, par-dessus tant d'enfer, de se rattacher à un passé aux couleurs de paradis, peut-être aussi pour rien du tout, Javier Romero, héros meurtri et vaguement mystérieux de la sale guerre contre le Japon, tomba ou retomba sous le charme implacable de Pandora O'Shaughnessy qui, à l'instar de son aïeule, la sacrée rani des Indes, n'avait pas froid aux yeux.

« Le concours sera passé, sur des sujets tirés au sort, devant un jury tiré au sort, par des candidats tirés au sort. » La formule tournait avec obstination dans la tête de Jérôme, en même temps que des bribes d'*Augustin ou Le Maître est là* de Joseph Malègue, des *Thibault* de Martin du Gard, de *Notre avant-guerre* de Brasillach ou des *Hommes de bonne volonté* où Jallez et Jerphanion discutent à perte de vue sur les toits de l'école. C'était dans ces livres et dans quelques autres que Jérôme Seignelay avait vu surgir devant ses yeux éblouis la légende de la rue d'Ulm : une espèce de Saint-Graal, tempérée par le canular.

Dans les khâgnes de Henri-IV et de Louis-le-Grand couraient les grands classiques, indéfiniment retransmis de génération en génération : la traversée de Paris en voiture décapotable sous les acclamations de la foule par un faux Charles Lindbergh, aussi jeune, aussi blond, aussi beau que le vrai qu'il précédait de quelques heures ou la lettre circulaire envoyée aux ministres et aux parlementaires pour leur enjoindre de se rendre à Poil (Nièvre) à l'occasion de l'anniversaire de la naissance d'Hégésippe Simon, défenseur des droits de l'homme, bienfaiteur de l'humanité, grand humaniste devant l'Eternel, dont les admirateurs ne manquaient pas de rappeler la devise : « Les ténèbres s'évanouissent lorsque le jour se lève. » Les organisateurs de la cérémonie avaient reçu, rédigées dans le style le plus ampoulé, bon nombre de réponses de membres du Parlement ou du gouvernement : « Je ne pourrai malheureusement pas être à Poil avec vous, mais je m'associerai en esprit à la célébration du grand Français, de l'Européen distingué, du citoyen du monde qu'était Hégésippe Simon. Son œuvre..., sa langue..., sa pensée..., son rayonnement... », et patati et patata. Le canular ne s'arrêtait même pas au seuil du sacré-saint concours. De malheureux candidats venus de la khâgne de Montpellier avaient été traînés par de bonnes âmes devant des examinateurs à l'apparence la plus authentique qui les avaient soumis à un feu roulant de questions égrillardes et obscènes. Les jeunes Languedociens étaient partis la tête en feu de ce festival d'érudition et de pornographie mêlées.

Jérôme Seignelay commença par le latin. Il glissa un coup d'œil de maquignon soupçonneux sur les deux personnages d'âge respectable qui composaient le jury : ils n'avaient pas l'air de plaisanter. Jérôme tira au sort une lettre de Cicéron à son ami Atticus. Il l'attaqua avec vigueur. Elle se défendit bien. Il quitta les deux messieurs avec les honneurs de la guerre, mais sans avoir remporté la victoire décisive qui lui aurait permis d'affronter avec sérénité et assurance les batailles encore à venir.

– Je crois que c'est foutu, dit-il à la tante Germaine et à Philippe qui étaient venus l'attendre à la sortie de l'oral de latin.

La tante Germaine et Philippe ne se connaissaient pas. Il les présenta l'un à l'autre et ils allèrent dîner tous les trois dans un restaurant chinois de la rue Claude-Bernard.

Nous nous succédions, Pandora, Atalanta, Agustin et moi, au chevet de Javier. Il n'allait pas très bien. Il avait tenu le coup dans l'horreur, sous les menaces. Il dépérissait dans la liberté, entouré de ceux qui l'aimaient. Pendant des mois et des mois, il s'était construit une cuirasse. Il ne parvenait plus à l'ôter. Pour ne pas s'effondrer sous les yeux de l'ennemi, il avait atteint, dans un effort surhumain, à une sorte d'équilibre. Il ne trouvait plus la force de le modifier à nouveau.

– Il faut te secouer, lui disait Agustin. Pendant des années, nous n'avons pensé qu'à la victoire, à ta libération, à la paix. Les voilà, profitons-en.

– Oui, oui, disait Javier. J'ai rêvé de ces jours. Maintenant qu'ils sont là, ils me font peur.

– Tu sais, disait Agustin, moi aussi, j'ai des problèmes. J'ai fait ce que j'ai pu.

– Vanessa?... demanda Javier.

– Pas seulement Vanessa. Est-ce que tu t'imagines, par hasard, que le grand retour de la démocratie appuyée sur Staline – tu m'avoueras qu'il y a de quoi se tordre – me comble de bonheur?

– Bah! disait Javier, tu t'en fiches.

– Je ne m'en fiche pas du tout. Ce que je reproche le plus à Hitler, c'est d'avoir compromis tout ce que j'aimais : l'ordre, la tradition, l'autorité, la hiérarchie...

– Tu peux très bien vivre dans l'amertume et dans l'opposition : on s'y porte à merveille. Moi, c'est beaucoup plus simple : je n'ai plus envie de continuer.

Il avait si peu envie de continuer qu'il absorba d'un coup toute une boîte de comprimés qu'il s'agissait de prendre, jour après jour, avec beaucoup de précautions. Il fallut le transporter à l'hôpital. Lavage d'estomac. Perfusion. Tout le cirque de la technique et de l'humanité. On le sauva à grand-peine. Il profita de l'occasion pour se livrer à un chantage : il n'acceptait de survivre qu'à cause de Pandora. Je pensais aux remparts de Rhodes, au soir qui tombait – mon Dieu! vous rappelez-vous? – sur les amours de Luis Miguel, aux grands bateaux embossés dans le petit port en demi-lune de Castellorizo, à la nuit de Barcelone.

– Qu'est-ce que tu veux que je fasse? me dit Pandora en sortant de l'hôpital où j'étais allé la retrouver. Je ne peux tout de même pas lui conseiller de mourir.

– Bien sûr que non, lui dis-je. Tu as tes œuvres de charité. Tes pauvres à toi, ce sont les hommes.

– Tu es un peu dur pour ton meilleur ami.

– J'en ai surtout un peu assez de te voir t'occuper des autres et jamais de moi-même. Et si je te menaçais, en souvenir de Central Park et des quais de New York, de me jeter dans la Tamise du haut de Waterloo Bridge?

Pandora s'arrêta.

– Tu ne ferais pas ça.

– Et pourquoi pas, je te prie? Pourquoi lui, et pas moi?

Elle me regarda, prit tout son temps, passa sa main sur mon visage.

– Parce que je te le défends, me dit-elle. J'ai trop besoin de toi.

C'étaient des choses comme ça qui étaient si agaçantes chez Pandora O'Shaughnessy.

L'histoire se déroula à merveille. L'histoire moderne comme l'histoire ancienne, Jérôme racontait volontiers que Henri-Irénée Marrou, qui était chauve, sourd, sympathique, catholique et savant lui avait demandé la hauteur des marches du Parthénon. Comme souvent l'anecdote était vraie, et pourtant inexacte. L'épreuve avait commencé par des questions très classiques auxquelles Jérôme avait répondu avec beaucoup de précision. Alors, Marrou, pour fixer ses impressions, avait poussé un peu plus loin. Il avait posé des questions de plus en plus particulières. L'avant-dernière portait sur les gladiateurs dans les arènes de Rome : Dans quelle tenue se battaient-ils?

– Tout nus, dit Jérôme, très vite.

– C'est exact, dit Marrou. Mais ils avaient quelque chose sur eux...

– De l'huile, dit Jérôme.

– C'est très bien, dit Marrou, visiblement satisfait.

C'est alors, mais alors seulement qu'il demanda à Jérôme la hauteur des marches du Parthénon. Jérôme réfléchit quelques secondes et donna au hasard une réponse qui lui paraissait plausible. A quelques centimètres près, c'était la bonne.

– Eh bien, monsieur, lui dit Marrou. Je vous félicite. Vous connaissez tant de choses que je ne vois plus rien à vous demander... Ah! si... tout de même, ajouta-t-il avec gravité, vous qui savez presque tout, répondez, je vous prie, à cette dernière question : Qui a fait quoi, et en quelle année?

Jérôme hésita un instant. Est-ce que Marrou se fichait de lui? Il le regarda avec une espèce d'angoisse. Marrou se penchait en avant avec un bon sourire où il y avait de l'amitié et de la complicité. Jérôme pensa en un clin d'œil à Hannibal en train de passer les Alpes, à l'assassinat de César, à la division de l'Empire romain par Théodose, à la bataille de Salamine remportée par Thémistocle. Une autre idée lui vint :

– Alaric a éteint le feu sacré à Rome en 410, dit-il avec assurance, comme si la réponse s'imposait.

Marrou riait franchement.

– Je vous remercie, dit-il. Et je vous souhaite bonne chance.

En philosophie, Jérôme passa juste derrière un garçon brun, pas très grand, assez plaisant, dont il suivit les affres avec sympathie. Il était tombé sur un sujet qui semblait le laisser pantois : « Le je ne sais quoi et le presque rien ».

– En préférez-vous un autre? demanda avec courtoisie un examinateur au visage aigu, avec une mèche sur le front, qui était le philosophe Vladimir Jankelevitch.

Le jeune homme, éperdu, répondit que oui. Le sort lui attribua en échange : « Le déjà plus et le pas encore ». Il s'en tira comme il put.

Quand il eut fini, Jérôme tira à son tour d'un chapeau un papier plié en quatre. Sur le papier était écrit : *La promesse.*

Jérôme comprit tout de suite qu'il allait être très bon. Il parla des primitifs, comme il se doit, de la foi jurée, de la confiance légitime, du mythe de don Juan et de la fidélité, de la nécessité et des limites de l'engagement. Il fit un bref détour par le même et l'autre, par le changement, par les racines d'une liberté qui s'épuise dans le vide et qui aspire à s'incarner. Il montra surtout que la promesse était liée au temps et à ses deux propriétés opposées et indiscernables : le temps passe et le temps dure. La promesse était le triomphe du temps qui dure sur le temps qui passe. Il cita Spinoza, Kant, Paul Valéry, il s'éleva jusqu'à la société, jusqu'à cette forme de transcendance sur laquelle sont fondés les rapports entre les hommes. A la fin d'un exposé ni trop long ni trop court, il eut le sentiment de s'être convaincu lui-même et que tout l'édifice de l'univers reposait sur la promesse. Les examinateurs étaient restés aussi impassibles que des Peaux-Rouges. Mais il n'était pas difficile de deviner à leur tête que l'impression était bonne.

Restait le français. Jérôme eut de la chance. Il tira au sort le passage de la *Vie de Rancé* sur les lettres d'amour :

« D'abord les lettres sont longues, vives, multipliées; le jour n'y suffit pas : on écrit au coucher du soleil, on trace quelques mots au clair de lune. On s'est quitté à l'aube; à l'aube on épie la première clarté pour écrire ce que l'on croit avoir oublié de dire dans des heures de délices. Pas une idée, une image, une rêverie, un accident, une inquiétude qui n'ait sa lettre. Voici qu'un matin quelque chose de presque insensible se glisse sur la beauté de cette passion, comme la première ride sur le front d'une femme adorée. Les lettres s'abrègent, diminuent en nombre, se remplissent de nouvelles, de descriptions, de choses étrangères; sûr d'aimer et d'être aimé, on est devenu raisonnable : on se soumet à l'absence. Les serments vont toujours leur train; ce sont toujours les mêmes mots, mais ils sont morts; l'âme y manque : *je vous aime* n'est plus qu'une expression d'habitude, un protocole obligé, le *j'ai l'honneur d'être* de toute lettre d'amour. »

Jérôme, à Arcy-sur-Cure, avait lu d'un bout à

l'autre les *Mémoires d'outre-tombe* et la *Vie de Rancé.* Il situa en quelques mots la place de la *Vie de Rancé* dans l'œuvre de Chateaubriand. Il rappela la figure de l'abbé Seguin, confesseur du vicomte, installé rue Servandoni aux côtés d'un chat jaune : c'est lui qui avait invité le séducteur vieillissant à se pencher sur Rancé, redoutable libertin du temps de Louis XIV. Il prononça le nom de la duchesse de Montbazon dont Rancé était fou et que la rougeole emporta en moins de temps qu'il ne faut pour le dire. Rancé, parti chasser, ne la revit que morte. Le cercueil était trop court : on avait dû couper la tête blonde qu'il avait tant baisée. Rancé se jeta dans la Trappe. Jérôme montra très bien que derrière la duchesse il y avait Cordelia et Pauline et Natalie et toutes les amours du vicomte, et surtout Juliette Récamier; et derrière Rancé, Chateaubriand lui-même. Jérôme, par bonheur, se souvint tout à coup de deux passages de la *Vie de Rancé* qu'il s'était souvent répétés avec exaltation quand il se promenait dans les vignes avec Mathilde ou le long de la Marne avec André Bernard : « L'amour? Il est trompé, fugitif ou coupable », et, à propos de Rancé désespéré par la mort si brutale de la femme qu'il aimait : « Il invoquait la nuit et la lune. Il eut toutes les angoisses et toutes les palpitations de l'attente. Mme de Montbazon était allée à l'infidélité éternelle. » Ce « Mme de Montbazon était allée à l'infidélité éternelle » était devenu une scie, grâce à Jérôme, dans la khâgne de Henri-IV. Il fut trop heureux de la faire chanter, dans cette occasion solennelle, avec cette ironie qu'il était seul à goûter. Les deux citations eurent, de toute évidence, le plus heureux effet sur les membres du jury. Jérôme termina en revenant au texte même : il y a quelque chose de maudit dans l'amour parce que le temps le ronge; toute la grandeur de l'amour est de l'emporter sur le temps.

– Au fond, dit Jérôme, en sortant, à un de ses camarades qui devait devenir célèbre et qui s'appelait Michel Foucault, j'ai eu le même sujet en philo et en français.

Les interrogatoires, un peu partout, se poursuivaient à tout va. Jérôme avait à peine achevé les épreuves de l'oral que se mettaient déjà en place les premiers préparatifs du plus grand procès du siècle.

– Eh bien, disait Agustin, heureusement pour eux que les Américains ont gagné la guerre. 150 000 morts à Dresde en une seule nuit, 100 000 morts à Hiroshima avec une seule bombe : il y avait de quoi nourrir un bon procès pour criminels de guerre. On y aurait vu sur les bancs des accusés ceux qui seront demain sur les bancs des procureurs. Le Hauptbahnhof de Dresde, épargné par le premier raid et où des milliers et des milliers de réfugiés ont fini par brûler vifs, vaut bien l'église d'Oradour. J'y étais : je le bombardais. J'ai vu, de mes yeux vu, des colonnes de fumée monter à cinq mille mètres. la ville brûlait si fort dans la nuit que j'ai pu rédiger mon compte rendu à la lueur qui emplissait la carlingue. Et vous savez pourquoi? Parce que nos Mustangs, qui escortaient les forteresses volantes, mitraillaient les pompiers.

– Oh! la barbe! disait Simon. Tu ne vas pas nous emmerder avec tes remords à la gomme. Quand il y a des types qui t'attaquent tu essaies de te défendre. Et si tu leur flanques une torgnole, ils sont mal venus de se plaindre.

– On a pris les alliances sur les doigts des cadavres, continuait Agustin sur un ton détaché : il y en avait vingt mille. On les a mises dans des seaux. On a ramassé les corps, on a fait de grands tas et on y a mis le feu. Il y a eu des tas de cendres de plus de deux mètres de haut.

– Ecoute, mon vieux, disait Simon, si tu aimais les nazis tant que ça, pourquoi n'es-tu pas allé te battre à leurs côtés ? Je te vois assez bien en train de défendre le bunker de Hitler avec la légion Charlemagne. On raconte qu'il y avait aussi des Tibétains, ou des Mongols, je ne sais plus. Pourquoi n'y étais-tu pas ? Tu as toujours été dans le camp des fascistes. Pourquoi pas jusqu'au bout ? Ç'aurait eu plus de gueule que de pleurnicher après coup parce qu'on t'a cassé quelques œufs en préparant l'omelette.

– Ça va bien comme ça, disait Carlos. Arrêtez de vous chamailler.

Agustin se taisait, l'air buté. Il marchait de long en large, la tête basse, les mains dans les poches. Dévoré d'amertume, il lançait une dernière flèche :

– J'ai une idée pour vous : vous devriez fonder l'association des juristes partisans, le club des humanistes engagés.

Et il s'en allait.

– Quel con ! disait Simon.

Le plus dangereux, chez Pandora, c'était sa gentillesse. La femme fatale était une brave fille. Elle passa des heures auprès du lit de Javier pour se faire pardonner d'avoir couché avec tant d'autres et de ne pas assurer le bonheur du héros fatigué. Il se produisit un beau jour un minuscule incident qui me frappa beaucoup. Je me sens à peine capable de le raconter tant il était fait de silences.

J'étais à Londres pour quelques jours, enchanté de revoir Glangowness et les sœurs O'Shaughnessy. Je profitai bien entendu de mon passage pour aller rendre visite à Javier. Pandora était là.

J'ai souvent du mal à saisir ce qui se passe chez ceux et celles qui m'entourent. Pandora, plus d'une fois, s'était moquée de moi en assurant en riant que je ne comprenais jamais rien.

– Je ne sais pas si tu es idiot, me disait-elle avec affection, ou simplement distrait, ou peut-être enfermé à double tour en toi-même. On dirait que les sentiments des gens te sont complètement étrangers. Tu es plutôt gentil, et tout à fait bouché.

Ce jour-là, en tout cas, il était impossible, même à moi, de ne pas voir que Pandora était au bord des larmes. Elle était plus délicieuse que jamais avec Javier. Elle lui tapotait l'oreiller pour qu'il fût mieux installé, elle lui parlait avec douceur, elle lui prenait la main. Et elle était bouleversée, je me demandais par quoi. Quand elle sortit quelques instants pour parler à l'infirmière qu'elle faisait vaciller sous une avalanche de recommandations, Javier m'attrapa par la manche :

– Tu sais, je lui ai parlé. Je lui ai tout dit. Ce qu'elle a toujours été pour moi. La place qu'elle tient dans ma vie. Ce qui m'a fait plaisir, c'est qu'elle a eu l'air très émue.

– Ah ? bon, lui dis-je en arrangeant à mon tour la couverture de son lit.

Pour des raisons que j'ai peut-être déjà, je ne me rappelle pas bien, évoquées brièvement, la nouvelle ne me faisait pas autant de plaisir qu'elle aurait dû.

Pandora rentra dans la pièce. Je la regardai avec toute l'attention dont est capable un imbécile. Même pour le roi des distraits, pour un égoïste endurci, pour un crétin congénital, il était tout à fait clair qu'elle était sens dessus dessous. La vie n'est pas toujours gaie.

Elle partait pour de bon. Elle embrassait Javier. Elle me disait :

– Tu m'accompagnes ? Je te ramène.

Pour me donner une contenance, je murmurais à mi-voix :

> Si tu veux, faisons un rêve :
> Montons sur deux palefrois;
> Tu m'emmènes, je t'enlève;
> L'oiseau chante dans les bois.
>
> Je suis ton maître et ta proie;
> Partons, c'est la fin du jour.
> Mon cheval sera la joie
> Ton cheval sera l'amour.
>
> Nous ferons toucher leurs têtes,
> Les voyages sont aisés :
> Nous donnerons à nos bêtes
> Une avoine de baisers.
>
> Allons-nous-en par l'Autriche !
> Nous aurons l'aube à nos portes.
> Je serai grand et toi riche
> Puisque nous nous aimerons.
>
> Tu seras dame et moi comte;
> Viens, mon cœur s'épanouit.
> Viens, nous conterons ce conte
> Aux étoiles de la nuit.

– Ah ! bravo ! dit Javier.
– N'est-ce pas ? dis-je avec modestie.
Pandora et Javier se mirent à rire, et moi aussi.
Il y eut encore quelques moments de silence, nous échangions quelques mots, nous restions les bras ballants à ne dire presque rien, et puis la porte de la chambre de Javier se referma sur nous.
– Je n'en peux plus, me dit Pandora. Je ne tiens plus debout.
– Qu'est-ce qu'il y a ? demandai-je.
– J'ai reçu une lettre...
– De Javier ?...
– De Javier ? Pourquoi de Javier ? Je le vois tous les jours. Pourquoi diable m'écrirait-il ? Mais non, pas de Javier...
Et elle haussa les épaules.
– Et de qui donc, alors ? demandai-je.
– De George.
– De Georges ?
– De Patton. Il est mort, tu sais.
Je savais.
– Il m'avait écrit avant l'accident. Sa lettre a mis un temps fou avant de me parvenir. Elle m'a flanqué un coup. J'en ai été malade toute la nuit.
Elle continuait à marcher auprès de moi. J'entendais ses talons claquer sur le plancher. Je voyais les larmes qui lui venaient aux yeux.
Elle s'arrêtait.
Elle posait la tête sur mon épaule et elle se mettait à pleurer. C'était une vieille habitude. Je la tenais dans mes bras avec un bonheur mêlé de trouble et je pensais à Javier.

Il y avait une ambulance. La première chose qu'on voyait en arrivant, c'était une ambulance, avec deux infirmières, un bonnet blanc sur la tête et un brassard au bras.

– Eh bien, c'est gai, dit Jérôme.

– De temps en temps, dit Alquié qui était venu voir comment se comportaient ses élèves, de temps en temps, euh..., il y en a qui s'évanouissent et ça fait, euh..., un peu désordre.

On pénétrait par la grille flanquée d'une petite guérite où se tenait le concierge. On passait sous la porte surmontée d'un fronton avec une inscription qui rappelait la part prise par la Convention nationale dans la création de l'Ecole, on s'installait, le cœur battant, dans le grand vestibule qui donnait, d'un côté, sur le petit jardin devant la rue et, de l'autre, sur la grande cour où résidaient les Ernest. Les Ernest étaient des poissons rouges, au caractère quasi sacré : ils habitaient le bassin au beau milieu des bâtiments qui abritaient à gauche le réfectoire, au fond la bibliothèque, un peu partout, le long de couloirs mystérieux, les thurnes, ornées de photographies, de dessins, de graffiti, parfois de fresques – les plus célèbres étaient celles qu'avait peintes François-Poncet, le futur ambassadeur à Berlin et à Rome – et où travaillaient les élèves.

Des parents, des fiancées, des amis se mêlaient aux candidats dans la foule bruissante qui s'entassait dans le hall. Les cœurs étaient serrés. Beaucoup d'efforts, de sacrifices, d'espérances affreusement longues aboutissaient ici, dans cette salle froide et laide, où le destin allait prendre l'aspect d'un petit homme en costume sombre qui laisserait tomber quelques noms de sa bouche. Chacun, pour cacher son trouble, disait des choses insignifiantes.

On sentait presque physiquement le poids des idées, des passions, des ambitions, des angoisses de toutes les générations qui, du XIXe idéaliste et bourgeois à ce tournant du XXe révolutionnaire et sceptique, s'étaient succédé en ces lieux. On avait le sentiment que Renan et Herriot, Giraudoux et Jules Romains, Péguy et Léon Blum, Jean-Paul Sartre et Jaurès, cachés derrière les piliers, vous épiaient en silence et préparaient les farces qui vous accableraient. Il n'y avait pas besoin de ces mystifications supplémentaires pour être tordu par une peur qui vous prenait au ventre : votre vie se jouait.

Il y avait là de jeunes hommes, d'origine souvent modeste, rarement paysanne ou ouvrière, des fils plutôt d'instituteurs, de professeurs, de petits fonctionnaires, qui avaient vécu trois ans, quatre ans, cinq ans, parfois davantage encore, dans l'attente de ce moment dont la tension devenait insupportable. Plusieurs avaient essayé d'obtenir des tangentes, c'est-à-dire des huissiers, un certain nombre d'informations sur leurs copies à l'écrit. En échange de quelques francs, la tangente, l'air chafouin, vous glissait, parfois avec des erreurs, vos notes de français ou de philosophie. Jérôme avait tenté de savoir quelque chose sur son écrit de latin qui l'inquiétait beaucoup. La tangente était revenue en assurant qu'elle n'avait rien pu trouver. Jérôme se demanda, avec anxiété, si la tangente, bon garçon, n'avait pas voulu éviter de le décourager en lui annonçant une note désastreuse. Un mouvement se faisait : de l'escalier qui menait à l'administration et au bureau du directeur, un monsieur en noir descendait. Il se fit d'un seul coup un silence formidable.

Lara rejoignit Simon à Berlin, occupé par les Russes. Pendant toute la guerre, elle était restée en Angleterre, un peu à l'écart des trois sœurs. Elle enseignait le russe dans une école de Cambridge. Elle n'avait passé que quelques mois avec l'homme qui était son mari et qu'elle connaissait à peine : l'histoire est comme ça. Simon aussi ne savait presque rien d'elle. Elle était toujours aussi secrète et il s'amusait de ce mystère. Ils errèrent à Berlin parmi les ruines du Reichstag et de l'Alexanderplatz, où les façades des grands immeubles éventrés par les bombes prenaient des allures de dentelles. Ici ou là, des foyers d'incendie mal éteints n'en finissaient pas de fumer. Une terreur lourde régnait sur la ville où, de peur peut-être d'être violées pour rien, les femmes se donnaient pour un paquet de cigarettes. On voyait dans le métro des affiches apposées par des autorités amies de la litote et de la morale traditionnelle : *Quoi! Pour une paire de bas!...*

Lara préparait pour le *Manchester Guardian* – qui ne s'était pas encore abrégé en *Guardian* – une série d'articles sur l'Allemagne après la défaite. Les nécessités du métier l'amenèrent tout naturellement à Nuremberg où allait s'ouvrir le procès du siècle. Elle y retrouva Carlos qui occupait dans la délégation anglaise un poste comparable à celui d'Edgar Faure dans la délégation française : il était adjoint au procureur général. Elle y retrouva aussi Vanessa qui était venue pour Rudi.

Pendant l'automne 45, en attendant l'ouverture

du procès, Carlos, Simon, Lara et Vanessa se promenèrent tous les quatre à travers l'Allemagne meurtrie et à peu près anéantie. Ils visitèrent Munich et les abbayes baroques de Bavière. Ils passèrent par l'Allgäu, par Ottobeuren, par Benediktbeuern et par la merveilleuse église *in der Wies* qui respirait la paix dans un décor champêtre. Ils se moquèrent avec émerveillement de Neuschwanstein et Hohenschwangau, les châteaux du roi fou. Ils aperçurent au loin les sommets des hautes Alpes. Il y eut deux ou trois jours terribles pour Vanessa qui se retrouva à Berchtesgaden, à Tutzing, à Feldafing et sur les bords de ce Tegernsee et de ce Starnbergersee où elle avait tant de souvenirs qui lui encombraient le cœur et dont elle ne pouvait ou ne voulait pas se défaire. Ils refirent tous les quatre la route qu'elle avait parcourue dans la Mercedes de Rudolf Hess. Elle revit le petit bois où Rudi, pour la première fois, l'avait prise dans ses bras. Fidèle à sa réputation et malgré la présence de Lara, Simon s'offrit à jouer auprès d'elle, sous le regard ironique de Carlos, le rôle du consolateur.

– Tu ne vas pas passer ta vie à pleurer. Il faut sortir de ce trou.

– Qu'est-ce que tu veux que je fasse ? Que je me mette à rire ou à danser ? Que je te tombe dans les bras ?

– Pourquoi pas ? dit Simon. Si tu ne veux pas d'Agustin... Ce serait une espèce de cure. J'en connais de plus rudes.

– Mon pauvre Simon, dit Vanessa.

– Tu es jeune, tu es belle, la guerre est finie. Tâche de vivre. Tu sais que je passe pour le diable. Et si le diable t'aidait à retrouver une vie qui est si délicieuse et si simple ?

– Tu es gentil, dit Vanessa. Je comprends que tu plaises aux femmes.

– Je ne sais pas si je leur plais, dit Simon.

– Tu en doutes? dit Vanessa en souriant. Je demanderai à Lara. Et puis à Pandora. Et j'aurais pu, je crois, le demander à Jessica...

– Je les aime, voilà tout. Ce sont les hommes, par jalousie, qui me dépeignent comme un monstre. Je n'aime pas tellement les hommes. Les femmes savent que je les aime.

– Je me demande, dit Vanessa en posant sa main très doucement sur le bras de Simon, si tu n'as pas envie surtout de compléter ta collection, si enviée et si riche, de sœurs O'Shaughnessy?...

– Et alors? dit Simon. Est-ce que ce n'est pas comme ça que se concluent les bons pactes? J'aurais une sœur de plus. Et je te rendrais le monde.

– Tu es gentil, mon petit Simon, répéta Vanessa.

Simon comprit, à cette douceur si totalement désarmée, qu'il avait moins de chances encore qu'Agustin et qu'il n'aurait jamais Vanessa. Cet échec le contraria. Il se montra beau joueur. Tout au long du procès, il veilla sur Vanessa avec beaucoup d'affection.

Ils flanèrent tous les quatre au-dessus de Heidelberg, sur le Philosophenweg. Pendant que Simon entourait de son bras les larges épaules de Vanessa et s'efforçait de la faire sourire, Carlos, un peu à l'écart, entretenait Lara d'un point qui le chiffonnait depuis longtemps et qu'il n'avait jamais réglé.

– Maintenant que la guerre est finie, vous pouvez bien me le dire : est-ce que vous avez eu des liens avec les services russes?

– Votre question est absurde, mon cher Carlos,

répondait Lara avec un sourire implacable. La réponse ne peut être que non. Ou bien je suis une blanche brebis et je ne vais pas aller m'accuser de forfaits que je n'ai pas commis...

– Oh! des forfaits..., dit Carlos.

– Des complaisances, si vous voulez, des complicités coupables... Ou bien je joue double jeu et, forcément, je mens.

– Alors, c'est non?

– Mais non. C'est oui. A vous de savoir si je me paie votre tête.

– Mais qu'est-ce que vous allez faire maintenant? Espionner les Anglais?

– Qu'il est bête! s'écriait Lara. Je ne vais rien faire du tout. J'attends.

– Seriez-vous ce que, dans le métier, on appelle une taupe dormante?

– Voilà! disait Lara. Voilà! Je suis une taupe dormante. Je dors.

– Et si on vous réveille, que ferez-vous?...

– Mais la même chose que vous, mon cher Carlos : je servirai la révolution. N'avez-vous plus envie de servir la révolution?

– Je croyais que vous n'aspiriez qu'à une chose, c'était à quitter l'URSS? Je croyais même que c'était pour cette raison que vous aviez épousé votre mari? Entre nous, c'est ce qu'il pense.

– Je croyais que vous aussi, mon cher Carlos, vous ne portiez pas Staline dans le fond de votre cœur. Et je croyais – est-ce que je me trompe? – que ce n'était pas à vos yeux une raison suffisante pour renoncer à la révolution.

– Vous voulez me rendre chèvre, disait Carlos.

Ils rejoignaient les autres.

– De quoi parliez-vous? leur cria Simon d'aussi loin qu'il les aperçut.

– J'essayais de savoir su tu avais épousé une espionne, cria Carlos.
– Et alors? demanda Simon.
– Je ne sais toujours pas, dit Carlos.
– Quel talent! dit Simon.

– C'est pire que tout ce que nous croyions. Quand je pense qu'Agustin a pu avoir de l'indulgence et même de la sympathie pour ces gens-là... D'où ça lui vient, tu crois, ce goût pour les bourreaux? S'ils avaient gagné, le monde entrait dans la nuit.
– Tu as lu tous les dossiers?
– Tous les dossiers, non. Il y a des milliers et des milliers de feuillets. Je les ai parcourus. J'en ai vu assez pour savoir que nous sommes venus à bout de la plus effroyable entreprise d'asservissement de toute l'histoire. Ils auraient rétabli l'esclavage au cœur de la technologie.
– Qu'est-ce qui va se passer, à ton avis?
– Ils vont tous être condamnés à être pendus.
– Et Rudolf Hess?
– Qu'est-ce que tu veux que je te dise? Tu crois qu'il est innocent? Evidemment, je suis embêté. Oh, pas pour lui. Pour Vanessa.
– On pourrait peut-être essayer de lui éviter la peine de mort? Si on jouait le drame passionnel? Si on faisait vibrer la corde sentimentale?... Un peu de passion dans un procès politique : ce serait peut-être bien?
– Tu es fou? Pas question. On ne va pas courir au secours de criminels de guerre. Je suis désolé pour Vanessa. Mais ce qu'on peut faire de mieux pour elle, c'est de ne pas la mêler à toute cette

boue. Il n'est d'ailleurs pas impossible qu'il sauve sa tête. J'imagine que ses avocats vont plaider la folie. Tant mieux : Vanessa restera dans l'ombre.

– Tu as peut-être raison... J'imagine que tu as des contacts avec les autres délégations ?

– Surtout les Russes. Ils sont très bien. Très forts. Très calmes.

– Tu les connaissais déjà ?

– Un peu. De réputation. Tu sais...

– Oui ?

– C'est à peu près les mêmes que ceux des procès de Moscou.

– Je vois. C'est la politique, non ?

– Qu'est-ce que tu veux... Il faut ce qu'il faut. Je ne vais pas pleurer sur les nazis.

– Tu connais mon opinion : j'aurais exécuté tous les chefs sans jugement.

– Impossible. Il faut que le monde sache... La seule chose qui me gêne un peu, c'est de faire juger des vaincus par des vainqueurs.

– Ah ! tu ne vas pas te mettre à parler comme Agustin ?

– Non. Mais tout de même...

– Est-ce que, oui ou non, ils ont massacré les communistes, les juifs, les catholiques, les opposants ?

– Oui, bien sûr... Mais...

– Quand la police arrête des assassins, ce sont aussi des vainqueurs qui l'emportent sur des vaincus.

– Mais ce n'est pas la police qui les condamne : il y a pour les juger une justice indépendante. Ça ne t'ennuie pas de faire juger les chefs d'une armée vaincue par les représentants des puissances victorieuses ?

– Pas du tout. Je m'en fous. Je trouve que ce n'était pas la peine de les juger du tout.

– Eh bien, moi, j'aurais préféré faire juger les nazis par des neutres.

– Mon pauvre Carlos, tu ne seras jamais qu'un juriste !

– J'espère bien, dit Carlos. Tout le monde ne peut pas être un aventurier.

Premier : Laplanche, Jean.
Deuxième : Rinieri, Jean-Jacques.
Troisième : Foucault, Michel.
Quatrième : Sève, Lucien.
Cinquième : Moussa, Pierre.
Sixième : Guicharnaud, Jacques.
Septième : Guichemerre, Roger.
Huitième : Van den Heuvel, Jacques.
Neuvième : Bellaunay, Henri...
Dixième : ...

Les noms tombaient l'un après l'autre de la bouche du monsieur en noir, debout sur les dernières marches de l'escalier qui, de hauteurs mystérieuses, descendait vers la salle.

Une formidable angoisse tordait Jérôme Seignelay. Il laissa filer plusieurs noms, se contentant de prêter à la voix une attention négative et strictement sélective, chargée de repérer son propre nom qui ne venait toujours pas. Au fur et à mesure que la liste s'égrenait, les chances augmentaient un peu : il était plus facile d'être dixième ou douzième que premier ou deuxième; et elles diminuaient en même temps à toute allure : il y aurait une vingtaine de reçus, on avait déjà, largement, dépassé la moitié de la procession des élus. La litanie se poursuivait.

Onzième : ...
Douzième : Seignelay, Jérôme.

Quelque chose explosa. Jérôme, au vol, avait attrapé son nom. Le monde s'arrêtait. Immobile et muet, cloué au sol par la foudre, une joie immense l'emporta.

Un éclair devant les yeux, il n'entendait plus rien. Ses oreilles bourdonnaient. Est-ce qu'il avait bien compris ? Il eut le temps de se dire qu'il devait avoir l'air égaré.

Seizième : ...
Dix-septième : ...
Dix-huitième : ...

C'était fini. Le monsieur en noir pliait son papier, saluait d'un air gauche, regagnait ses hauteurs. Une rumeur sourde montait de la salle.

La consternation des vaincus l'emportait de très loin, car ils étaient plus nombreux, sur l'allégresse des vainqueurs. Ceux qui avaient entendu leur nom retentir dans le silence éprouvaient une sorte de honte : est-ce que c'était juste ? Est-ce qu'ils étaient meilleurs que les autres ? Le hasard, la chance avaient une part énorme au succès des uns et à l'échec des autres. Jérôme osait à peine lever les yeux autour de lui : il craignait de voir un reproche dans le regard des exclus. Seuls les cancres et les génies étaient parfaitement à leur aise : il était acquis depuis toujours que les premiers s'amusaient de tout et que les seconds seraient reçus. Quelques cancres, avec de grands sourires, serraient la main aux génies. Deux ou trois réputations solidement établies avaient été laissées sur le carreau. On cherchait autour d'elles les motifs de l'échec : un exposé de philosophie trop difficile et qui était passé au-dessus de la tête des examinateurs ou des prises de position politique un peu rudes, dans un sens ou dans l'autre, sur la Convention nationale, sur les massacres de la Commune, sur l'affaire Dreyfus, sur le 6 février. Dans un coin, auprès d'une fille assez jolie, un garçon de province pleurait.

Jérôme était partagé entre un bonheur fou et une gêne mêlée de tristesse. A quelques phrases, à quelques mots près, il aurait pu, lui aussi, être rejeté de la terre promise. Au moment même où le bonheur l'envahissait tout entier, il se voyait, littéralement, à la place de tous ceux qui n'avaient pas eu sa chance. Il ressentait avec force l'amertume de la victoire. Il crut que, lui aussi, il allait se mettre à pleurer. Pour faire revenir l'allégresse, il dut se dire presque à voix haute : « Je suis entré à l'Ecole. Je suis normalien. »

Des camarades venaient le féliciter et le prendre par les épaules avec de grandes bourrades. Alquié s'approchait de lui :

– Vous souvenez-vous, euh..., du boulevard Saint-Michel ? Il y avait déjà l'Ecole, euh... au fond de votre vin blanc.

S'il se souvenait du boulevard Saint-Michel ! Il eut envie d'embrasser Alquié, de lui dire tout ce qu'il lui devait. Ce n'était pas commode. Alquié souriait, l'air de se foutre un peu du monde. Jérôme, pris d'une panique heureuse, ne trouvait plus rien à lui dire. Il bredouilla seulement :

– Merci beaucoup, monsieur.

La foule commençait à s'écouler. Les uns se précipitaient chez leurs parents pour leur annoncer la bonne nouvelle, les autres allaient au cinéma voir Humphrey Bogart et Lauren Bacall ou se cachaient pour souffrir en silence. Plusieurs s'étaient déjà mis à jeter un coup d'œil sur la maison où ils allaient passer trois années, peut-être quatre, à bâcler des certificats de licence qui ne valaient déjà plus grand-chose et à préparer l'agrégation. Une vie nouvelle commençait.

Tout à coup, Jérôme se sentit affreusement seul. L'image d'André Bernard lui traversa l'esprit.

La guerre à peine terminée, Pandora O'Shaughnessy se rejeta dans le plaisir avec beaucoup d'ardeur.

– C'est la fin des vacances, me disait-elle en riant, radieuse entre ses cheveux blonds, plus éclatante que jamais.

Churchill quittait le pouvoir, chassé par les Anglais qui ne voulaient plus du grand homme, assimilé aux efforts et aux souffrances de la guerre. Attlee lui succédait, poursuivi par les sarcasmes du bouledogue à la retraite : « Un taxi vide s'arrête devant le 10, Downing Street. Le major Attlee en descend. » Churchill se remettait à peindre et Pandora à faire l'amour. Je dois à la vérité de déclarer, avec réserve mais avec conviction, que l'aînée des O'Shaughnessy réussissait mieux dans son domaine que l'homme d'Etat dans le sien.

Tout au long du conflit, répandue à des milliers et des milliers d'exemplaires, l'image de Pandora avait soutenu le moral des combattants. Elle se remettait à son compte et, après avoir semé l'enthousiasme, elle semait le scandale avec le même succès. Très vite, on la revit à New York, à Gstaad, à Paris, dans le sillage des Duff Cooper, à Venise, où elle fut la vedette du fameux bal masqué organisé au palais Labia, orné de fresques de

Tiepolo, par Carlos de Beistegui. Winston Churchill la présentait à de Gaulle qui lui tournait un compliment. Elle s'affichait avec Paul Morand dans une petite voiture rouge très rapide, avec un gondolier de Chioggia, rencontré, le soir du bal, sur la petite place, envahie par la foule, devant le palais Labia, avec Dominguin à Grenade, avec deux photographes de *Paris-Match*, un peu plus tard avec Maurice Herzog. Le Directoire et ses plaisirs avaient succédé à la Terreur.

Javier ressuscitait et rasait un peu tout le monde avec son attachement geignard à une femme qui l'aimait bien mais qui en aimait beaucoup d'autres. Sous prétexte qu'elle l'avait quitté assez peu lorsqu'il gisait, délabré, sur son lit d'hôpital, il s'installait dans le rôle, plus ou moins imaginaire, de l'amant de cœur bafoué de Pandora O'Shaughnessy. Je le voyais beaucoup à nouveau. Il m'obligeait à tenir le rôle ingrat de confident de ses amours.

– Elle a besoin de moi autant que j'ai besoin d'elle, je le sais, j'en suis sûr. Mais tu la connais : il faut qu'elle coure partout et qu'elle séduise les hommes.

– Est-ce que tu ne ferais pas mieux d'essayer de l'oublier ?

– Et toi, est-ce que tu l'oublies ?

– Ce n'est pas du tout la même chose. Je n'embête personne avec elle et nous menons chacun notre vie.

– C'est que tu l'aimes moins que moi.

– Je ne sais pas. Je voudrais surtout qu'elle soit heureuse. Et toi aussi, tant qu'à faire.

Peut-être à cause de Pandora, il se mettait à écrire. Il avait toujours eu du talent, menacé par la paresse. Je le soupçonnais de courir après le succès pour épater Pandora. La vie est si contrariante que, dans un cercle un peu restreint, une plaquette de Javier, à la vérité assez mince, un ouvrage un peu bizarre, un peu trop poétique à mon goût, avec des extases et des lacs et des passages entiers en vers blancs, fut assez bien accueillie : elle lui permit enfin de s'éloigner un peu de Pandora.

– Qu'est-ce que tu en penses? demandais-je à Pandora.

– De quoi? demandait Pandora.

– Du livre de Javier.

– C'est très joli, disait-elle.

– Tu l'as lu? demandais-je.

Elle se mettait à rire.

– Pas vraiment, disait-elle.

Javier ne se doutait pas de l'indifférence de Pandora. Il se laissait prendre à tous les pièges de sa nouvelle vocation. Dans ce milieu minuscule en train de renaître de ses cendres, on l'invitait, on le fêtait, il lorgnait sur les autres et sur leurs réussites. Il pensa à se remettre à ses travaux sur l'opéra et à cette biographie de Verdi qui l'occupait depuis si longtemps. L'agitation, la vanité, dans une certaine mesure le succès qu'il avait tant recherché pour servir son amour le sauvèrent de cet amour.

Le docteur Rémy avait soigné mon grand-père. J'étais resté lié avec lui. C'est par le docteur Rémy que j'ai, pour la première fois, entendu parler de Jérôme Seignelay.

– C'est un garçon très doué. Je l'ai connu dans des circonstances assez curieuses. Je vous les raconterai un de ces jours, quand le calme sera revenu.

Pour le docteur Rémy, le calme était très loin d'être revenu avec le départ des Allemands et la Libération. Ami intime du médecin personnel de Pétain, le docteur Ménétrel, il n'avait jamais caché son attachement au Maréchal. Très éloigné du national-socialisme, il avait été amené à plusieurs reprises à soigner des officiers allemands que le bonheur d'un séjour à Paris ne suffisait pas à protéger des grippes, des infarctus, des congestions pulmonaires. Il avait commis l'erreur de continuer à les voir après les avoir sauvés. Il n'est pas impossible que la femme du docteur Rémy, Florence, une grande brune assez jolie, ait eu des faiblesses pour Otto Abetz. L'ambassadeur de Hitler invitait régulièrement le ménage avec Brinon ou Luchaire, une ou deux fois avec Ribbentrop, de passage à Paris. A la Libération, les Rémy s'étaient enfermés dans leur maison de famille de la Haute-Vienne. C'est là que les FTP vinrent les arrêter.

Florence Rémy fut tondue et promenée dans les rues sous les lazzi de la foule. Elle devint presque folle. Il fallut l'interner. Le docteur Rémy fut jeté en prison. Il y resta assez longtemps, oublié, semble-t-il, par les autorités et pratiquement au secret, sans aucune possibilité de communiquer avec qui que ce fût. Jusqu'au jour où le père de Jérôme Seignelay, devenu un des chefs des FTP de Bourgogne, entendit parler du cas du docteur Rémy. Grâce à l'amalgame entre les forces de la Résistance intérieure et les troupes de la France libre, le père Seignelay, enfin remis de sa blessure, était sur le point de rejoindre, avec le grade de capitaine, l'armée du général de Lattre. Il n'était pas ingrat : il chargea son fils de s'occuper de l'affaire.

Jérôme Seignelay, qui était débrouillard et qui avait une lettre de son père pour des amis de Limoges, réussit à voir le docteur Rémy. Ils tombèrent dans les bras l'un de l'autre. Le docteur Rémy donna mon nom et mon adresse à Jérôme Seignelay. C'est ainsi qu'un beau matin, entre deux séjours à Nuremberg où j'accompagnais Pandora, très inquiète de Vanessa, je vis débarquer chez moi un normalien, très jeune, plutôt dégingandé, à peine ahuri par ses études et qui ne manquait pas de charme. Agustin et Atalanta étaient de passage à Paris. J'emmenai tout le monde déjeuner. Le lendemain, nous allions tous les quatre voir l'*Antigone* d'Anouilh. Agustin prit feu et flamme pour le docteur Rémy. Et Jérôme pour Atalanta.

Atalanta Lennon avait toujours été pour moi la plus mystérieuse des sœurs O'Shaughnessy. Longtemps, à l'époque où Pandora défrayait déjà la chronique au bras des vedettes d'Hollywood, où Jessica scandalisait son milieu par ses opinions révolutionnaires, où Vanessa filait le parfait amour avec un chef nazi, Atalanta était apparue comme l'image même de la raison et des vertus domestiques. Je m'interrogeais déjà, en ce temps-là, sur cette vie si réglée : je me demandais si ce calme et cette sérénité n'annonçaient pas des tempêtes.

Les tempêtes, pour l'atteindre, avaient fait un détour. Elles s'étaient déguisées en devoir. A Ankara, à Istanbul, Atalanta Lennon, à l'insu de son mari ou peut-être, pis, avec son accord avait poussé le devoir à ses limites extrêmes. Churchill l'avait remerciée, le roi l'avait décorée, elle avait connu son heure de gloire – et cette gloire nouvelle était aussi obscure que son obscurité de jadis. Personne chez les O'Shaughnessy, ne parlait jamais de Cicéron. C'était comme s'il n'avait pas existé. Mais il avait existé. Il avait même laissé, chez Atalanta, un souvenir assez vif. Atalanta Lennon, après la guerre, se garda bien de se lancer, à la façon de Pandora, dans les plaisirs de la vie. Elle reprit sa place, à Glangowness, auprès de Geoffrey Lennon, son mari. Mais quelque chose avait basculé.

Jérôme Seignelay fut littéralement ébloui, rien n'était plus naturel, par Atalanta Lennon. Atalanta, en ce temps-là, était encore une très jeune femme. Elle était très douce, apparemment très calme, ravissante, l'air d'une Madone sortie tout droit d'un tableau de la Renaissance italienne. Jérôme Seignelay avait neuf ans de moins qu'elle. Avec une naïveté qui n'avait d'égale que sa vivacité, il était le type même de l'intellectuel français qui n'a jamais rien vu, mais qui a tout compris. Il l'étonna.

– Qu'est-ce que c'est que ce garçon? me demanda Atalanta.

– C'est un futur professeur, lui dis-je.

– C'est drôle, me dit-elle, il n'a pas l'air très emmerdant. Un professeur de quoi?

– De grec, de latin, d'histoire, de philosophie, de lettres, je ne sais pas.

– Oh! là, là! dit Atalanta. Il doit être très calé.

– Et comment! lui dis-je.

Et pour donner plus de poids à ce que j'avançais, j'ajoutai à mi-voix :

– ... *Ces choses-là sont rudes,*
Il faut pour les comprendre avoir fait des études.

– Qu'est-ce que tu marmonnes? me dit-elle.

– Rien, lui dis-je. C'est du Hugo.

Je crois que, plus d'une fois, ils se virent sans m'en parler. Ils étaient assez grands, après tout, pour faire ce qu'ils voulaient.

Le contraste est saisissant entre ce qui se passe au Japon et ce qui se passe en Allemagne. Après la destruction par la bombe atomique d'Hiroshima et de Nagasaki, l'empereur Hiro-Hito, à l'issue de réunions plus dramatiques les unes que les autres où s'affrontent avec violence partisans et adversaires de la capitulation, décide de s'adresser à son peuple. Personne, depuis des siècles et des siècles, depuis des millénaires, n'a jamais entendu la voix de l'empereur du Japon. Voici qu'au milieu des ruines, aux carrefours des villes détruites, sur les places des villages, s'élève la voix mystérieuse. Elle est sourde, essoufflée, comme étranglée par la douleur. La plupart de ceux qui l'écoutent avec angoisse s'imaginent qu'elle va lancer un appel désespéré à la lutte à outrance, à la résistance *gyakusai* – jusqu'à la dernière extrémité. La masse des auditeurs autour des haut-parleurs a d'abord du mal à comprendre un langage rituel, formaliste, presque inintelligible pour le grand nombre. La réalité pourtant se fait jour peu à peu : l'héritier du Soleil, la divinité mythique, le descendant lointain de la déesse Amaterasu et de l'empereur Jimmu Tennô annonce la fin de la guerre, la défaite, l'occupation étrangère.

Des dizaines de milliers de fanatiques se refusent à cette honte. Le général Anami, ministre de la Guerre, s'est ouvert le ventre et fait trancher la tête dans le style le plus pur de la tradition japonaise. Le général Tanaka, partisan de la résistance, obéit à l'empereur et réprime une insurrection de rebelles, jusqu'au-boutistes avant de se faire hara-kiri. Le sang des suicidés se met à couler à flots. A l'exemple de Hamuro Tokinaga, les derniers kamikazes engloutissent leurs avions dans la baie de Tokyo. A bord du *Missouri*, ancré dans le port de Tokyo, le général MacArthur, entouré de deux fantômes tirés des camps japonais – l'Anglais Percival qui a capitulé à Singapour, l'Américain Wainwright qui a capitulé à Corregidor – et de deux amiraux de la flotte du Pacifique – Nimitz et Halsey – reçoit la capitulation du gouvernement japonais. Il prononce alors un discours stupéfiant. Il répudie tout esprit *of distrust, malice or hatred.* Il associe *both victors and vanquished* dans un effort commun vers la dignité et la paix. Il trouve des mots inouïs : « *As Supreme Commander for the Allied Powers, I announce my firm purpose, in the tradition of the countries I represent, to proceed to the discharge of my responsabilities with justice and tolerance.* » Quand les Japonais se retirent, écrasés par le désastre, dévorés par les larmes, hantés par la tentation du suicide rituel, le sifflet du premier maître les salue à la coupée.

L'Allemagne s'est effondrée. Alors que l'empereur Hiro-Hito choisit de cesser un combat que beaucoup des siens veulent poursuivre, Adolf Hitler se répand en malédictions contre le peuple de lâches qui ne veut pas mourir avec lui. Pendant que l'Allemagne détruite, affamée, saignée à blanc, parcourue en tous sens par des colonnes de réfugiés, agonise dans les ruines et dans la terreur de l'invasion soviétique, les dirigeants hitlériens – Hitler en tête, et Eva Braun, et aussi Goebbels, sa femme Magda et leurs six enfants, puis Himmler, et plus tard Goering – se suicident tour à tour. Le crépuscule des dieux nazis ne rappelle que de loin les suicides japonais : d'un côté, la tradition, le sinistre devoir, le désespoir de l'échec; de l'autre, la fureur, l'amertume des ambitions déçues, le recours à l'apocalypse. Les corps de Mussolini et de Clara Petacci pendent déjà par les pieds, à l'étal du boucher de l'histoire, sur le piazzale Loreto.

Soutenue par Agustin, par Pandora, par Atalanta, Vanessa O'Shaughnessy assista de bout en bout au procès de Rudi. Elle écouta le récit des crimes de la bande nazie, elle entendit les témoignages des rescapés des camps de la mort, elle vit les films de l'horreur et de l'ignominie. Atalanta et elle aperçurent Franz von Papen et Joachim von Ribbentrop avec qui ou près de qui elles avaient dîné et bu beaucoup de champagne, à Berlin ou à Ankara, dans les palais de Vienne ou de Rome. Franz von Papen fut acquitté. Ribbentrop fut pendu. Vanessa, jusqu'à la fin, entoura Rudolf Hess de sa tendresse et de sa pitié. Quand le tribunal, le faisant échapper, en raison de son état mental, à la mort par pendaison, le condamna à la prison à vie – et, à l'heure où j'écris ces lignes, il est encore le plus vieux condamné de toutes les prisons du monde – elle tomba évanouie dans les bras d'Agustin.

Peut-être vous souvenez-vous encore de cette nuit à Barcelone où, radieuses sous les bombes, les quatre sœurs O'Shaughnessy avaient dîné avec moi et avec le clan Romero ? Il y eut, à Nuremberg, quelques jours après le procès, une dernière session plénière de l'ordre du Royal Secret, une dernière réunion des Altesses du placard. Nous étions tous là, au complet – moins les morts, naturellement. Nous avons bu de la bière et mangé des saucisses.

Il y avait Pandora, Atalanta, Vanessa, un peu

pâle on dirait – mais quoi de plus naturel : l'homme qu'elle avait aimé venait d'être condamné à la prison à vie. Il y avait Carlos Romero : il venait d'envoyer Rudolf Hess, jusqu'à la fin de ses jours, à la prison de Spandau. Il y avait Agustin, torturé par l'histoire et plus sombre que jamais : il portait à Vanessa la même tendresse désespérée que Vanessa portait à Hess.

– C'est amusant, me disait Simon. On dirait du Racine. Oreste aime Hermione, mais Hermione aime Pyrrhus, mais Pyrrhus aime Andromaque. Et Andromaque aime un mort.

– C'est peut-être pire qu'Andromaque, répondais-je à Simon. Vanessa, je le crains, aimait deux hommes à la fois. Et elle n'aime plus aucun des deux.

Il y avait Simon Finkelstein, flanqué de Lara. C'était lui, j'imagine, qui avait le moins changé. Il n'avait jamais cru à grand-chose. Voilà qu'il triomphait en même temps que la justice, la paix, la liberté. Il y avait même Javier : il collait un peu à Pandora.

Nous avons pensé à ceux qui avaient été avec nous et qui étaient partis en avance. Et d'abord à Jessica. Elle était la plus tendre, la plus passionnée, la meilleure, je crois, des quatre sœurs O'Shaughnessy. Elle avait tout perdu : la guerre d'Espagne, Carlos, ses illusions, la vie. Nous avons levé nos chopes de bière et nous avons bu à sa gloire qui était celle des vaincus. Je me demandais, en buvant, à quoi pouvaient bien rêver Atalanta qui avait hérité de son mari, Carlos qui avait été son amant, Pandora qui avait été sur le point de lui enlever Carlos, Simon Finkelstein qui avait couché avec elle et qui l'avait tant tourmentée.

Nous avons pensé à Luis Miguel. Il était passé parmi nous sans laisser beaucoup de traces. Il s'était dépêché de mourir en héros. C'était toujours ça de pris. Il était déjà assez embêtant d'avoir raté sa vie : il n'avait pas voulu rater aussi sa mort. Avec la même ardeur et avec le même succès – ou le même insuccès – Javier avait pris sa place auprès de Pandora : il prononça quelques mots en souvenir de son frère.

Nous avons pensé à miss Prism. Elle était morte heureuse puisqu'elle était morte pour ses enfants et un peu pour nous tous. Pandora se leva et dit d'une voix très claire, malgré la bière et les saucisses :

– A Evangeline Prism qui a vécu pour ses garçons et qui est morte pour ses filles.

Nous bûmes encore un peu de bière à la mémoire de la rousse flamboyante que les quatre sœurs O'Shaughnessy avaient fait tourner en bourrique.

Personne, vous pensez bien, n'a osé boire à Rudolf Hess. D'abord nous le détestions. Ensuite il n'était pas mort. Nous avons bu à Staline, au général de Gaulle, au maréchal Tchang Kaï-chek, qui n'était pas compromettant, et à l'oncle Winston, héros de notre temps. Aucun d'eux n'était mort. Mais ils étaient vainqueurs. Agustin a tenu à lever sa chope à Franco, qui avait, assurait-il, tenu tête à Hitler et changé le sort de la guerre. Il s'engueula un peu, à ce propos, avec Carlos et Simon.

Nous aurions pu boire à Patton, à Fitzgerald, à l'espion Cicéron, à Hamuro Tokinaga, à tous ceux qui, à un moment ou à un autre, avaient fait leur entrée sur la scène du théâtre des sœurs O'Shaughnessy et des frères Romero. Rien de tout cela n'aurait été de très bon goût. Je me contentai de boire en bloc au bonheur des trois sœurs, sans regarder Vanessa.

C'est ce soir-là que Vanessa, pendant que je la ramenais à son hôtel, appuyée sur mon bras, m'annonça une nouvelle qui marquait une étape dans l'histoire des O'Shaughnessy et qui me laissa comme deux ronds de flan : elle voulait entrer au couvent.

Je m'arrêtai brusquement.

– Quelle idée ! lui dis-je. Pourquoi n'épouses-tu pas Agustin ? Il ne pense qu'à ça.

– Parce que je ne peux pas, me dit-elle. J'y ai pensé, moi aussi. Je ne peux pas. C'est même parce que je ne peux pas que je veux entrer au couvent.

– Quelle idée ! répétai-je.

– Pourquoi ? Tu as quelque chose contre les couvents ?

– Non. Bien sûr que non. Mais c'est la fin de ta vie.

– Et alors ? me dit-elle.

III

Tout est bien

QUELQUES années après la fin de la guerre, pendant que le général de Gaulle traversait son désert et que Mao Tsé-toung, là-bas, prenait le relais de Staline, j'avais acheté en Toscane, à peu de distance de l'Ombrie, un peu au sud de Sienne, entre Montepulciano et Pienza, cette maison de couleur ocre, entourée de trois cyprès et flanquée d'une terrasse, où nous nous sommes déjà rencontrés. Lorsque mon grand-père se vit contraint à vendre Plessis-lez-Vaudreuil, je m'installai pour de bon dans la maison de San Miniato.

J'ai toujours aimé l'Italie. Aucun autre pays au monde n'offre autant de beauté, de douceur, de grandeur et de gaieté. Je me suis beaucoup promené autour de San Miniato, poussant souvent jusqu'à Rome, jusqu'à Venise, jusqu'aux Pouilles ou à la Sicile, parcourant dans le bonheur toutes ces rues sans trottoir. Plusieurs fois, Atalanta, Vanessa et surtout Pandora sont venues avec moi. Je leur dois quelques-unes des plus belles heures de ma vie.

De temps en temps, les trois sœurs m'entraînaient un peu plus loin. Rien ne m'amuse ni ne m'intéresse davantage que l'odeur d'une époque, que le parfum des jours. Notre deuxième après-guerre avait renoncé à reproduire les contraintes et les charmes du début de ce siècle : avec ses automobiles et ses avions, avec le triomphe de la science, avec la démocratie, le monde avait trop changé pour revenir en arrière. Mais la tentation subsistait, après la chute de Hitler et des dictatures militaires, de répéter l'entre-deux-guerres. Séparément ou ensemble, les trois sœurs O'Shaughnessy m'emmenèrent encore à New York ou en Californie pour deviner l'avenir, à Chamonix ou à Zermatt pour dégringoler le Brévent ou les pentes du Cervin – et je vois encore Pandora, les yeux brillants d'excitation, grisée par la vitesse, sous un chapeau de fourrure de trappeur canadien que lui avait donné Patton –, en Grèce sur de beaux bateaux dont les voiles blanches sous le ciel bleu abolissaient le temps.

Quelque chose s'était modifié avec une sorte de violence et il n'était pas facile de trouver ce que c'était. Entre l'époque des Wronski et l'enfance des quatre sœurs, il était trop clair que la technique avait tout bouleversé. Qu'est-ce qui avait bien pu changer si fort, de part et d'autre de la guerre imposée par Hitler, entre les années trente et les années cinquante ?

Je crois que le changement était surtout dans nos têtes. Le monde était devenu instable. Une poignée d'hommes résolus avait suffi à le terroriser pendant plusieurs années : il avait du mal à retrouver son assiette après la grande secousse. La confiance légitime dans la solidité de l'univers, dont, malgré leurs passions, leurs malheurs, leurs ambitions, avaient joui les Wronski, les McNeill, les Landsdown, et même les Finkelstein, était sur le point de s'effondrer. La chute de la monnaie – de la livre anglaise, du franc français, du mark allemand, de la lire italienne – n'était que la traduction, l'incarnation financière de ce bouleversement. C'était à cause de cette fragilité et de cette insécurité qu'il fallait tirer de la vie, sans perdre le moindre instant, tout ce qu'on pouvait en attendre. La fidélité, les forêts, la tradition, l'épargne étaient au bord de l'évanouissement. A n'importe quel moment, à la moindre distraction, au premier faux mouvement, le monde allait sauter.

Je garde de ces années une double et contradictoire impression : la guerre était finie, j'avais trouvé la paix à San Miniato, le calme enfin était là, à portée de la main, et puis, en même temps rien ne serait plus comme avant, tout était provisoire, l'avenir qu'on nous avait promis s'éloignait presque aussi vite qu'un passé condamné et à jamais en fuite. La science progressait encore, mais, en physique, en chimie, en biologie, en médecine, elle se mettait tout à coup, elle naguère si triomphante, et à cause de ses triomphes, à avoir peur d'elle-même. Les communistes continuaient à croire en une société sans classes et en une fin de l'histoire, mais le doute, même chez eux, commençait à se glisser dans les esprits et à ébranler l'édifice. Le passé était mort. L'avenir en prenait un coup. Il restait le présent.

Nous vivions dans le présent avec avidité : il n'en avait plus pour longtemps. J'en profitais surtout pour fréquenter les trois sœurs et les trois frères Romero et pour recueillir tous les récits qui constituent cet ouvrage. Je me rappelle un voyage en Grèce où j'ai passé le plus clair de mon temps à interroger Atalanta et surtout Vanessa, qui avait bu trop de vodka au coucher du soleil, sur le placard des Altesses et sur le rôle de miss Prism. Je rassemblais dans une malle tous les souvenirs des Wronski, de Florinda de Bahia, de Pericles Augusto et du rabbin Finkelstein, qui vivait dans un shtetl, aux environs de Lublin, vers le milieu de l'autre siècle. Je ne m'occupais pas seulement du passé. Je parlais aussi de l'avenir avec Carlos et Simon.

Carlos Romero était devenu un grand homme. Après le rôle important qu'il avait joué à Nuremberg, il était revenu à Cambridge et à ses chères études. Il y avait mêlé une bonne dose de politique. Attlee lui avait demandé de se présenter aux élections sous les couleurs travaillistes. Il avait été élu dans une partielle au lendemain de la grande vague qui avait balayé Winston Churchill. L'oncle Winston, qui avait protégé ses débuts, lui en avait d'abord un peu voulu. Et puis il lui avait pardonné : Carlos Romero avait beaucoup de talent.

Carlos avait gardé des attaches avec l'URSS. Au lendemain de la guerre et pendant toutes les années cinquante et une bonne partie des années soixante, Carlos Romero et Simon Finkelstein, décorés de tous les ordres de l'Union soviétique, familiers du Kremlin, de formation marxiste, passèrent, l'un et l'autre, pour des compagnons de route du parti communiste. La réalité était un peu plus subtile. Il y avait, chez l'un et chez l'autre, des strates successives dont l'accumulation n'était pas simple. Simon était juif, foncièrement anarchiste, très antistalinien. Carlos était un privilégié qui était devenu un intellectuel communiste et il se débattait comme il pouvait avec des crises de conscience qui faisaient la joie de Simon.

– La vérité, me disait Carlos, c'est qu'il n'y a pas d'autre espérance que l'Union soviétique. Malheureusement, Staline est une fripouille.

– Dénonce-le, lui soufflais-je.

– Bonne idée! Pour me retrouver du côté des réactionnaires et des imbéciles!

– Eh bien, supporte-le.

– C'est ce que je fais. Staline, en tant que chef du communisme russe et international, est un mal nécessaire. Je me considère, à la rigueur, comme son adversaire de l'intérieur. Mais je considère comme un ennemi quiconque l'attaque de l'extérieur.

– Ne seriez-vous pas plus forts si Staline ne vous gênait pas?

– Il y a une hirondelle, chez Kant, qui s'imagine aussi qu'elle pourrait voler mieux si l'air ne la gênait pas.

Quand Simon était là, il rigolait de ces histoires et de ces tourments de l'âme. Pour lui, Staline était un fasciste ou quelque chose comme ça. La preuve, il avait fait tuer Trotski et se déguisait en maréchal. Il aurait fallu le faire sauter.

– Et alors? lui disais-je. Qu'est-ce qu'on attend?

– Il est trop fort, disait Simon.

Malgré Staline dont ils se méfiaient, Carlos Romero et Simon Finkelstein pensaient l'un et l'autre que la justice et la paix exigeaient une Russie invincible, avant-garde de la justice et du prolétariat. L'esprit des *Apostles* subsistait en Carlos. Et Simon, malgré tout, voyait dans le communisme le seul contrepoids aux pouvoirs sans limites de l'Amérique capitaliste. Aussi longtemps que les Etats-Unis furent les seuls détenteurs de la bombe atomique, Carlos et Simon furent convaincus que le chantage américain allait se déclencher d'un jour à l'autre et que la paix était en danger. Il fallait, à tout prix, rétablir l'équilibre. Ni l'un ni l'autre n'étaient des physiciens. S'ils l'avaient été, je suis persuadé qu'ils auraient fait l'impossible pour que le secret de la bombe fût livré au Kremlin dont ils détestaient l'occupant. Entre Burgess, Philby, MacLean, Anthony Blunt, tous les grands espions britanniques au service de l'URSS et Carlos Romero, les liens étaient très étroits. Je crois bien me rappeler que pour l'un d'eux au moins Carlos me demanda mon aide : il voulait l'installer à San Miniato dans le plus grand secret.

Je partais pour la mer, pour le soleil, pour la neige avec les sœurs O'Shaughnessy. Nous parlions de tout et de rien. J'allais à Prague et à Budapest avec Carlos et Simon. Le monde tournait, pour eux, autour du communisme. L'histoire n'avait pas d'autre but : ils croyaient dur comme fer à une révolution dont le chef leur faisait peur.

Il se passa quelque chose d'embêtant avec le docteur Rémy : il avait été acquitté par un tribunal qui s'était saisi de son cas et, à peine rentré chez lui, du côté de Limoges, il fut assassiné dans des circonstances qui n'ont jamais été éclaircies. C'est moi qui annonçai le drame à Jérôme Seignelay. Il était jeune, il croyait à tout, il aimait beaucoup son père qui avait été sauvé par le docteur Rémy. Le capitaine FFI Seignelay, qui avait chargé son fils de s'occuper du docteur Rémy, venait d'être tué en Alsace, à Masevaux, où le 2e bataillon de choc, qui mêlait des résistants peu habitués à la guerre à des vétérans chevronnés, s'était fait sérieusement accrocher. Par fidélité à son père, Jérôme Seignelay prit extrêmement mal l'affaire du docteur Rémy, qui défraya, quelques jours, en ces temps agités, la chronique des rumeurs vraies et des amertumes chuchotées. De tradition familiale, de formation intellectuelle, il était plutôt de gauche. Du jour au lendemain, je le vis avec stupeur prendre un chemin opposé à celui qu'empruntait, au sortir de la guerre, la foule des hésitants et des opportunistes : il se précipita avec violence dans l'hostilité aux communistes qu'il rendait responsables de la mort du docteur Rémy. Agustin, qui occupait des fonctions à l'ambassade d'Angleterre et qui passait à Paris le plus clair de son temps, se jeta sur lui avec un bel appétit. Je crois qu'ils montèrent ensemble une espèce de revue gaulliste d'extrême droite qui dura quelques mois et où des pétainistes repentis retrouvaient bizarrement des résistants désabusés.

Atalanta débarquait assez souvent à Paris.

– Tu viens acheter des robes? lui disais-je.

– Tu es fou? Est-ce qu'il y a des robes, à Paris?

– Bon, tu viens voir les boutiques?

– Quelles boutiques? demandait-elle.

– Alors, qu'est-ce que tu viens faire? lui disais-je en riant, les bras autour de ses épaules. Respirer l'air de la Seine?

– Je viens te voir, disait-elle.

– C'est épatant, lui disais-je. Rassure-toi : je t'invite demain à dîner.

Le lendemain, nous nous retrouvions dans un restaurant du Quartier latin ou du boulevard Saint-Germain où il n'y avait pas grand-chose à manger et où il fallait encore des tickets. Jérôme arrivait, en pantalon de velours, dans un chandail trop grand. Nous parlions tard dans la nuit. Et puis je rentrais me coucher.

Parfois Agustin, une ou deux fois Carlos, de passage à Paris, venaient se joindre à nous. Carlos, comme Agustin, éprouvait beaucoup de sympathie pour le jeune Seignelay. Il n'entendait pas le laisser en butte aux assauts d'Agustin et de la réaction.

– Qu'est-ce qu'on vous apprend, dans votre école? A regarder en arrière? Est-ce que vous savez que le monde change? Et qu'il faut l'aider à changer?

– Il faut peut-être aussi essayer de le comprendre? disait Jérôme en rougissant.

– *Les philosophes,* commençait Carlos, *se sont longtemps contentés...*

– *... d'interpréter le monde,* disait Jérôme. *Il faut maintenant le changer.*

– Ah! bravo! disait Carlos. Je vois que vous avez de bonnes lectures. Est-ce que vous avez beaucoup lu Marx?

– Surtout Hegel, disait Jérôme. Je suis un élève d'Hyppolite.

Le nom d'Hyppolite ne disait rien à personne. Atalanta se mettait à rire. Jérôme baissait la tête. Agustin rongeait son frein.

– Marx! Marx! On dirait vraiment qu'il n'y a que lui au monde. Nietzsche et même Schopenhauer sont des philosophes beaucoup plus importants que Marx. Et Heidegger aussi. Est-ce que tu connais un peu Heidegger? ajoutait Agustin à l'intention de Jérôme.

– Un peu, disait Jérôme. Par Beaufret. Il nous a traduit des passages de *Sein und Zeit.* Et j'ai lu le bouquin de Waelhens.

Sein und Zeit et Waelhens et Beaufret et Hyppolite étaient du chinois pour Atalanta. Elle regardait Jérôme qui croyait, l'innocent, qu'elle se moquait de lui et elle riait aux anges.

Brian O'Shaughnessy, X^e lord Landsdown, mourut d'un arrêt du cœur en chassant quelques grouses sur ses landes de Glangowness. Il avait soixante-douze ou soixante-treize ans. Il ne souffrit pas beaucoup et, par une chance assez rare, il avait ses trois filles autour de lui. Et j'étais là aussi, invité, comme souvent, par les trois sœurs à la fois. On avait ramené Brian sur une espèce de civière faite de branchages et de fusils. Le ciel était sombre. Des nuages de pluie roulaient sur les moors et sur le château gothique affreusement retapé. Hélène cachait ses larmes. Je l'avais connue radieuse dans les jours du bonheur : je me souvenais vaguement d'elle au bras de Brian O'Shaughnessy, le matin de son mariage où je portais ce fameux costume de velours que j'avais tant détesté. Je l'avais surtout vue en pleurs à l'époque où Pandora avait disparu en Italie avec Simon Finkelstein et où j'avais été investi par Churchill et par elle des fonctions redoutables de détective privé. Et, plus tard, au lendemain de la mort de Jessica, quand je me promenais avec elle autour de la pièce d'eau de Glangowness. Et encore lorsque Vanessa lui avait causé tant de tourments à la veille de la guerre. Son chagrin me déchirait. Une fille morte. Son mari mort. Elle entrait dans ces temps où la vie a cessé d'être une attente et une fête pour n'être plus qu'un fardeau. Après les obsèques de Brian dans la petite église de campagne, elle m'entraîna à nouveau dans une de ces terribles promenades dans les jardins de Glangowness.

– Je compte sur vous, me dit-elle. Que vont devenir mes filles ?

– Ne vous tourmentez pas trop, lui dis-je. Vos filles sont merveilleuses. Tout le monde les aime. Et moi aussi.

– Pour Atalanta, je ne me fais pas de souci. Elle est si calme, si sérieuse...

– Ah !... lui dis-je. Très calme. Très sérieuse.

– Mais Pandora ? Mais Vanessa ? Savez-vous que Vanessa veut entrer au couvent ?

– Elle m'en a parlé, répondis-je.

– Il faut qu'elle réfléchisse, qu'elle prenne son temps, qu'elle ne se laisse pas aller à des impulsions sentimentales... Elle boit beaucoup, vous savez. Je n'y comprends plus rien.

– C'est une fille très droite, et sûrement très malheureuse. Je la connais moins que Pandora. Mais je l'admire beaucoup.

– Et Pandora ! Est-ce que vous croyez qu'un jour elle finira par se remarier ?

– Je ne sais pas... Franchement, je n'en sais rien. Mais c'est une force de la nature. Je ne crois pas qu'il faille vous inquiéter pour elle.

– Elles vont être plus seules que jamais. Je voudrais que vous me promettiez quelque chose...

– Tout ce que vous voulez, lui dis-je.

– Elles vous aiment beaucoup toutes les trois. Promettez-moi, promettez-moi, maintenant que Brian n'est plus là...

Elle s'appuyait sur mon bras et elle se mettait à pleurer. C'était une manie, chez les O'Shaughnessy de toutes les générations, de pleurer dans mes bras.

– ... promettez-moi de vous occuper d'elles.

– Ça, lui dis-je, je vous le promets. Je vous le promets.

Qu'est-ce que je faisais d'autre, depuis la comtesse Wronski, que de m'occuper, presque à plein temps, des femmes irrésistibles et folles du clan O'Shaughnessy ?

Vanessa buvait. Elle hésitait visiblement entre la mystique et l'ivrognerie. Pendant les quelques jours que nous avions passés en Grèce sur un autre bateau de rêve qui me rappelait, de loin, l'illustre *Fairy Queen* et où j'avais tant appris sur la petite enfance des Altesses du placard, elle m'avait épouvanté par ses capacités d'absorption. Quand elle sortait épuisée des vapeurs de l'alcool, elle me parlait à nouveau de son projet d'entrer dans un couvent et d'y trouver enfin cette paix qui lui manquait.

– Tu sais, me disait Simon quand nous nous préoccupions de Vanessa, je me demande si l'autre grand Juif ne nous serait pas d'un grand secours.

– L'autre grand Juif ?... demandais-je.

– Pas Einstein, me disait-il. L'autre.

– Mais quel autre ? lui disais-je.

– Ne sois pas idiot, me disait-il. Il y a quatre grands Juifs dans l'histoire...

– Peut-être davantage ? suggérais-je. Spinoza est un grand Juif. Et Moïse de Léon aussi.

– Bon, bon, me disait-il, arrête de faire le malin. Les quatre grands Juifs sont Einstein, Karl Marx et le bon docteur Freud...

– Et le quatrième ? demandais-je.

– Jésus-Christ, voyons. Mais celui auquel je pense, c'est Freud, bien entendu. Est-ce que tu ne crois pas que Freud nous serait des plus utiles ? Je suis sûr que ses disciples pourraient faire un bien fou à nos trois belle amies. Et surtout à Vanessa.

J'ai toujours été un peu réactionnaire et un peu arriéré.

– C'est à voir, répondais-je.

Je me demandais si, de tous les grands Juifs, Jésus, en fin de compte, n'était pas le plus sûr et s'il n'était pas plus capable que Karl Marx et Sigmund Freud de sauver les gens en général et Vanessa en particulier.

Il y avait aussi l'argent. Tout ce que j'ai raconté était rendu possible par une puissance sombre et gaie dont je ne parle pas à tout bout de champ, mais qui était tapie quelque part derrière les passions et les rêves : c'était l'argent. A plusieurs reprises, j'avais accompagné Pandora et Javier, et même une fois Simon, dans des voyages mystérieux au pays du chocolat et des horloges à coucou. Une bonne partie de ce qui restait de la fortune du comte Wronski et de celle de Jérémie Finkelstein était tapie dans des banques suisses. Carlos Romero, toujours pur et rigoureux, avait retiré sa part pour la faire rentrer en Angleterre. Mais les autres avaient laissé à l'UBS – Union des banques suisses – ou dans de petites banques privées un tas d'actions ou d'obligations qui ne prêtait pas à rire.

– Quoi! disais-je à Simon, toi aussi (j'avais fini par le tutoyer après de longues années de vouvoiement), toi aussi tu as des fonds en Suisse?

– Et alors? me disait Simon. Tu crois que l'argent est réservé aux imbéciles de droite?

– Je ne sais pas..., lui disais-je. Tes idées, tes convictions...

– Mon idée, disait Simon, c'est que le monde est très divers et que rien n'est éternel et que tout passe très vite. Je prends le plaisir où il se trouve. Et tant qu'il y a de l'argent en Suisse, je ne vois pas pourquoi les marxistes n'en profiteraient pas eux aussi.

L'argent des Romero ne se limitait pas à la Suisse. L'empire édifié par Conchita Romero avait continué, après la mort de la fondatrice, à prospérer en Argentine. L'arrivée de Perón et de son *justicialismo,* et peut-être surtout d'Evita qui, grâce à ses *descamisados,* avait pris en main l'Aide sociale et le ministère du Travail, posait de sérieux problèmes. Javier fut chargé par ses frères d'aller voir là-bas comment marchaient les affaires après tant d'années de guerre qui avaient rompu les ponts. Il proposa à Pandora d'aller passer quelques semaines avec lui en Amérique du Sud. Elle accepta aussitôt – à une seule condition : c'était de m'emmener avec elle. Je ne suis pas sûr que cette idée parût lumineuse à Javier. Il rechigna un peu. Et puis, à son tour, il accepta. Nous partîmes tous les trois.

Avez-vous jamais débarqué à Rio de Janeiro? C'est un spectacle épatant. La baie, en ce temps-là, n'était pas encore barrée par le grand pont de Niterói. Les plages de Flamengo, de Botafogo, de Copacabana voyaient à peine surgir quelques-uns de ces gratte-ciel qui ont tout envahi. Ipanema ne comptait qu'un petit nombre de maisons, dont le célèbre Country Club où nous allions presque tous les soirs manger des camarões ou une feijoada et surtout boire nos batidas. A partir de Leblon, la nature était vierge. Le Corcovado et le Pain de Sucre dominaient un des paysages les plus impressionnants du monde. Avant le coucher du soleil, nous montions souvent jusqu'à la Tijuca ou à Vista Chineza voir les derniers feux du jour sur la baie de Guanabara.

Nous avions eu la chance d'arriver pour le carnaval. Pandora, vous pensez bien, s'en donna à cœur joie. Elle avait déniché une école de samba et elle n'en décollait plus. Elle dansa trois nuits de suite, dans les rues, avec des négresses qui l'avaient adoptée. Elle chanta les chansons du carnaval brésilien dont quelques-unes sont devenues célèbres jusque chez nous. Je me rappelle vaguement les paroles d'un des grands succès de l'époque :

Mamãe, eu quero,
Eu quero,
Mamãe, eu quero mamãr.
Dá a chupeta
Prô bebê não chorar

Je me souviens surtout d'un tourbillon de couleurs et de sons, de toute une foule exaltée, d'une marée humaine en délire qui ondulait lentement autour de chars fleuris frénétiquement acclamés, de tableaux vivants, tirés, dans la fantaisie la plus débridée, de la mythologie ou de l'histoire – et de Pandora portée en triomphe par des nègres ivres morts. Je suivais tant bien que mal, agitant un de ces lance-parfum chargés de répandre dans toute la ville une odeur persistante d'éther qui contribuait presque autant que l'alcool à enivrer les danseurs. Javier traînait les pieds.

Quand le jour se levait, incapables de dormir, nous allions raccompagner en voiture dans ses *favelas*, sur les *morros*, à la lisière de la forêt tropicale, toute l'école de samba. Elle s'entassait sur les sièges, elle s'accrochait aux portes, elle s'installait sur les ailes et sur le capot, et elle continuait à chanter au son de ses trompettes et de ses guitares. Nous arrivions dans des maisons qui tenaient debout par miracle. La misère la plus noire succédait d'un seul coup à l'allégresse la plus folle. Pandora, à moitié nue, se transformait en infirmière. Elle sortait des seringues et du lait du coffre de la voiture et commençait à régner sur des familles de dix ou douze enfants aux yeux chassieux et aux membres déformés qui s'accrochaient aux petites choses qui lui tenaient lieu de vêtements. Appuyés contre les murs, adossés à la porte, les grands frères des enfants en train d'être torturés et choyés regardaient la scène en riant. Ils étaient beaux comme des dieux tirés d'un marbre noir. Pandora, toute la nuit, avait dansé avec eux.

La mauvaise humeur de Javier commençait à se donner libre cours. Le carnaval passé, nous restâmes encore quelques jours à Rio pour nous baigner sur les plages et nous promener parmi les bananiers et les palétuviers qui assiégeaient la ville. Nous poussions jusqu'aux hauteurs de Petropolis et de Teresopolis où nous retrouvions la fraîcheur, nous prenions un petit bateau sous le soleil brûlant de mars et nous débarquions, au beau milieu de la baie, sur Paqueta, l'île aux fleurs. Nous sommes mêmes allés passer, à une centaine de kilomètres au sud-est de Belo Horizonte, dans l'Etat de Minas Gerais, quelques jours délicieux dans une petite ville endormie parmi ses églises et ses palais sortis tout droit du XVIIIe siècle : Ouro Presto. Un peu plus loin encore, à Congonhas do Campo, nous avons vu le chemin de croix et les statues des prophètes d'un sculpteur de génie : António Francisco Lisboa, dit l'Alejadinho. Le soir, quelquefois, quand nous allions nous coucher, Pandora disparaissait. Elle se jetait avec impatience dans ces nuits brésiliennes à qui la Croix du Sud donne quelque chose de magique. Elle reparaissait le matin, aussi vive, aussi fraîche qu'après huit heures de sommeil. Javier ne décolérait pas.

– Et tu ne dis rien! me reprochait-il. Elle traîne on ne sait où, avec on ne sait qui, pour faire on ne sait quoi, et tu trouves ça tout naturel!

– Ecoute, Javier : ni toi ni moi ne sommes chargés de la surveiller. Est-ce que tu sais qu'elle a trente ans, et un peu plus? Je lui ai couru après quand elle en avait seize, je n'ai pas l'intention de continuer, jusqu'à sa mort, ou à la mienne, à lui servir de nounou.

– En tout cas, je lui dirai ce que je pense.

– Je ne te le conseille pas, lui disais-je.

– Bien sûr. Tu es avec Pandora comme un petit chien qui aurait peur de son ombre.

– De quoi parliez-vous? nous criait Pandora qui arrivait sur la plage ou sur la terrasse où nous étions étendus, notre batida à portée de main.

– De rien, grommelait Javier avec une mauvaise humeur qui faisait rire Pandora. De ces sacrés Brésiliens qui ne sont pas bons à grand-chose. Tu connais la formule : « Le Brésil avait un grand avenir, il a un grand avenir, il aura toujours un grand avenir. »

– De rien, disais-je, nous traitions, avec une certaine élévation d'esprit, de divers sujets de morale et de psychologie.

– Vous savez, disait Pandora, il y a trois choses

dont il ne faut jamais parler au Brésil : la chaleur, les serpents et les nègres.

– Nous ne parlions ni de chaleur ni de serpents..., disait Javier.

– A peine des nègres, disais-je.

– J'en ai vu un très beau, disait Pandora.

– J'en étais sûr, disait Javier, avec sa tête des mauvais jours.

– Eh bien, disait Pandora en nous regardant d'un air soupçonneux, je préférerais encore que vous parliez, en mon absence, de la chaleur et des serpents. Laissez donc les nègres un peu tranquilles.

Nous quittions le Brésil. C'était dommage. Malgré l'humeur de Javier, nous avions aimé le pays, nous avions aimé les gens. J'avais souvent pensé à Florinda et à Pericles Augusto dont le sang coulait dans les veines des quatre frères. Peut-être parce que nous approchions du berceau argentin, il me semblait que l'influence un peu sévère de Conchita Romero et de son fils Aureliano, l'humaniste moralisateur, était en train de l'emporter chez Javier sur le charme lointain de Jérémie Finkelstein et sur la fantaisie et l'insouciance brésiliennes.

L'Argentine fut un cauchemar. Les choses avaient pourtant commencé assez bien. Nous nous étions installés à Buenos Aires, d'où nous allions visiter les usines et les troupeaux surgis de la poigne de fer de Conchita Romero. Autour des *estancias*, le vertige horizontal de la pampa argentine faisait tourner la tête de Pandora. Suivie de deux ou trois gauchos qui n'avaient jamais rêvé pareille fête, elle montait à cheval toute la journée et parcourait d'énormes distances sans fatigue apparente.

– Ce qu'il y a de bien chez toi, lui disais-je, c'est la santé.

– De ce côté-là, ça va.

– De tous les côtés, ça va.

– Je ne suis pas sûre, me disait-elle.

– Allons bon ! lui disais-je. Qu'est-ce qui ne va pas ?

– Tu sais bien..., me disait-elle.

– Ça s'arrangera, lui disais-je. Un peu de calme, un peu de patience... Ce serait bien le diable si tu ne finissais pas par tomber sur quelque chose de bien.

– Je me sens si bizarre, me disait-elle. De temps en temps, je...

– Et puis, de temps en temps, tu...

– C'est ça, c'est exactement ça ! me disait-elle en secouant la tête.

Et elle éclatait de rire.

Toujours fidèle à elle-même, elle se dépensait le jour sans compter et elle vivait la nuit. Dans les boîtes de Buenos Aires, où régnait encore le tango, elle traînait jusqu'à l'aube. Elle s'était prise de passion pour les tangos de Gardel et ce qui devait arriver arriva : elle s'enticha d'un chanteur de tangos qui était aux limites de la caricature – et, je crois, un peu au-delà. L'affaire, grâce à Dieu, ne dura que quelques jours et ne tira pas à conséquence. Elle suffit à mettre Javier dans une fureur que j'eus du mal à apaiser.

– Tiens-toi tranquille, dis-je à Pandora. Pas pour Javier. Pour moi.

– Promis, me dit Pandora.

Je la pris dans mes bras. Elle se serra contre moi.

– Le monde est mal fait, me dit-elle.

– Le monde?... Ou peut-être nous?
– Quelle pitié! me dit-elle.
– Tu n'en penses pas un mot, lui dis-je.
Elle me regarda.
– Tu sais bien que si, me dit-elle. Mais je n'y peux rien.
Nous avions encore à effectuer une sorte de pèlerinage laïc aux sources de la carrière argentine et de la fortune de Conchita Romero : débarrassés du chanteur de tangos, nous partîmes pour Bariloche et pour le lac Nahuel Huapi avec un sentiment de soulagement.
San Carlos de Bariloche et son parc national et tout le lac Nahuel Huapi forment un cadre admirable. Il avait déjà beaucoup changé depuis le temps où Conchita Romero, flanquée d'un petit garçon qui était le père de Javier, s'y était réfugiée pour échapper aux avances d'un dictateur trop pressant. L'endroit restait superbe et nous y fûmes très heureux. Javier pêchait, vérifiait les comptes, s'essayait à l'aquarelle. Le soir, tous les trois, nous dînions autour d'un feu. Comme dans les *estancias* du Nord, Pandora se remit à cheval et parcourut en tous sens les paysages accidentés autour de la vieille maison qu'avait tant aimée Aureliano. Elle se promenait à cheval avec l'arrière-petit-fils du vieux gardien de la maison qui nous racontait les légendes du pays. C'était un grand garçon sympathique, au visage ouvert et qui riait tout le temps.
– Tu ne vas pas..., dis-je à Pandora.
– Tu es fou? Pas question. Le chanteur de tangos m'a suffi.
– C'était une erreur.
– J'ai peur que oui.
– Tout va bien, lui dis-je.
J'allais trop vite en besogne. Et Pandora aussi.

Quelques jours plus tard, à la veille de notre retour à Buenos Aires, elle m'annonça que Domingo allait venir avec nous.

– C'est impossible, lui dis-je.

– Impossible? Pourquoi? Il ne connaît pas Buenos Aires. Il m'a donné beaucoup de son temps. Je lui ai promis de l'emmener et de payer son voyage.

– Javier va être ivre de rage. Tu ne peux pas lui faire ça. Domingo, après tout, est un de ses employés.

– Je m'étonne, me dit-elle, de cet argument dans ta bouche. Sommes-nous à l'âge féodal? Faut-il une autorisation du maître pour se déplacer dans le pays?

Nous étions debout, l'un en face de l'autre. Elle résista longtemps. Je finis par la convaincre et nous débarquâmes à nouveau, tous les trois, pour encore quelques jours, dans le hall déjà familier de l'hôtel Alvear. Javier avait retrouvé son calme et presque sa bonne humeur. Quand la jalousie ne l'égarait pas, il était un être exquis et le meilleur des amis.

Un soir, je vis Pandora arborer un sourire que je connaissais bien et qui n'annonçait rien de bon. C'était celui qu'elle avait eu à Castellorizo quand elle avait fait la connaissance de Thomas Gordon sur son bateau gigantesque ou au Jardin d'Allah, au bord de la piscine ridicule, en attendant Scott Fitzgerald.

– Je sors ce soir, me dit-elle.

– Sans nous? demandai-je.

– Sans vous, me dit-elle.

– Eh bien, c'est gai, lui dis-je.

– Domingo est arrivé.

– De mieux en mieux, lui dis-je. Javier va se déchaîner.

– J'ai pensé à quelque chose, me dit-elle.
– A quoi donc? lui dis-je. J'attends le pire.
– Tu vas emmener Javier n'importe où et tu t'occuperas de lui.
– Comme c'est commode! lui dis-je.
– Il m'a parlé d'un combat de boxe où il avait envie d'aller. Vous irez tous les deux et je sortirai de mon côté. Après tout, nous ne sommes pas mariés, tous les trois. Chacun est libre de faire ce qui lui plaît.

Avec sa chute empoisonnée, l'argument était sans réplique.

De nouveau, pourtant, je discutai pied à pied. Elle me menaça de nous planter là tous les deux et de nous laisser rentrer sans elle en Europe. Je me voyais déjà à Glangowness en train d'expliquer à Hélène, naturellement en larmes entre mes bras, que nous avions abandonné Pandora en Argentine. En échange d'une promesse de revenir avec nous selon les plans établis, j'eus la faiblesse d'accepter son chantage. Je n'ai jamais été bien fort, je l'avoue, en face des sœurs O'Shaughnessy – et surtout de l'aînée.

Javier était embêté de sortir sans Pandora pour aller voir son match de boxe. Il fit semblant d'hésiter, mais la boxe le tentait. Il y eut une scène de comédie où ce fut Pandora qui parut se sacrifier pour nous laisser seuls pendant la soirée.
– Ça ne fait rien, disait-elle. J'irai au cinéma.
– Et si Jean allait avec toi?
– Mais non! disait Pandora. Allez donc voir tous les deux vos tueurs bien-aimés. Je déteste le sang. Je vous rejoindrai après le match.
– Allez, viens! dis-je à Javier.

Le combat était superbe. Le champion du monde fut mis KO à la huitième reprise sous les acclamations de la foule. Javier était enchanté.

Nous nous rendîmes tous les deux dans la boîte où Pandora était censée nous retrouver.

Je savais que Pandora ne paraîtrait pas du tout. Pour rendre les choses plus faciles, je commis une erreur : je fis boire Javier et je bus moi-même pas mal. Que pouvions-nous faire d'autre? Les heures tournaient et tournaient. Javier était fin soûl et je ne valais guère mieux.

Quand il comprit enfin, dans les vapeurs de l'alcool, que Pandora ne viendrait plus, Javier devint méchant. Il m'accusa de tous ses maux et de lui avoir monté un coup. Je le comprenais un peu. Je bégayai des mots qui n'avaient pas grand sens.

– Ah! mon salaud! disait Javier. Ah! mon salaud!

– Nous ne sommes pas bien, ici? lui disais-je d'une voix pâteuse.

– Non, nous ne sommes pas bien, ici, me disait-il en pointant vers moi un index accusateur. Parce que tu es un salaud.

– Nous sommes tous, euh..., nous sommes tous des salauds.

– Et elle... et elle... et elle, c'est une salope.

– Ne dis pas ça!

– Une salope, parfaitement. Une salope. Comme Pomponnette.

Je me mis à rire un peu fort et je ne pouvais plus m'arrêter.

– Comme Pomponnette! comme Pomponnette!

– Comme Pomponnette!

Nous hurlions de rire tous les deux. Il se leva de son siège et vint s'abattre sur moi. Je me levai à mon tour et nous nous jetâmes dans les bras l'un de l'autre.

– Viens danser, me dit-il.

– C'est ça, lui dis-je. Nous sommes bien, ici. Allons danser.

Nous nous traînâmes sur la piste où il n'y avait plus grand monde, grâce à Dieu, et nous nous serrâmes l'un contre l'autre à la stupéfaction des serveurs et de l'orchestre qui avaient vu beaucoup de choses, mais rarement deux hommes ivres morts en train de se tordre de rire et de s'accrocher l'un à l'autre au rythme d'un paso doble qu'ils avaient du mal à suivre.

– Pomponnette ! me disait-il.

– Pomponnette ! Pomponnette !

Il s'écroulait dans mes bras. Je le redressais comme je pouvais.

– Qui... qui est Pomponnette ? demandai-je soudain dans un éclair de lucidité.

– C'est une salope, me dit Javier.

Je vis qu'il avait les larmes aux yeux.

– Ah ? bien sûr ! lui dis-je.

– Comment, bien sûr ?

– Bien sûr ! lui dis-je.

– Pomponnette !

– C'est une salope, lui dis-je.

Il se passa alors quelque chose de stupéfiant. Je vis Javier se détacher de moi, tituber quelques secondes et me flanquer un coup de poing qui m'étendit par terre. C'était la nuit de la boxe. Au moment où je me relevais, il se jeta sur moi avec une force que je ne lui soupçonnais plus et nous roulâmes ensemble sur la piste au milieu des cris des danseurs et du personnel épouvantés.

Le reste, je ne m'en souviens plus très bien. Je crois que des serveurs nous relevèrent en nous tenant les bras derrière le dos comme dans un film de gangsters. Javier réussit à se dégager, se précipita vers une table et prit une bouteille de champagne qu'il brisa contre le seau à glace en la tenant par le goulot. Il y eut un grand cri dans la salle et je sentis quelque chose de chaud qui me tombait sur les yeux.

L'air frais du matin me réveilla dans la rue. Je vis une foule autour de nous et deux policiers argentins qui traitaient Javier avec un peu de rudesse.

– Ne le touchez pas! criai-je. C'est un héros japonais!

Les semaines, les mois, les années passèrent. Mathilde – vous vous souvenez de Mathilde? – s'était lassée d'attendre. Elle avait épousé le fils d'un pharmacien de Dijon. Jérôme Seignelay avait été reçu haut la main à l'agrégation de philosophie. Je m'étais lié avec lui. Parce qu'il avait quinze ou vingt ans de moins que moi, je m'étais décidé à le tutoyer pendant qu'il me vouvoyait. Je le voyais monter, une à une, les premières marches de la carrière que je n'avais pas faite. Il devint assez vite, aux côtés de Georges Bidault qu'il avait retrouvé, puis de Pierre Lazareff que j'apercevais de temps en temps avec ses bretelles et ses lunettes sur le front, un des espoirs du journalisme politique de la IVe République. De temps en temps, Atalanta ou Agustin l'invitaient à venir passer en Angleterre les fêtes de Pâques ou deux semaines d'été. Il nageait, il jouait au tennis, il s'essayait au cricket avec la même ardeur qu'il avait mise naguère à étudier Spinoza ou Hegel. Je l'imaginais assez grand, maladroit, les cheveux en broussaille, un peu débraillé dans le décor solennel de Glangowness.

J'ai vu ton ami Jérôme, m'écrivait Pandora. *Il parle anglais avec l'accent de Maurice Chevalier. Nous nous battons entre nous pour lui servir son thé. Il est charmant... Quel dommage de n'avoir plus vingt ans, ni même trente...*

Ma chère Pandora, lui répondais-je, *ça va bien comme ça. Tout le nécessaire est fait. Je t'interdis absolument de t'intéresser à la philosophie et à la culture française. Ce ne sont pas tes oignons. Je vais essayer de m'occuper de Jérôme un peu mieux que de toi. Ne lui brouille pas les idées. Je suis déjà assez inquiet de savoir ce pauvre Jérôme – il devrait s'appeler Daniel – dans la fosse aux lionnes du zoo O'Shaughnessy.*

Ne te mets pas martel en tête, me répondait à son tour Pandora. *Nous ne mangerons pas ton philosophe. Atalanta est parfaite, comme toujours. Tu connais son air de douceur et de grande réserve.* She is very dignified. *Elle s'occupe de lui sans avoir l'air d'y toucher, et d'ailleurs, je crois, sans y toucher, comme une dame patronnesse, déjà parvenue à un âge canonique, d'un séminariste méritant. Ce qu'il y a de merveilleux avec elle, c'est sa capacité à expulser l'équivoque. Il semble que je sème le scandale. Elle cultive l'apaisement. Est-ce qu'il y a eu quelque chose, dans des temps reculés, sous la reine Victoria, à l'époque de la guerre des Boers, entre Jérôme et elle? Personne, en tout cas, ne peut plus s'en douter. J'ai parfois le sentiment qu'ils se sont jetés tous les deux sur un philtre d'oubli pour faire passer le goût de l'élixir d'amour.*

Elle cultivait l'apaisement... Je ne sais pas si j'ai le droit de faire une place dans ces souvenirs à des bruits, peut-être calomnieux, qui couraient Londres et Paris, vers le début des années cinquante, sur la nouvelle Lady Landsdown. Tout ce qui entoure Atalanta traîne un parfum de mystère. Dans le calme de Glangowness, la même incertitude qui régnait jadis à Ankara et au sein des palais de bois d'Istanbul flotte autour de la belle épouse, si digne et si sérieuse, de notre cher Geoffrey Lennon, XIe lord Landsdown.

Au lendemain de la guerre, Geoffrey Lennon, qui, après tant d'épreuves en Norvège, à Dunkerque, dans les sables de Libye, avait donné l'exemple en Normandie d'une conduite magnifique, en kilt traditionnel et col roulé de cachemire blanc, au son des cornemuses, s'était retrouvé ambassadeur d'Angleterre à Athènes d'abord, puis, plus tard, à Paris. En 1951, et pour quelques années encore, Winston Churchill reprenait le pouvoir. Peut-être pour se faire pardonner un certain déjeuner où il avait invité Carlos Romero en même temps que Jessica O'Shaughnessy, alors fiancée au jeune Lennon, il fit figurer Geoffrey sur la liste des honneurs, l'éleva à la pairie et releva à son bénéfice le titre des Landsdown qui, pour la seconde fois, était tombé en déshérence à la mort de Brian. Geoffrey, toujours élégant, s'interrogea sur ses droits. Jessica était morte. Vanessa vivait dans une retraite dont elle n'avait pas l'intention de sortir. Restait Pandora. Il lui fit part de ses scrupules. Elle le rassura dans les rires.

– Si le titre est relevé, n'est-ce pas à ton futur mari qu'il pourrait aller un jour ? Après tout, tu es l'aînée.

– Je suis aussi, avec Vanessa, celle qui a accumulé le plus de conneries. Ne t'en fais pas. Si je me marie jamais un jour, je doute, tu me connais, que ce soit avec un lord ou avec un futur lord (*... neither with a lord nor with a lord to-be*).

Geoffrey Lennon, comme jadis Brian à l'émerveillement de ses filles, fit son entrée dans la Chambre des lords et, toujours animée par le sentiment du devoir, sa femme continua à le rendre très heureux. C'est sur les voies et moyens empruntés par ce bonheur que s'élevèrent les rumeurs.

Agustin, le premier, me mit la puce à l'oreille. Je le voyais d'autant plus souvent que Javier me battait froid. Nous nous étions réconciliés avant de quitter l'Argentine. Et puis, tous les trois, nous étions revenus par New York où des scènes violentes, dont je n'ai pas envie de parler, m'avaient à nouveau opposé à Javier. Je crois qu'il me soupçonnait d'une passion secrète pour Pandora et de travailler contre lui. Nos relations avaient perdu de leur charme : Javier et moi avions cessé de nous voir. C'était Agustin surtout – et Pandora naturellement – qui me donnait des nouvelles des Romero. J'apprenais que Carlos poursuivait son ascension au sein du parti travailliste dont il devenait, dans l'opposition à Eden, successeur de Churchill, le théoricien quasi officiel. J'apprenais que Javier publiait des poèmes qui faisaient enfin de lui un des rivaux possibles des W.H. Auden et des Stephen Spender.

– Peut-être, me disait Agustin, peut-être le verrons-nous un jour en poète lauréat?

L'idée m'enchantait.

– Est-ce que les succès littéraires de Javier impressionnent Pandora? demandais-je.

– Penses-tu ! me disait Agustin. Elle s'en fiche bien.

– Tant mieux pour lui ! disais-je. C'est sa seule chance de s'en tirer.

– Chacun de nous, disait Agustin, s'arrange comme il peut avec ses propres mystères.

Nous parlions ainsi de choses et d'autres, nous retournant sur nous-mêmes, évoquant des souvenirs, ressuscitant les ombres que nous avions été, nous taisant de temps en temps pour tirer sur nos cigares. Depuis qu'il avait renoncé aux courses automobiles, Agustin avait un peu grossi. J'avais changé, moi aussi : j'étais le seul, évidemment, à ne pas pouvoir m'en rendre compte. Rien ne me frappait plus, au contraire, que les modifications apportées chez les autres par le temps en train de passer. Et, dans les cas douteux, les confidences des uns et des autres m'aidaient à y voir plus clair. Ce que m'avait dit Jérôme sur ses rapports avec Agustin m'avait vaguement alerté : une ou deux fois déjà, je m'étais demandé si Agustin, après sa passion malheureuse pour Vanessa, n'avait pas pris goût aux garçons. Au moment même où cette idée, à nouveau, par un cheminement obscur déclenché probablement par l'emploi du mot « mystères », me traversait l'esprit, Agustin, comme s'il m'avait deviné, s'emparait de ma pensée pour l'entraîner sur d'autres voies.

– Est-ce que Jérôme t'a parlé de son dernier séjour à Glangowness ?

– Il m'en a dit quelques mots. Tout s'est très bien passé, je crois.

– Très bien... Un peu bizarrement, peut-être...

– Qu'est-ce que tu veux dire ?

– Il ne t'a rien raconté sur Atalanta ?

– Rien du tout. Je croyais qu'entre Atalanta et Jérôme tout était fini depuis longtemps.

– Entre eux, bien sûr. Mais Atalanta...

– Qu'est-ce qu'il y a encore?

– Oh! presque rien... C'est une simple impression..., quelque chose de très vague... Je voulais seulement te demander si tu en savais un peu plus?...

– Un peu plus sur quoi?... Si tu essayais de t'expliquer?...

– Eh bien, Jérôme m'a dit qu'Atalanta lui avait plus ou moins proposé de s'occuper un peu de Geoffrey et de...

– Est-ce que tu crois par hasard que Geoffrey s'intéresserait aux garçons?

– Pas du tout. Ce qu'Atalanta demandait à Jérôme, c'était de fournir des filles à Geoffrey et d'organiser des soirées où ils se retrouvcraient à quatre ou à six. Tu connais Atalanta. Elle craint que Geoffrey ne s'ennuie, après tant d'aventures, elle craint qu'il ne lui échappe et elle ne pense qu'à une chose, c'est à assurer de son mieux le bonheur de son mari.

– Par n'importe quel moyen?

– Si tu veux. Je crois que les choses sont très différentes quand on en parle et quand elles se font. Il leur arrive de se faire avec le naturel le plus parfait. Tout ce que voulait Atalanta, c'était distraire Geoffrey. Et le garder plus sûrement.

– Et la réaction de Jérôme?

– Tu connais aussi Jérôme. Au fond, c'est un moraliste. Tout ça lui fait horreur. Si charmant qu'il soit, si brillant, je soupçonne cet intellectuel d'être un petit-bourgeois.

Les années passaient. L'ordre se mettait de lui-même autour des choses et luttait contre le désordre qui ne désarmait pas. Je m'éloignais un peu. Je me repliais sur la Toscane. Je rassemblais des lettres, des documents, des photos et je me mettais à vivre parmi mes souvenirs : il y en avait assez pour m'occuper jusqu'à la fin de mes jours. De temps en temps, l'une ou l'autre des sœurs O'Shaughnessy, de temps en temps, l'un ou l'autre des frères Romero fondait sur San Miniato. Ils m'emmenaient encore quelquefois dans des voyages lointains, en Méditerranée, au Mexique, en Inde. Nous avons coulé des jours délicieux dans le Dodécanèse, ou à Puerto Vallarta, ou sur le lac d'Udaipur, où Pandora et moi avons passé près d'une semaine dans la chambre 17 de l'ancien palais de marbre transformé en hôtel par les maharajas. Le plus souvent, nous restions dans ce coin de Toscane, poussant parfois jusqu'à l'Ombrie où nous attiraient les sombres palais haut perchés de Gubbio, ou les lignes verticales du beau Duomo d'Orvieto, ou encore, un peu plus loin, la place si harmonieuse de Todi, avec sa succession de palais liés les uns aux autres et ses grands escaliers. Nous allions rendre visite aux tours de San Giminiano, ou au portrait de Guidoriccio da Fogliano à cheval par Simone Martini dans le Palazzo Pubblico de Sienne, au-dessus de la plus belle place du monde, ou au *Songe de Constantin* et à la *Découverte de la Sainte Croix* dans l'église San Francesco, à Arezzo, ou à la petite ville de Pienza, édifiée par Aeneas Sylvius Piccolomini qui devait devenir pape sous le nom de Pie II et dont l'histoire est retracée par le

Pinturicchio dans les fresques pleines de gaieté et de vie de la petite libreria Piccolomini, à gauche dans la nef pavée de marbre multicolore de la cathédrale de Sienne. Le soir, après le dîner, sur la terrasse ou près du feu, nous écoutions du Mozart ou du Verdi et j'interrogeais Pandora ou Atalanta ou Carlos ou Simon, écœuré par tant de culture qui n'en finissait jamais de renvoyer à elle-même, sur leur enfance ou leurs parents et sur ce que devenaient les Romero et les O'Shaughnessy.

– Et Vanessa ? demandais-je.

– Elle va bien. Mieux qu'avant en tout cas. Et elle boit un peu moins.

– Et ses projets ?

– Elle veut toujours entrer chez les Clarisses. Elle suit une sorte de retraite. Si ça marche, si elle tient le coup, elle prendra le voile.

Vanessa ! Je la revoyais, triomphante, à Vienne, au moment de l'Anschluss, dans la grande voiture ouverte, avec le fanion à croix gammée où je la surveillais du coin de l'œil sur les instructions de Churchill. Je la revoyais à Rome, au palais de Venise, grand cheval plein de feu et impatient du monde. Je la revoyais, en Bavière, dans la Mercedes d'Agustin, quand nous étions allés l'arracher aux bras de Rudolf Hess. Mon Dieu ! Elle aurait pu épouser Agustin qui n'avait jamais cessé de l'aimer et qui n'avait jamais cessé de lui plaire. Mais il lui fallait à tout prix détruire son bonheur et sa vie. Peut-être était-ce pour elle le seul moyen de réussir sa vie et de parvenir au bonheur ? Et peut-être, en effet, le bonheur, un autre bonheur, un bonheur plus profond, plus profond et plus haut, était-il au bout du chemin ? Pour Vanessa au moins, le voyage avait l'air d'être fini. On voyait le port au loin.

J'ai beaucoup pensé à Vanessa. Sa paix était la

mienne, son bonheur était le mien. Le monde et son tintouin nous avaient beaucoup fatigués. Nous avions besoin de repos. A Sienne, à Pienza, à Montepulciano, j'allais beaucoup dans les églises. C'est là que sont les fresques, les tableaux, les Résurrections des morts et les Jugements derniers, les Communions des saints. J'attendais que les Allemands, les Suédois, les Japonais, les Français eussent fini de jacasser, leurs petits livres à la main. Je m'asseyais. Je regardais. Il m'arrivait de fermer les yeux. Je pensais à Vanessa. Il me semblait quelquefois qu'elle pensait aussi à moi.

– Elle n'avait rien de mieux à faire, me disait Simon Finkelstein. Elle était au bout du rouleau.

– Eh oui ! lui disais-je. C'est sa fin de l'histoire à elle.

– Evidemment, me disait-il, j'admire davantage ceux qui renoncent aux grandeurs, au bonheur, au plaisir, ceux qui ont quelque chose à quoi renoncer. Elle ne renonce à rien. Elle avait tout perdu.

– Ce n'est tout de même pas mal, quand on a tout perdu, de pouvoir tout regagner.

– Je préfère gagner tout de suite, me disait Simon.

– Je ne suis pas sûr que tu aies raison, lui disais-je. Vanessa a tout perdu, et Jessica aussi. Je me demande quelquefois si nous ne sommes pas sur terre pour tout perdre.

Il me regarda d'un drôle d'œil.

– A qui penses-tu ? me dit-il.

– Mon Dieu... A nous tous, je suppose. Ou peut-être à moi.

– Et à Pandora ?

– Oui. Peut-être aussi. Peut-être à Pandora.

– Et toi, me dit-il, comment feras-tu pour tout regagner après avoir tout perdu ?

– Je ne sais pas, lui dis-je. Peut-être, un jour, j'écrirai notre histoire.

Le bonheur à San Miniato me venait du souvenir. Tout passe, tout change, tout s'efface. N'importe : ce qui a été ne peut pas cesser d'être. Du fond de la Toscane, de ma terrasse derrière les cyprès, j'assistais de nouveau au mariage de Brian et à son enterrement, j'arrivais à New York où j'apercevais tout à coup, minuscule sur le quai, levant le bras vers moi, Pandora en train de m'attendre, je traversais l'Allemagne avec Vanessa au temps des croix gammées et des défilés de *SS*, j'étais à Castellorizo et à Glangowness et dans Barcelone assiégée avec l'ordre du Royal Secret. Je remontais plus loin encore dans les temps évanouis : je partais pour Venise avec Marie Wronski, pour Bahia avec Florinda et Pericles Augusto, pour Lublin et Varsovie avec Jérémie Finkelstein. Plessis-lez-Vaudreuil aussi se transportait en Toscane, avec ses tours de brique rose et ses clochetons byzantins. Mais les Romero et les O'Shaughnessy avaient fini par occuper une telle place dans ma vie que c'étaient leurs ombres surtout qui venaient m'entourer sur la terrasse de San Miniato. Je revoyais Jessica sur le point de fondre en larmes, j'entendais le rire de Pandora, j'assistais aux discussions, toujours recommencées, de Carlos et de Simon sur l'avenir du communisme. J'étais partout à la fois et j'en venais à être moi-même les quatre sœurs O'Shaughnessy et les quatre frères Romero. Et miss Prism. Et le comte Wronski. Et le pauvre Nicolas que je n'avais jamais connu et qui n'en finissait pas de mourir dans les neiges de Moukden. Il me semblait que j'étais le monde entier et qu'il ne vivait que pour moi et que Jessica O'Shaughnessy et Luis Miguel Romero ne pourraient pas périr tant que je penserais à eux.

Dans les jours radieux du passé où nous étions amis et où Pandora, malgré elle, ne nous avait pas séparés, Javier m'avait raconté une histoire qui m'avait beaucoup plu. C'est un vieux sage indien qui est assis dans une forêt. Il médite et il prie et, parce qu'il est un grand saint, il porte dans sa tête tout un monde de créatures qui ne vivent que par lui. Une foule de marins, de paysans, de commerçants, de prostituées ne poursuivent leur existence aux quatre coins du monde que parce que le sage pense à eux. Soudain, dans la forêt, s'élève une vague rumeur. Le sage, quelques secondes, cesse de penser le monde de ses personnages innombrables. Aussitôt, un crime, un accident, la maladie en fait périr quelques-uns. Le sage, troublé, se reprend. Il s'en veut de sa distraction. Il se replonge dans sa méditation qui ne cesse de créer et de recréer l'univers. Quand il rouvre enfin ses yeux qu'il s'est efforcé de tenir clos, il aperçoit des singes, des éléphants, des tigres en train de fuir à toute allure : la forêt est en feu. Le sage, épouvanté, abandonne son univers. Une famine, un naufrage, une guerre, un raz de marée le dépeuplent d'un seul coup. Malgré les flammes qui approchent, le saint, honteux de sa faiblesse, se concentre sur quelques créatures plus admirables que les autres et auxquelles il tient plus qu'à lui-même : un grand soldat, un grand savant, un poète, une femme d'une beauté merveilleuse. Que ceux-là au moins ne périssent pas tout entiers ! Le feu est maintenant tout près, il encercle le sage qui se prépare à mourir avec ses personnages préférés lorsque le miracle se produit : les flammes hésitent soudain, elles s'écartent devant lui, elles l'épargnent, et il survit. C'est ainsi que le grand sage comprit qu'il était pensé lui-même par un sage plus grand que lui et qu'il ne mourrait pas tant que cette force venue d'ailleurs continuerait à le porter.

Moi aussi, qui portais dans mon cœur et dans mon esprit le souvenir des Romero et des O'Shaughnessy, j'étais porté par eux et je vivais en eux. Je savais qu'ils pensaient à moi comme je pensais à eux, et le bonheur à San Miniato devait beaucoup aux liens si forts qui nous unissaient les uns aux autres. Carlos et Simon, qui avait tant de défauts, croyaient plus que personne à ces liens entre les hommes. Agustin et Javier, sur des modes différents, avaient le culte de l'amitié : quoi qu'il ait pu se passer et quoi qu'il se passe dans l'avenir, nous étions amis à jamais. Je savais que Vanessa ne m'avait pas oublié : elle priait pour moi de loin, à la façon des chrétiens. Atalanta m'écrivait. Pandora venait me voir : elle me portait en elle comme je la portais en moi. Jessica n'était pas morte tout à fait puisque je pensais à elle. Et peut-être, de je ne sais où, dans un monde inconnu, jetait-elle un regard sur ce coin de Toscane.

L'automne succédait à l'été et le printemps à l'hiver. De la terrasse de San Miniato, je regardais le soleil se coucher entre les cyprès. Je savais qu'il allait disparaître. Je savais aussi qu'il allait revenir pour briller encore, avec force, sur les champs et sur les églises, sur les fresques de Piero della Francesca et de Signorelli, sur la façade si belle de la cathédrale d'Orvieto que Pandora ne manquait jamais d'aller voir avec moi lorsqu'elle venait en Toscane. Quand le soir tombait sur la terrasse où je relisais souvent tel ou tel billet de Marie Wronski à Giuseppe Verdi ou une vieille lettre de Pandora, j'avais le sentiment de tenir dans ma main ce monde où j'avais vécu. De Pericles Augusto à la Putiphar de Lublin, de Conchita Romero au rabbin Finkelstein et à Florinda de Bahia, j'avais autour de moi tout le théâtre d'ombres de mon rêve familier. Ce n'était pas seulement dans le souvenir que tout se mettait en place pour le quadrille final. Un beau jour, à San Miniato, je vis arriver Agustin et Simon Finkelstein. Après avoir été séparés par l'histoire, ils étaient liés à nouveau. Le temps ne détruit pas seulement. Il lui arrive aussi de construire. Ils m'apportaient une lettre de Pandora. Je la lus d'une seule traite. Elle était très simple et très belle. C'est la seule lettre d'elle que je n'aie pas gardée.

– Eh bien, me dit Simon, qu'est-ce que tu dis de tout ça?

Je ne disais pas grand-chose. Je pensais au passé, à moi, à Pandora. Je me rappelais des mots, des paysages, des attitudes, des silences.

– Ça m'a fait un coup, me dit Agustin. Enfin, tant mieux pour eux.

– Je me demande, dis-je à Simon, si ce n'est pas ta faute.

– Ma faute! dit Simon.

– Bien sûr que oui : ta faute. Tout est toujours ta faute. Pandora, c'est ta faute. Et Jessica, c'est ta faute. Et Carlos, c'est ta faute. Tu te souviens de Barcelone? Tu t'occupais de Jessica. Du coup, Carlos s'est senti plus libre et...

– Il n'y avait pas besoin de ce détail, dit Agustin en riant.

– Avec Pandora, dit Simon, tout est toujours inutile. Parce que tout est toujours possible.

– C'est tout de même l'ombre de Jessica qui plane sur toute l'affaire, dit Agustin. C'est drôle : elle aura donné un mari à chacune de ses deux sœurs.

– C'est bien dommage que toi..., dit Simon à Agustin.

– Qu'est-ce qui est dommage? demanda Agustin.

– Que Vanessa et toi... La boucle aurait été bouclée.

– Ah! oui, dit Agustin, c'est dommage.

– En un sens, dit Simon, avec le goût exquis qui le caractérisait, c'est le petit Jésus qui aura pris ta place.

– Et toi, dit Agustin, je ne vois vraiment pas qui pourrait tenir la tienne.

Nous parlions ainsi, tous les trois, sur la terrasse de San Miniato. J'avais dans ma poche la lettre de Pandora. Elle m'annonçait son mariage avec Carlos Romero.

Il suffit que les choses se fassent pour qu'on s'étonne aussitôt de ne pas les avoir prévues. Jessica était partie avec Carlos faire la guerre en Espagne parce qu'elle en avait envie. Elle était partie aussi pour permettre à Geoffrey de vivre avec Atalanta. A Barcelone, elle était partie à jamais parce qu'elle n'attendait plus grand-chose de ce monde auquel ses yeux si bleus et son cœur si grand avaient tant apporté. Elle était partie aussi pour permettre à Carlos de vivre avec Pandora.

Dans sa lettre que j'ai brûlée et qui était très belle – si belle que je la sais par cœur – Pandora me disait qu'elle épousait Carlos parce que Jessica l'aurait voulu et parce qu'ils auraient peut-être ensemble, Pandora et Carlos, l'enfant que Jessica avait tant espéré. Une espèce de fureur m'avait d'abord emporté. Je me souvenais de la jambe de Pandora contre la jambe de Carlos sous la table de Barcelone. Pandora avait envie de Carlos comme elle avait envie de tous les hommes. Maintenant, il était libre. Elle l'était aussi. Elle le prenait, voilà tout. Et qu'on n'emploie pas de grands mots. Et qu'on ne nous serve pas de salade. Et qu'on n'en fasse pas tout un foin.

Et puis, peu à peu, l'idée d'une Jessica qui aurait légué Carlos à Pandora me parut moins absurde. Après le départ de Simon et d'Agustin, en me promenant, pour me calmer, sur la route de Pienza et en me demandant si j'irais ou non au deuxième mariage de Pandora – et je savais déjà que j'irais – une espèce de paix m'envahissait lentement. Je finissais par me persuader que, si Carlos épousait Pandora, Jessica, au moins, n'était pas morte pour rien. Je savais, parce qu'elle me l'avait dit, qu'elle avait été malheureuse et que, par la faute de Carlos, de Simon, de Pandora, elle avait beaucoup souffert. Je pensais aussi qu'elle était capable de s'en aller pour donner Carlos à Pandora. De toute façon, elle n'était plus là. Il fallait, comme on dit, faire avec ce qu'on avait. Peut-être Pandora avait-elle enfin rencontré ce bonheur que je n'avais cessé de lui promettre. Elle avait mis du temps à le trouver parce qu'elle l'avait sous la main.

Le bonheur à San Miniato n'était plus seulement lié au passé, au souvenir, à ce monde qui était à moi parce que je l'imaginais. Il se confondait maintenant avec le bonheur de Pandora. Bien sûr, tout au fond de moi-même, en secret, j'avais peut-être rêvé d'autre chose, d'une vie plus pleine et plus forte, d'une possession du monde. Peut-être parce que le temps passait et que je vieillissais, je parvenais à une sorte de sagesse. J'avais vécu par procuration les aventures des Romero et des O'Shaughnessy, des Finkelstein et des Wronski. Je pouvais bien vivre par procuration le bonheur de Pandora.

Je me souviens qu'en regagnant les cyprès de San Miniato je regardai vers le ciel qui était couvert depuis le matin. Il se déchirait peu à peu. On sentait que le soleil était à deux doigts de paraître. Il éclata tout à coup. Je traversai la terrasse. Je rentrai dans la maison : une fois encore, une fois de plus, je partais pour Glangowness.

– Dis donc, demandai-je à Javier, il y a une chose que je voudrais savoir.

– Oui ? dit Javier.

– Qui était Pomponnette ?

Javier eut un petit rire un peu gêné.

– Tu te souviens ? me dit-il.

– Si je me souviens !...

– Tant pis, me dit Javier.

– Allons ! lui dis-je. Ce n'était pas si grave.

– Ce sont de bons souvenirs, me dit-il.

– Excellents, lui dis-je. Alors, qui était Pomponnette ?

– Tu sais bien : c'était la chatte qui fait une fugue dans *La Femme du boulanger*.

Je me rappelai tout à coup le film de Pagnol,

avec Raimu et Ginette Leclerc. Il y avait une chatte qui quittait la maison en même temps qu'Aurélie, la femme du boulanger. Quand sa femme lui revient, le boulanger, fou de bonheur, ne lui adresse aucun reproche : il accable d'injures la pauvre Pomponnette qui est de retour elle aussi. Nous nous mîmes à rire tous les deux. J'aimais beaucoup Javier. Ce n'était pas très gai pour lui. Il tenait le coup assez bien. Je crois qu'il aimait mieux, après tout, voir Pandora mariée.

Le mariage de Carlos et de Pandora n'avait rien été d'autre qu'une dernière réunion de l'ordre du Royal Secret. Nous étions tous là, une fois de plus, Hélène était touchante dans le rôle difficile de la mère de la mariée. Elle semblait avoir tout oublié, ou n'avoir jamais rien su, de tous les tours et détours qui avaient fini par mener à cette apothéose.

– C'est merveilleux, me dit-elle. Je suis si heureuse! Je crois que ces enfants se sont toujours aimés.

– Mon Dieu!... lui dis-je. C'est bien possible.

– Vous rappelez-vous, le jour de l'enterrement de mon pauvre Brian – il aurait été si heureux, lui aussi! – comme j'étais inquiète pour Pandora? Vous m'avez assuré que tout finirait par s'arranger : c'est vous qui aviez raison.

Il n'y avait rien à répondre. Je lui baisai la main.

– Tout est bien qui finit bien, murmurai-je un peu sottement.

Pandora était radieuse. Il y avait à côté d'elle un grand garçon d'une vingtaine d'années au visage rond et ouvert. J'hésitai un instant.

– Tu connais Francis? me dit-elle.

Si je le connaissais! Je me revoyais tout à coup

dans le Jardin d'Allah, dans le train de New York... La tête me tournait un peu. Je me souvenais d'un marmot dans les bras de sa mère, d'un minuscule écolier avec une drôle de casquette. J'avais quitté un petit garçon, je retrouvais un homme. Je le connaissais depuis toujours.

– J'ai entendu parler de vous, lui dis-je, bien avant votre naissance...

Il me regarda d'un œil vague et un peu méfiant. Il devait me prendre pour un de ces crétins qui débitent des fadaises. Il ne pouvait pas savoir tout ce qu'il avait été pour moi avant même d'être là, et combien je m'étais occupé de sa venue dans ce pauvre monde.

Carlos était très simple, très fort, très élégant. Il n'avait pas poussé la provocation jusqu'à prendre Simon pour témoin. Il avait choisi Harold Wilson qui n'était pas encore à la tête du parti travailliste et un professeur de grec à Trinity College. Geoffrey et Atalanta, toujours si comme il faut, étaient flanqués de leurs deux enfants : Mary et Winston. J'eus encore un choc en voyant Mary. Elle avait cessé, elle aussi, d'être une petite fille. Elle allait sur ses dix-huit ou peut-être ses dix-neuf ans. Et elle était rousse. Churchill était là, naturellement. Il jetait des regards soupçonneux sur Harold Wilson, comme s'il devinait déjà en lui un de ses futurs successeurs. Lui aussi, comme Mary, avait beaucoup vieilli. On le traitait comme une reine. Le jeune Winston Lennon, bouche bée, regardait son parrain, le plus grand homme de son temps.

– Alors? dis-je à Vanessa.

– Moi aussi, me dit-elle, je suis très heureuse.

– Heureuse pour Pandora?

– Heureuse pour Pandora. Et puis, tu sais comme je suis égoïste, heureuse aussi pour moi.

– C'est pour bientôt ? lui demandai-je, comme s'il s'agissait d'une naissance.

– Pour le mois prochain, me dit-elle. J'aime mieux te le dire tout de suite : tu pourras venir me voir.

– Je viendrai sûrement, lui dis-je. J'ai un ordre de mission : c'est de veiller sur ces folles de filles O'Shaughnessy. Maintenant, évidemment, tu auras moins besoin de moi.

– J'aurai toujours besoin de toi.

– C'est gentil à toi de dire ça. Mais j'aurai un rival. Je ne serai plus le seul à m'occuper de toi. C'est plutôt moi, peut-être, qui aurai besoin de toi. Quand tu n'auras rien de mieux à faire, tâche de ne pas m'oublier.

Elle se pencha vers moi et elle m'embrassa.

Dans une robe bleu très clair, Pandora fut avec moi ce qu'elle avait toujours été : un rêve, une perfection.

– Eh bien, lui dis-je, le temps des folies est passé.

– Tu crois ? me dit-elle.

– J'en suis sûr, lui dis-je.

– On verra bien. Tu es là.

– Je suis là, lui dis-je.

C'était une évidence.

– Tu as toujours été là quand j'étais malheureuse.

– Et même, je crains, lui dis-je, quand tu ne l'étais pas.

– Les autres ne veulent pas le croire : j'ai souvent été malheureuse.

– Je sais, lui dis-je. Et j'étais malheureux parce que tu étais malheureuse. Je vais essayer d'être heureux puisque tu es heureuse.

– Oh ! Jean ! me dit-elle. Il ne faut pas m'en

vouloir. Il n'y a jamais eu que toi pour comprendre quelque chose.

– Eh bien, tant mieux, lui dis-je, c'est une consolation. Tu te souviens de ton mariage avec Thomas? J'étais déjà là : quel casse-pieds! Je n'étais pas très heureux.

– Moi non plus, me dit-elle.

Elle mit ses bras autour de mon cou et elle me regarda. Je crois, ma parole, qu'elle avait les larmes aux yeux. Moi, j'étais vaillant comme un grand.

– Je voudrais tant que tu sois heureux!

– C'est drôle, lui dis-je. Pendant des années et des années, c'est ce que je t'ai répété.

– Je n'oublie rien, me dit-elle. Je t'aime beaucoup.

– Moi aussi, lui dis-je. Voici le bout du chemin.

Jérôme Seignelay était devenu si intime du clan O'Shaughnessy qu'on l'avait invité pour la cérémonie qui se déroulait dans la plus stricte intimité. Il parlait de choses et d'autres, de politique, de cinéma, du général de Gaulle, avec Simon et Agustin.

– Ce qui me fait de la peine, dit Carlos, c'est la mort de Staline.

– Cette ordure! dit Simon.

– C'était un grand homme, dit Carlos.

– Je vomis les grands hommes, dit Simon.

– Où est Lara? demanda Agustin.

– Elle est aux Etats-Unis, dit Simon. Je me demande si elle ne fricote pas avec la CIA.

– N'en profite pas! dit Carlos.

– Je suis trop vieux, dit Simon. Je vais bientôt commencer à m'intéresser aux petites filles.

– Ça ne te changera pas beaucoup, dit Agustin.

– Est-ce que vous voulez boire quelque chose ? demanda Mary d'une voix timide.

– Celle-là, en tout cas, dit Carlos à Simon en baissant un peu la voix, je t'interdis, tu entends ? je t'interdis d'y toucher.

Le rapport de Khrouchtchev au XXe congrès du parti communiste de l'Union soviétique fut un deuxième coup de tonnerre dans la vie de Carlos. Dix-sept ans plus tôt, la foudre était tombée une première fois avec la signature par Molotov et Ribbentrop, sous le bon sourire de Staline, du pacte d'amitié germano-soviétique. Simon Finkelstein, qui s'était lancé, depuis plusieurs années, dans des affaires de pétrole et d'immobilier où il faisait fortune, n'avait jamais eu d'indulgence pour Staline. Carlos Romero avait toujours hésité à son égard entre la méfiance et l'admiration. Il avait fini par le considérer comme un mal nécessaire, comme la part du feu dans l'embrasement de l'histoire, comme la participation du Malin à la plus grande entreprise de toute l'humanité. Par les anarchistes espagnols, par Victor Serge, par beaucoup d'autres, il avait su très tôt tout ce qu'on pouvait reprocher à l'ancien séminariste devenu dictateur. Carlos pensait qu'il fallait faire bloc politiquement derrière un système qu'il condamnait moralement. La dénonciation de Staline par Khrouchtchev fut en même temps, pour lui, un effondrement et une libération.

Simon et Carlos étaient de passage à San Miniato quand ils apprirent par la radio le coup d'éclat de Khrouchtchev.

– Voilà la deuxième fois, disait Carlos, que le ciel nous tombe sur la tête.

– Quel ciel? répondait Simon. Quel ciel? Où vois-tu des dieux? Je retrouve dans ton émotion ton amour pour la mythologie. Staline était une crapule et tout ce monde le savait. A tort ou à raison, plutôt à raison, j'imagine, Khrouchtchev a pensé que le moment était venu pour les communistes de regarder en face ces réalités effrayantes : l'eau mouille et le feu brûle.

– Que nous le voulions ou non, disait Carlos, le communisme pendant trente ans s'est confondu avec Staline. Pour des millions et des millions de communistes, Staline est le père des peuples. La question qui se pose est de savoir si le communisme sera capable dc résister à ce choc effroyable qu'est le meurtre du père.

– Est-ce qu'on a besoin d'un père? disait Simon.

– Je ne sais pas, disait Carlos. Mais on a besoin de mythes. Les hommes ont besoin de croire à quelque chose. Ils ne sont peut-être rien d'autre qu'une machine à fabriquer des dieux, des symboles et des rites. Je commence à penser qu'il n'y a pas d'avenir sans souvenirs. Staline n'a plus d'avenir et il n'est peut-être même plus un souvenir.

– Toi, mon gaillard, disait Simon, tu files un mauvais coton. Ce n'est pas parce que tu as commencé par l'histoire des religions et que tu as épousé Pandora qu'il faut faire l'apologie des rites et de la fidélité. Tu vas finir comme ton père : je te vois assez bien en chantre de l'humanisme et de la tradition.

– Toi et moi, disait Carlos, nous avons été nourris dans la dialectique. Il y a une dialectique de la révolution. Il y a aussi une dialectique de la vie et du temps. La fin de Staline est peut-être, en un sens, aussi la fin de Lénine qui se méfiait tellement de Staline. Et peut-être la fin du marxisme. A quoi croirons-nous si tout s'écroule autour de nous?

– Au plaisir, disait Simon, à la gaieté, au changement. Il suffira peut-être de s'arrêter de croire pour commencer à vivre.

Ils commençaient à m'ennuyer avec leur Chemin des Dames de la révolution. J'avais une nouvelle, moi aussi. Et je brûlais de la leur assener. Elle était peut-être moins importante que la chute posthume de la maison Staline et le déclin possible du marxisme-léninisme. Mais elle m'intéressait davantage.

– J'ai une autre nouvelle, dis-je très doucement.

– Tu sais quelque chose? demanda Carlos.

– Et comment! répondis-je. Attachez vos ceintures.

– La parole est à la réaction, dit Simon en bouffonnant.

– J'ai eu un coup de téléphone de Jérôme, dis-je d'un ton solennel.

– Il devient ministre? demanda Carlos.

– Il annonce le retour de de Gaulle? demanda Simon.

– Rien de tout cela.

– Sartre est mort? dit Simon.

– Pas encore. Mais ça viendra.

– Alors? dit Carlos.

– Eh bien, dis-je avec une lenteur calculée, en prenant tout mon temps et en ménageant mes effets, il épouse Mary Lennon.

Pamela Romero, la fille de Carlos et de Pandora, naquit quelques mois après le XXe congrès. Je vous laisse deviner qui était le parrain. Jérôme et Mary m'avaient déjà demandé d'être témoin à leur mariage. Pour m'éviter deux voyages, les deux cérémonies furent fixées à la même semaine. Dans un cas comme dans l'autre, est-ce que je pouvais refuser? Il me semblait que mon destin était d'être le parrain de tous les Romero et surtout le témoin de toutes les O'Shaughnessy.

Javier et Agustin étaient venus me chercher à Heathrow. Ils me ramenèrent tous les deux quand je repris l'avion pour Rome et San Miniato.

– Mon Dieu! leur dis-je, est-ce que vous vous souvenez?...

Ils se souvenaient comme moi. C'était au temps de la grande crise. Mussolini régnait déjà. Hitler quittait sa prison pour s'emparer du pouvoir. Javier et Agustin venaient me chercher à la gare. Nous arrivions à Glangowness. Brian était encore jeune, miss Prism était encore là, Pandora était une petite fille à peine sortie de l'enfance, Carlos et Simon ne pensaient à rien d'autre qu'à la révolution. Je revoyais Jessica : elle portait une robe à smocks. Je n'avais pas de smoking : Javier m'avait prêté le sien. La vie était devant nous. Voilà qu'elle était derrière nous. Il s'était produit un événement formidable, unique, qu'on ne reverrait jamais plus : le temps avait passé.

Nous étions assis tous les trois sur le large siège de devant. Nous revenions de la noce, nous revenions du baptême de l'arrière-arrière-petite-fille de la comtesse Wronski. Nous avions beaucoup bu. Agustin conduisait. Il arrêta la voiture dans un petit chemin de campagne à quelques miles de Glangowness pour que nous puissions penser au passé. Je pris mes deux amis par le cou et, je vous défends de rire, nous versâmes quelques larmes sur ce qui n'était plus.

Sur quoi est-ce que nous pleurions? Nous pleurions sur Brian, sur la comtesse Wronski, sur Luis Miguel et miss Prism qui avaient été, je crois, ce qu'on appelle des héros, sur Jessica qui aimait Carlos avant qu'il fût papa. Nous pleurions sur nous-mêmes. Sur moi, bien entendu. Est-ce que ma vie prêtait à rire? Sur Javier qui entrait dans la gloire avec des poèmes qui ne valaient rien, ou presque rien – ou peut-être, soyons juste, peut-être un peu mieux que ça – et qu'il avait écrits d'abord pour épater Pandora qui était la femme de son frère. Sur Agustin qui en sortait parce qu'il était trop vieux pour se tuer en voiture et qui avait cédé Vanessa au seul rival invincible. La douceur de vivre était morte, la révolution était morte, tout ce que nous avions espéré et aimé n'était plus qu'un tas de cendres.

– Ce qu'il y a d'épatant, dit Agustin, c'est que la plus heureuse peut-être, c'est encore Vanessa.

– Ce que j'espère, dit Javier dans un élan d'altruisme dû sans doute à l'alcool, c'est que ça va marcher entre Carlos et Pandora.

– Pourquoi pas? dit Agustin. Je les désigne ici comme nos délégués au bonheur.

Il y avait deux bouteilles de champagne dans le coffre de la voiture. Nous les débouchâmes toutes les deux et nous bûmes au goulot à la santé de Pandora.

– Et de Jérôme! dit Agustin.

– Et de Pamela! dit Javier.

Je rêvai un instant à Pamela Romero.

– Ce qui m'embête, dis-je à Javier, c'est que j'aurai du mal à la suivre dans la vie.

– Voilà un croisement des Romero et des O'Shaughnessy, dit Javier, qui va avoir la chance de t'échapper un peu. Tâche de lui lâcher les baskets.

– Promis, répondis-je. Je ferai tout ce que je pourrai pour mourir avant elle.

Nous nous mîmes à rire tous les trois parce que l'idée de ma mort amusait les deux autres.

– Bah! dit Agustin, nous sommes de vieux croûtons. Qu'est-ce qui nous prend de larmoyer sur le passé? Jérôme et Mary et Winston et Pamela ont la vie devant eux. On va leur faire une farce : on ne va pas leur dire ce qui les attend. Je leur souhaite bien du plaisir et beaucoup de bonheur.

– A Simon! dit Javier.

Nous bûmes un peu de champagne à la santé de Simon qui n'en avait pas besoin.

– Au passé! dis-je en riant.

– Au passé, vieux frère! dit Javier.

– Au passé! dit Agustin.

– A l'avenir! dis-je en vidant la dernière des deux bouteilles. A l'avenir qui n'est rien d'autre qu'un passé en voie de fabrication.

Nous avions bu pas mal. Nous avions un peu pleurniché. Nous arrivâmes à l'aéroport en faisant des zigzags et dans un état de gaieté inquiétant. Un policeman britannique nous regarda avec soupçon.

– Nous sommes des partisans de l'avenir, lui dit Agustin.

– C'est là, dit Javier, que nous avons l'intention de passer le reste de notre vie. Notre ami s'y installe. Nous l'accompagnons jusqu'à l'avion.

Nous restâmes debout quelques instants, la tête un peu tournée, ne sachant plus de quoi parler.

– Mon Dieu! dit Agustin, qui était soûl comme un Polonais, qu'avons-nous fait de notre vie?

– Mais des souvenirs, lui dis-je. Nous en avons fait des souvenirs. Et peut-être une histoire.

– Je vais vous raconter une histoire, dit Javier.

Nous nous penchâmes vers lui et il passa ses bras autour de nos épaules. Les voyageurs autour de nous jetaient des regards furtifs sur ce trépied vivant fait de conspirateurs ou peut-être de lutteurs.

– Il était une fois, dit Javier pendant que le haut-parleur nasillait des horaires et des destinations, un rabbin très sage et très saint qui vivait près d'une forêt. En ce temps-là, une catastrophe terrible menaçait l'univers. Le rabbin, qui était très sage et très saint, savait, par des voies mystérieuses, ce qu'il convenait de faire pour conjurer le malheur. Il alla dans la forêt, qui était une forêt enchantée, il chercha un lieu sacré qui lui avait été indiqué par la divine Providence et, selon un rite secret, il alluma un grand feu. Et la catastrophe épargna l'univers.

Le rabbin mourut. Une nouvelle catastrophe menaça l'univers. Le successeur du rabbin ne connaissait plus le lieu sacré où il fallait faire le grand feu. Mais il connaissait la forêt et il connaissait le rite secret. Il se rendit dans la forêt et il alluma le grand feu selon les rites secrets. Et la catastrophe épargna l'univers.

Les années passèrent. Une nouvelle catastrophe

menaçait l'univers. Le successeur du successeur du successeur du rabbin ne connaissait plus le lieu sacré et il ne connaissait plus la forêt. Mais il connaissait encore le rite secret pour le feu salvateur. Juste devant sa maison, il alluma un grand feu selon le rite secret et la catastrophe, une nouvelle fois, se détourna du monde.

Les années passèrent, et les siècles. Une nouvelle catastrophe était sur le point de fondre sur le monde. Le successeur du successeur du successeur des rabbins ne connaissait plus le lieu sacré et il ne connaissait plus la forêt. Et il ne connaissait plus les rites secrets pour allumer aucun feu. Mais il connaissait encore l'histoire. Et, parce que lui aussi était très sage et très saint, il comprit tout à coup que le seul récit de l'histoire suffisait à sauver le monde de la terrible catastrophe qui n'avait jamais cessé de vouloir le détruire.

Une hôtesse impatiente piétinait devant nous. J'embrassai Javier, j'embrassai Agustin et je me précipitai dans l'avion qui devait me ramener à Rome et à San Miniato. J'étais drôlement content de savoir qu'il n'y avait pas mieux qu'une histoire pour tâcher de sauver le monde.

C'est juste avant le retour du général de Gaulle au pouvoir que nous avons tous commencé à nous inquiéter sérieusement. C'était l'époque, je me rappelle, où ça bardait à Alger. Elle avait mauvaise mine, elle maigrissait : elle, qui ne se plaignait jamais, avouait qu'elle souffrait. Le diagnostic tomba très vite.

Il aurait été surprenant que son mal fût absent de cette histoire où l'automobile, le cinéma, le fascisme et le communisme, la crise économique et la guerre ont joué un tel rôle. Nadia Wronski, vers le tournant du siècle, était morte encore de la tuberculose. Pandora mourait du cancer. Elle avait un peu plus de quarante ans.

J'allai la voir à Londres. Un peu plus tard à Glangowness où on l'avait ramenée parce qu'elle était perdue. Ce fut Francis qui vint me chercher. Elle avait beaucoup changé. Elle souffrait le martyre. Elle était devenue une petite chose qui ne faisait plus que souffrir.

– Je dois payer pour quelque chose, me dit-elle. Mais pour quoi?

Ses yeux délavés se tournaient vers moi avec angoisse. Ses mains agrippaient les miennes. Je ne savais pas quoi lui répondre.

– Tu vois, me dit-elle, j'ai encore besoin de toi.

– Je suis là, lui dis-je. Reste calme. Tu vas guérir. Tu viendras à San Miniato et nous irons encore ensemble à Symi, à Orvieto, à Udaipur. Nous retournerons à Venise.

– Tu es gentil, me dit-elle.

Elle respirait très vite et, de temps en temps, pour mieux souffrir, elle s'arrêtait de parler.

– Décidément, me dit-elle, je n'étais pas faite pour le bonheur. Tu m'avais promis de belles choses. Elles n'auront pas duré longtemps. Tu t'occuperas de Carlos. Il t'aime beaucoup. Prometsmoi aussi que tu aimeras Pamela autant que tu m'as aimée.

J'ai eu un peu de mal à répondre. J'essayai de sourire.

– Autant, je ne suis pas sûr. Ce ne sera pas très

commode. Mais je te promets que je l'aimerai.
– En souvenir de moi?
Cette fois, je n'ai pas répondu du tout. Carlos, heureusement, venait d'entrer dans la pièce. Je suis sorti avec lui.
Nous nous sommes jetés dans les bras l'un de l'autre et nous avons pleuré comme des veaux.
– Je te demande pardon, me dit Carlos.
Simon arrivait. Il n'a pas manqué d'être fidèle à lui-même.
– Ça le gêne, tu comprends, me dit-il à voix basse. C'est la deuxième sœur O'Shaughnessy qui vient pleurer dans tes bras au moment de mourir.
– Eh bien, tu vois, répondis-je, je ne suis pas comme toi : je n'arrive pas à m'y faire.
Je suis revenu avec Carlos dans la chambre de Pandora.
– Tu ne changes pas, lui dis-je en riant. Toujours aussi coquette : tu veux que j'aime ta fille à cause de toi.
Il y eut un pauvre sourire sur ce qui avait été le beau, le merveilleux visage de Pandora.
– J'ai été coquette, n'est-ce pas? C'est en train de me passer. Est-ce que j'ai été très odieuse?
– Tu es irrésistible, lui dis-je. Tu as toujours été irrésistible. Tu seras toujours irrésistible.
– Ne m'oublie pas, me dit-elle.
– Je ne t'ai jamais oubliée, lui dis-je.
– Je sais. Ce sera plus facile pour toi de m'aimer quand je serai morte.
Voilà qu'elle recommençait. Carlos, grâce à Dieu, m'a serré le bras très fort. J'ai pu bredouiller quelques mots :
– C'était si facile de t'aimer...
– Peut-être trop facile..., me dit-elle. Ça ne fait

rien. Nous serons tous pardonnés parce qu'il y a eu Jessica et parce qu'il y a Vanessa. Elles valaient mieux que moi. Et Atalanta aussi.

Elle avait parlé longtemps. On voyait l'effort sur ses traits.

– Ne te fatigue pas, lui dis-je.

– Ça ne fait rien, me dit-elle. Ça n'a plus d'importance. Ce qu'il faut maintenant, c'est que vous soyez tous heureux.

– Nous sommes tous heureux avec toi, lui dis-je. Nous l'avons toujours été.

– Ah ! il faudra être heureux sans moi. N'est-ce pas ? me dit-elle. Je veux laisser derrière moi le bonheur à San Miniato.

Elle fermait les yeux. Moi aussi. Je me penchai sur elle et je l'embrassai sur le front.

Pendant que j'effleurais son visage, elle murmura encore, mais très bas :

– Ne m'oublie pas.

Je chuchotai quelques mots que personne n'entendit. Il y avait un sourire sur ses lèvres.

En sortant, je vis ce voyou de Simon qui pleurait lui aussi.

Le monde et son histoire se referment en cercle autour de nous : ce fut Javier Romero, un soir de printemps, à San Miniato, qui m'apporta la nouvelle de la mort de Pandora. La journée, d'un bout à l'autre, avait été glorieuse. Dès le matin, les volets à peine ouverts, une sorte de transparence s'était installée dans l'espace et dans le temps. Par un de ces mécanismes pleins d'évidence et de mystères, un ciel sans nuages promettait du bonheur. La nuit n'était pas tombée que tout un pan de ma vie s'écroulait. Javier apparaissait, posait son sac, me mettait la main sur l'épaule, disait : « Pandora est morte. » Quelque chose basculait. Le vent du soir se levait.

Notes biographiques sur les principaux personnages

ABETZ (Otto). Ambassadeur de Hitler à Paris pendant l'Occupation. Amant de Florence Rémy?

ALQUIÉ (Ferdinand). Philosophe français. Rencontre Jérôme Seignelay sur le boulevard Saint-Michel. Son élocution. Ses liens avec le surréalisme, la psychanalyse, le rationalisme cartésien. Désespoir de Jérôme qui n'est pas dans sa khâgne. Félicite Jérôme reçu au concours de l'Ecole.

ATTLEE (Clement, 1er comte). Premier ministre travailliste. D'après Winston Churchill, sort d'un taxi vide devant le 10, Downing Street.

BEISTEGUI (Carlos de). Donne au palais Labia, à Venise, après la Seconde Guerre, un bal fameux où Pandora O'Shaughnessy danse avec un gondolier.

BERNARD (André). Camarade de Jérôme Seignelay au lycée Henri-IV. Récite des vers avec lui. Juif. Arrêté dans l'indifférence générale. Déporté.

BIDAULT (Georges). Professeur d'histoire de Jérôme Seignelay au lycée Louis-le-Grand. Tiré à quatre épingles. Voix métallique. Ecrit dans *L'Aube.* Chef de la Résistance intérieure. Ministre des Affaires étrangères. Président du Conseil. Retrouve Jérôme et assure sa carrière.

BONHEUR (Gaston). Bras droit de Jean Prouvost. Originaire des Corbières. Tout rond. Roule les *r*. Reçoit Simon Finkelstein.

BOURBOUGNE (André). Camarade de Jérôme Seignelay au lycée Louis-le-Grand. Auvergnat. Abruti. Connaît son heure de gloire en annonçant le premier l'invasion de la Belgique et de la Hollande.

BRASILLACH (Robert). Ecrivain français. Normalien. Fasciste. S'entretient avec Agustin dans la Forêt-Noire à la veille de la guerre. Auteur de *Notre avant-guerre*, de *Comme le temps passe*, de *Poèmes de Fresnes*. Fusillé.

BRAUN (Eva). Photographe allemande. Châtain clair. Assez charmante. Maîtresse de Hitler. Amie de Vanessa. La reçoit à Berchtesgaden. Suicide avec Hitler.

CHAMBERLAIN (Arthur Neville). Premier ministre anglais. Porte un parapluie. S'incline à Munich.

CHAUFFEUR DE TAXI A MOSCOU. Va chercher Simon à l'aéroport. Construit le socialisme. Deux dents en or. Espion?

CHURCHILL (sir Winston). Ami de Brian et de tous les O'Shaughnessy. Enchanté par les quatre sœurs. Réclame un dictionnaire anglais-Wronski et Wronski-anglais. Invite Jessica à déjeuner avec Geoffrey Lennon et Carlos Romero. S'inquiète auprès du narrateur des amours de Vanessa. Le charge de la surveiller. Libéral, puis conservateur. Hostile à Munich. Premier Lord de l'Amirauté le 3 septembre 1939. Premier ministre le 10 mai 1940. Prend Pandora pour chauffeur. Envoie Carlos et Simon, puis Pandora à Moscou. Participe à la conférence de Casablanca. Prête Pandora à Roosevelt. Chassé par les travaillistes en 1945. Rappelé au pouvoir en 1951. Se retire en 1955. Rédige ses *Mémoires de guerre*. Prix Nobel de littérature. Assiste à l'enterrement de Jessica, aux deux mariages de Pandora, à tous les baptêmes de la famille. Ami fidèle des quatre sœurs. Le plus grand homme de son temps.

CICÉRON. Surnom donné au valet de chambre de l'ambassadeur d'Angleterre en Turquie par les enfants d'Atalanta à qui il apprend le latin. Très bien stylé. Charmant. Se trouve nez à nez avec Geoffrey Lennon au pied de la tour de Galata, à Istanbul, après un assassinat. Ses relations avec Atalanta. Doubles et triples manœuvres. Son rôle involontaire dans la préparation de l'opération Overlord.

DALADIER (Edouard). Le taureau du Vaucluse. Mord la poussière à Munich.

DIEU. Triomphe. Mais en secret. Et seulement à la fin.

DOMINGUIN (Louis Miguel). Torero espagnol. Sort avec Pandora.

DOMINGO. Péon des Romero à Bariloche. Pandora O'Shaughnessy le fait venir à Buenos Aires et sort avec lui à la fureur de Javier.

EINSTEIN (Albert). Révolutionnaire allemand. Naturalisé américain. Bouleverse l'image du monde. Un des quatre grands Juifs d'après Simon Finkelstein.

EISENHOWER (Dwight D.). Général américain. Commandant en chef des troupes du front de l'Ouest. Pandora O'Shaughnessy assure la liaison entre Churchill et lui. Président des Etats-Unis.

FINKELSTEIN (Simon). Métis. Fils de Jérémie Finkelstein et de Cristina Isabel. Petit-fils d'un rabbin polonais et d'une ancienne esclave brésilienne. Enlevé par des gangsters dans sa petite enfance. Le Kid. Participe à la révolution mexicaine avec Paco Rivera. Guerre sur la Somme avec Brian. Reconnu par Jérémie. Enlève Pandora à Venise. Guerre d'Ethiopie avec Carlos. Guerre d'Espagne avec Carlos et avec Jessica. Ses relations avec Jessica. Rencontre Jean Prouvost à la veille de la guerre. Envoyé à Moscou par *Paris-Soir*. Reçu par Molotov. Promenade dans Moscou. Rencontre Lara sur la Place Rouge, puis au cimetière Novodevitcheié. L'épouse. Envoyé à Moscou par Churchill avec Carlos Romero pour exposer l'affaire Hess. Reçu à nouveau par Molotov. Arrêté. Libéré. Entre dans une escadrille soviétique. Rejoint « Normandie-Niemen ». Décoré de l'ordre du Drapeau rouge. Anarchiste. Antistalinien. Sceptique et cynique. Fond en larmes à la mort de Pandora.

FOUASSIER (M.). Professeur de philosophie de Jérôme Seignelay au lycée de Dijon. Néglige de relever le nom des absents.

FOUCAULT (Michel). Camarade de Jérôme Seignelay à l'Ecole normale.

FREUD (Sigmund). Médecin viennois. Transforme, avec Darwin, Marx, Einstein, Picasso et quelques autres, l'image du monde moderne. Un des quatre grands Juifs d'après Simon Finkelstein qui compte sur ses disciples pour sauver Vanessa.

GAULLE (général Charles de). Admirateur de Pandora. Libérateur de la France.

GERMAINE (tante). Sœur de M. Seignelay. Habite La Varenne-Saint-Hilaire. Accueille son neveu Jérôme. Vient le chercher à Louis-le-Grand pour fuir Paris menacé. Dîne avec lui après l'oral du concours de l'Ecole dans un restaurant chinois de la rue Claude-Bernard.

GOEBBELS (Joseph). Ministre de la Propagande et de l'Information. Successeur désigné de Hitler. Criminel de guerre. Suicide avec sa femme et ses six enfants.

GOERING (Hermann). *Reichsmarschall.* Successeur désigné de Hitler. Gros. Jouisseur. Chasseur. Collectionneur. Sent la verveine et la citronnelle sur la terrasse de Berchtesgaden. Criminel de guerre. Condamné à mort à Nuremberg. Suicide.

GORDON (Francis T.). Fils de Pandora et (peut-être?) de Scott Fitzgerald. Le narrateur le retrouve au mariage de Pandora avec Carlos Romero. Amène le narrateur au chevet de sa mère en train de mourir.

HAMURO TOKINAGA. Officier japonais. Théoricien des kamikazes. Geôlier de Javier. Entretient avec lui des relations équivoques. Le traite avec brutalité. Lui envoie des haï-kaï. Se suicide à la veille de la capitulation japonaise en jetant son avion contre le porte-avions *Franklin.*

HESS (Rudolf). Né à Alexandrie, en Egypte. Lieutenant de Hitler. Amant de Vanessa. L'emmène à Berchtesgaden à la veille de la guerre. Saute en parachute au-dessus de l'Ecosse le 10 mai 41. Accueilli par Brian et par Agustin. Emprisonné par Churchill. Sa présence en Angleterre inquiète Staline et Molotov. Indirectement responsable de l'emprisonnement de Carlos et de Simon à Moscou. Reçoit en prison les visites de Vanessa qui le tient au courant des événements de la guerre. Apprend par Vanessa qu'il va passer en jugement à Nuremberg. Condamné, en raison de son état mental, à la prison à vie. Toujours enfermé, à quatre-vingt-treize ans, dans la prison de Spandau, peut revendiquer le titre de plus vieux prisonnier du monde.

HIRO-HITO. Descendant du Soleil, de la déesse Amaterasu, de l'œil gauche d'Izanagi, et de quelques autres encore. Empereur du Japon. Sa voix, jusqu'alors inconnue, annonce à la radio la capitulation japonaise.

HITLER (Adolf). Mèche. Petite moustache. Chancelier du Reich. *Führer.* Moqué par Charlie Chaplin. Admiré par Agustin et par Vanessa. Haï par Carlos et Simon. Reçoit Vanessa à Berchtesgaden dans les derniers jours du mois d'août. Criminel de guerre. Suicide.

HYPPOLITE (Jean). Philosophe français. Hégélien. Ouvre un monde nouveau à Jérôme Seignelay.

JÉSUS. Le plus grand des Juifs d'après Simon Finkelstein. Le narrateur lui fait confiance pour sauver Vanessa.

KEITEL (Wilhelm). Maréchal allemand. Chef de l'OKW – *Oberkommando der Wehrmacht.* Reçoit les confidences du Führer sur Rudolf Hess. Le 8 mai 1945, signe à Berlin la capitulation allemande. Condamné à mort par le tribunal de Nuremberg. Pendu.

KESSEL (Josef). Ecrivain français. Présente Simon Finkelstein à Jean Prouvost dans une boîte de nuit de Paris.

KOTCHOUBEÏ (Lara). Voir LARA.

LARA (Kotchoubeï). Jeune fille russe. Espionne au service du NKVD? Rencontre Simon Finkelstein sur la Place Rouge, puis au cimetière Novodevitcheié. L'épouse pour des motifs obscurs. Reste en liaison avec le Kremlin. Au lendemain de la guerre, rédige pour le *Manchester Gardian* une série d'articles sur l'Allemagne après la défaite. Assiste au procès de Nuremberg. Part pour les Etats-Unis. Liens avec la CIA?

LAZAREFF (Pierre). Journaliste. Directeur de *France-Soir*. Bretelles. Lunettes sur le front. Parle très vite. Remarque Jérôme Seignelay. Le fait travailler et l'appelle « mon Coco ».

LENNON (Geoffrey). Protégé de Winston Churchill. Député conservateur. Epouse Jessica. Divorce à la suite d'un déjeuner chez Winston Churchill. Epouse Atalanta. Campagne de Norvège. Campagne de France. Dunkerque. Campagne de Cyrénaïque. Nommé à Istanbul. Lutte contre M. von Papen. Sa rencontre avec Kurt von Webern sur le pont de Galata. Intervention du valet de chambre de Son Excellence l'ambassadeur. Un voile jeté sur ce qu'il sait ou peut-être ne sait pas. Débarque en kilt sur les plages normandes, au son des cornemuses. Son héroïsme. Sa dignité. Ambassadeur en Grèce, puis à Paris. Elevé à la pairie grâce à Winston Churchill. XIe lord Landsdown. Complaisances d'Atalanta à son égard. Père de Mary et de Winston.

LENNON (Mary). Fille aînée du précédent et d'Atalanta O'Shaughnessy. Rousse. Elève de Cicéron. Accusée par son frère d'avoir cassé un vase. Epouse Jérôme Seignelay.

LENNON (Winston). Frère cadet de la précédente. Filleul de Winston Churchill. Elève de Cicéron. Casse un vase à Istanbul et accuse sa sœur d'être passée à travers un mur. Joue un rôle de détonateur dans la guerre des services secrets.

LITVINOV (Maxim Maximovitch Meir Walach, dit). Juif. Communiste. Mari d'une Anglaise. Ambassadeur à Londres. Ministre des Affaires étrangères. Ami de Carlos. Du côté des démocraties occidentales contre Hitler. Remplacé par Molotov en mai 1939.

LUCIANO (Lucky). Gangster américain d'origine sicilienne. Un des chefs de la Mafia. Présenté à Pandora par Zero Sant'Archangelo. Lui plaît. Un parfum d'ail. Devient son amant. Prépare avec elle le débarquement en Sicile.

MACARTHUR (Douglas). Général américain. Commandant en chef des troupes du Pacifique. Le 2 septembre 1945, à bord du *Missouri* reçoit la capitulation du Japon et prononce un discours stupéfiant.

MARTIN (major William). Agent secret. N'existe pas. Effectue une mission posthume à la veille du débarquement allié en Sicile.

MARX (Karl). Révolutionnaire et philosophe allemand. Encore un grand Juif de Simon Finkelstein. Interprète le monde et le change.

MATHILDE. Brune. Mauvais caractère. Se laisse caresser par Jérôme pendant l'exode. Tombe amoureuse de lui à Dijon. Emerveillée par ses succès. Lassée par son absence. S'éloigne insensiblement. Epouse un pharmacien.

MILLE (Hervé). Autre bras droit de Jean Prouvost. Elégant et brillant. Reçoit Simon Finkelstein.

MOLOTOV (Viatcheslav Mikhaïlovitch Scriabine, dit). Homme politique soviétique. Porte un lorgnon. En mai 1939, succède à Litvinov aux Affaires étrangères. Le 23 août, signe avec Ribbentrop le pacte germano-soviétique. Accorde une interview à Simon Finkelstein sur la position soviétique. Téléphone à Staline pour lui annoncer l'arrivée de Rudolf Hess en Ecosse. Ses inquiétudes à ce propos. Reçoit Carlos Romero et Simon Finkelstein. Les fait arrêter. Les fait libérer après l'attaque allemande. Est séduit par Pandora et lui facilite une rencontre avec Staline sur les bords de la mer Noire. Exclu du Parti communiste en 1964.

MORAND (Paul). Ecrivain français. S'affiche avec Pandora.

MUSSOLINI (Benito). Socialiste. Fasciste. Dictateur. Déclenche la guerre d'Ethiopie. Participe à la guerre d'Espagne. Reçoit Vanessa, Agustin et le narrateur au palais de Venise à Rome. Abattu. Pendu avec sa maîtresse Clara Petacci à un croc de boucher, piazzale Loreto à Milan.

NARRATEUR (le). Appartient à la famille des Plessis-Vaudreuil. Quelconque. Amoureux en bloc des quatre sœurs O'Shaughnessy. Nourrit une préférence pour Pandora. Chargé par Winston Churchill de retrouver Pandora, puis de surveiller Vanessa. Entre avec Vanessa dans la Vienne de l'Anschluss. La retrouve à Rome aux côtés de Mussolini. Rejoint Pandora à New York. L'accompagne en Californie. Assiste à la réunion de l'ordre du Royal Secret dans Barcelone assiégée. Se promène avec Hélène après la mort de Jessica. Envoyé en Allemagne par Churchill pour ramener Vanessa en Angleterre à la veille de la guerre. Se lie à Paris avec Jérôme Seignelay et l'invite à plusieurs reprises avec Atalanta. Assiste au procès de Nuremberg. Vanessa lui confie son projet de retraite dans un couvent. Voyages au Brésil, en Argentine, au Mexique, en Inde. Séjour à Udaipur avec Pandora. Apprend par une lettre de Pandora son mariage avec Carlos Romero. Parrain de Pamela Romero. Témoin du mariage de Jérôme Seignelay et de Mary Lennon. Rédige ses souvenirs sur la terrasse de sa maison de San Miniato en Toscane où il apprend par Javier la mort de Pandora.

NIVAT (M.). Professeur de français de Jérôme Seignelay

au lycée de Dijon. Lui rend une copie avec des éloges décroissants.

O'SHAUGHNESSY (Brian). Eton. Oxford. Admirateur de Kipling. Compagnon de Kitchener au Soudan, en Afrique du Sud, en Inde, en Egypte. Ami de Winston Churchill. Epouse Hélène Wronski. Autorisé par le roi George V à relever le titre des Landsdown. Emerveillé et épouvanté par les aventures de ses quatre filles. Se met, en vieillissant, à ressembler à son grand-père. Téléphone au narrateur à la veille de la guerre et lui passe Winston Churchill. Téléphone au Premier ministre pour lui annoncer l'arrivée de Rudolf Hess en Ecosse. Meurt à la chasse aux grouses, entouré de ses filles.

O'SHAUGHNESSY (Hélène). Femme du précédent. Petite-fille de la comtesse Wronski. Epouvantée par la vie de Pandora, par la mort de Jessica, par les projets de Vanessa, par la mort de Brian. Pleure à répétition dans les bras du narrateur. Se console à la pensée de la vie exemplaire d'Atalanta. Exprime au narrateur une conviction surprenante : Carlos et Pandora sont depuis toujours amoureux l'un de l'autre.

O'SHAUGHNESSY (Pandora). Fille aînée des précédents. Fondatrice de l'ordre du Royal Secret dans le placard à balais. A une aventure en Italie avec Simon Finkelstein. Epouse Thomas Gordon. Maîtresse de Scott Fitzgerald. Mère de Francis. Désespérée par la mort de Jessica. Retraite en Ecosse. Chauffeur de Winston Churchill pendant la guerre. Sa légende. Ses relations avec Churchill. Verse des larmes sur Luis Miguel. Envoyée à Moscou au secours de Carlos Romero et de Simon Finkelstein. Chargée de mission auprès de Staline à Sotchi. Lui plaît bien. Son rôle dans la préparation du discours du 3 juillet. Plaît aussi à Roosevelt lors de la conférence de Casablanca. Retrouve à New York Zero Sant'Archangelo. Fait la connaissance de Luciano. Se livre avec lui à différentes activités, et notamment à la préparation du débarquement allié en Sicile. Attachée à Patton. Dévouée à

Javier. Célèbre à sa façon le retour de la paix. Assiste au procès de Nuremberg. Voyage au Brésil et en Argentine avec Javier et le narrateur. L'épisode de Domingo. Rend visite au narrateur en Toscane. Parcourt avec lui l'Italie, la Grèce, le Mexique, l'Inde. Séjourne avec lui à Udaipur. Lui annonce par une lettre son mariage avec Carlos. Toujours délicieuse avec le narrateur, et avec d'autres aussi. Meurt du cancer à Glangowness. Sa fin est annoncée au narrateur par Javier Romero.

O'Shaughnessy (Atalanta). Deuxième fille de Brian et d'Hélène. Calme, sérieuse, équilibrée. Admire ses sœurs. Epouse Geoffrey Lennon, mari pendant huit jours de sa sœur Jessica. Deux enfants. S'installe à Glangowness. Part pour Ankara avec Geoffrey. Ses relations avec Cicéron. Porte le culte de la vertu publique jusqu'aux suprêmes sacrifices. Tombe amoureuse à Paris de Jérôme Seignelay. Experte en apaisement. Devient Lady Landsdown. Soucieuse du bonheur de son mari et de sa fille. Ses méthodes pour le construire. Rassure pleinement sa mère par sa vie calme et rangée.

O'Shaughnessy (Vanessa). Troisième fille de Brian et d'Hélène. Grande. Blonde. L'air d'un cheval échappé. Entretient une double liaison avec Rudolf Hess et Agustin Romero. Confiée par Winston Churchill à la surveillance du narrateur. Participe, en compagnie du narrateur, à l'entrée des troupes allemandes à Vienne. Va rejoindre Rudolf Hess en Allemagne à la veille de la guerre. La journée à Berchtesgaden en compagnie de Hitler. Sur l'ordre de Winston Churchill, Agustin et le narrateur vont la chercher au Vier Jahreszeiten, à Munich. Le retour en voiture. Ses relations avec Agustin. Refuse de l'épouser. Se promène avec lui sur les moors de Glangowness. Se donne à nouveau à lui le soir même de l'arrivée de Rudolf Hess en Ecosse. Visite Rudolf Hess en prison. Lui apporte les nouvelles du monde. Lui annonce son jugement par les puissances alliées. Assiste au procès de Nuremberg. S'évanouit dans les bras d'Agustin à l'annonce du verdict. Fait part au narrateur de son intention d'entrer au couvent. Lui promet de prier pour lui. Le narrateur, à San Miniato, se sent uni à elle par une mystérieuse communion.

O'SHAUGHNESSY (Jessica). Dernière fille de Brian et d'Hélène. Brune. Fragile. Communiste. Trés douée pour les larmes. Epouse Geoffrey Lennon. Part avec Carlos Romero pour l'Espagne républicaine. Ses relations ambiguës avec Simon Finkelstein. Accueille ses sœurs avec joie dans Barcelone assiégée. Trahie par l'histoire et par l'amour. Meurt du cœur à Barcelone. Louée par Winston Churchill pour sa fidélité à ses idées. Ne cesse d'être présente dans le cœur de ses sœurs. Décide peut-être, de loin, du mariage de Pandora avec Carlos Romero.

PAPEN (Franz von). Homme politique allemand. Ambassadeur à Vienne. Prépare l'Anschluss. Reçoit Vanessa flanquée du narrateur. Ambassadeur à Ankara. Affronte Geoffrey Lennon dans la guerre des services secrets. Acquitté par le tribunal de Nuremberg.

PÉTAIN (Philippe). Maréchal de France. Chef de l'Etat. Populaire. Impopulaire. Condamné à mort. Gracié.

PATTON (George). Général américain. Campagne de Sicile. Ses liens avec Pandora. Caractère difficile. Soulève l'indignation des mères américaines en flanquant une gifle à un GI. Retenu en Angleterre par Eisenhower pour accréditer l'hypothèse d'un débarquement dans le Pas-de-Calais. Campagne de France. Campagne d'Allemagne. Menace Prague. Trouve la mort dans un accident d'automobile suspect près de Heidelberg. Désarroi de Pandora.

PHILIPPE. Camarade, dans la Résistance, du père de Jérôme Seignelay.

PIERRO DELLA FRANCESCA. Peintre italien. Auteur de fresques célèbres dans l'église San Francesco d'Arezzo. Admiré par le narrateur.

PINTURICCHIO (Bernardino di Betto, dit). Peintre italien.

Auteur de fresques consacrées à la vie de Pie II dans la Libreria Piccolomini de la cathédrale de Sienne.

PRISM (miss Evangeline). Gouvernante rousse et anglaise des quatre garçons Romero, puis des quatre filles O'Shaughnessy, qui la tournent en bourrique. Le temps qui passe blanchit ses cheveux. Se fait tuer à Londres par un V 1, au printemps 44, en protégeant les enfants. Les trois sœurs O'Shaughnessy versent des larmes à son enterrement.

PROUVOST (Jean). Patron de presse. Dirige *Match* et *Paris-Soir*. Son faible pour la *story*. Impressionné par Simon Finkelstein. Lui confie un reportage en URSS à la veille de la guerre.

PROVISEUR DU LYCÉE LOUIS-LE-GRAND. Accueille Jérôme Seignelay. Le fait pleurer.

PROVISEUR DU LYCÉE HENRI-IV. Accueille Jérôme Seignelay. Le remplit de fierté et d'angoisse.

RÉMY (le docteur). Médecin des Plessis-Vaudreuil. Pétainiste. Soigne et fréquente des officiers allemands. Appelé au chevet du père de Jérôme Seignelay. Le guérit et se tait. Arrêté à la Libération. Reçoit la visite de Jérôme. Lui donne l'adresse du narrateur. Acquitté. Assassiné.

RÉMY (Florence). Femme du précédent, Brune. Plutôt belle. Maîtresse d'Otto Abetz? Tondue à la Libération. Internée pour troubles mentaux.

RIBBENTROP (Joaquim von). Homme politique allemand. Epouse Anneliese Henckell, héritière du plus fameux champagne allemand. Ambassadeur à Londres. Ministre des Affaires étrangères. Signe le 23 août 1939 le pacte germano-soviétique et assiste au Bolchoï à une représentation du *Lac des cygnes*. Ne croit pas à l'entrée en guerre de l'Angleterre. Invité, à Paris, par Abetz, avec le docteur Rémy et sa femme. Condamné à mort par le tribunal de Nuremberg. Pendu.

RIBBENTROP (Anneliese von). Blonde. Fille d'un magnat du champagne. Femme du précédent.

RICHARD. Maître d'hôtel, à Glangowness, de trois générations successives de Landsdown. Accompagne à la chasse le grand-père du narrateur. Porte sur ses épaules le narrateur petit garçon. Glisse quelques mots mystérieux à l'oreille de Brian.

ROMERO (Aureliano). Fils de Conchita Romero. Epouse la fille de Jérémie Finkelstein. Ambassadeur d'Argentine en Angleterre entre les deux guerres. Humaniste et pompeux. Meurt un peu oublié à Buenos Aires, pendant la Seconde Guerre.

ROMERO (Carlos). Fils aîné du précédent. Janson-de-Sailly. Eton. Cambridge. Historien des religions. Mythologue. Marxiste. Fondateur de la revue *Heretic*. Animateur des *Apostles*. Ses activités clandestines. Liens avec la Mafia. Retrouve Jessica à un déjeuner chez Winston Churchill. L'enlève à Geoffrey Lennon. Participe avec elle à la guerre d'Espagne. Ses relations avec Simon Finkelstein. Occupe un poste important à l'Intelligence Service et au MI 5. Envoyé par Churchill à Moscou avec Simon Finkelstein après l'affaire Rudolf Hess. Arrêté par le NKVD. Libéré après l'invasion de la Russie par Hitler. Se bat sur le front russe dans une escadrille soviétique. Rejoint « Normandie-Niemen ». Décoré de l'ordre du Drapeau rouge. Ses relations avec Staline : admire le dictateur et s'en méfie comme de la peste. Théoricien du parti travailliste. Député après la guerre. Epouse Pandora qui meurt entre ses bras. Père de Pamela. Principales publications : *Histoire des religions à la lumière du marxisme* (thèse de doctorat. Edition française : Gallimard, Bibliothèque des idées). *The Fellow Travellers. Reason in Revolt. Spanish Fury : the Story of a Civil War.*

ROMERO (Agustin). Frère cadet du précédent. Coureur automobile. Champion du monde. Ami du Kid. Tenté par le fascisme. Part avec le narrateur à la poursuite de Pandora, enlevée par Simon Finkelstein. La ramène à Rome et à Paris. Tombe amoureux de Vanessa. Devient son amant. Va la chercher en Allemagne, en compagnie du narrateur, à la veille de la guerre. Lui propose de l'épouser. Choisit Churchill contre Hitler. Participe en héros à la bataille d'Angleterre. Se promène avec Vanessa sur les moors de Glangowness. Fait l'amour avec elle le soir de l'arrivée de Rudolf Hess en Ecosse. Indigné par l'alliance des démocraties avec Staline. Hostile au procès de Nuremberg. Séduit par Jérôme Seignelay. Fonde avec lui une revue éphémère d'extrême droite. En compagnie de Simon, vient à San Miniato annoncer au narrateur le mariage de Pandora.

ROMERO (Louis Miguel). Frère jumeau de Javier. Mondain. Aime les femmes. Tombe amoureux de Pandora. Se considère comme son fiancé. Ulcéré par le mariage avec Thomas Gordon. Part pour l'Argentine. Participe à la réunion de l'ordre du Royal Secret dans Barcelone assiégée. Tué en plein ciel au deuxième jour de la bataille d'Angleterre avec, dans sa poche, une photo de Pandora.

ROMERO (Javier). Frère jumeau de Luis Miguel. Paresseux. Grand lecteur. Admire Proust et Cocteau. Poète. Ami intime du narrateur. Participe à la bataille d'Angleterre. Envoyé à Singapour. Cocktails au Raffles. Fait prisonnier par les Japonais. Ses relations ambiguës avec Hamuro Tokinaga. Rentre à Londres en mauvais état. Tombe à nouveau amoureux de Pandora. Tentative de suicide. Publie des poèmes qui connaissent un certain succès. Part pour le Brésil et l'Argentine avec Pandora et le narrateur. Indigné par la conduite de Pandora. Assiste avec le narrateur à un combat de boxe à Buenos Aires. Se bat avec lui dans une boîte de nuit. Le retrouve au mariage de Pandora. Se rend à San Miniato pour annoncer au narrateur la mort de Pandora.

ROMERO (Pamela). Fille de Carlos Romero et de Pandora O'Shaughnessy. Filleule du narrateur à qui Pandora la confie en mourant.

ROOSEVELT (Franklin Delano). Président démocrate des Etats-Unis d'Amérique. Déclare la guerre à l'Allemagne après Pearl Harbor. Rencontre Pandora à la conférence de Casablanca. Est charmé par elle. L'associe aux préparatifs du débarquement en Sicile.

SARTRE (Jean-Paul). Philosophe français. Auteur du *Mur*. Assis près de Carlos et d'Agustin dans un café du Quartier latin à la veille de la guerre.

SANT'ARCHANGELO (Zero). Mafioso italien. Se fait voler son portefeuille à Reggio de Calabre. Ami d'Agustin Romero et de Simon Finkelstein. Aide Agustin et le narrateur à retrouver Pandora. S'installe aux Etats-Unis où il devient le parrain d'une des familles les plus puissantes de la Mafia. Reçoit Pandora à Long Island. Lui promet son concours. La met en rapport avec Luciano.

SCHULENBURG (comte von). Ambassadeur d'Allemagne à Moscou. Travaille au rapprochement germano-russe. S'inquiète de la présence à Moscou de Carlos et de Simon. Apporte à Molotov la déclaration de guerre de Hitler. Exécuté après l'attentat contre Hitler. Pendu à un croc de boucher.

SEIGNELAY (Georges). Employé des postes à Dijon. Fier et inquiet de son fils Jérôme. Se préoccupe de son avenir. Visites à Paris et aux proviseurs des lycées Louis-le-Grand et Henri-IV. Entre dans la Résistance. Blessé. Sauvé par le docteur Rémy. Capitaine au 2e bataillon de choc. Tué à l'ennemi à Masevaux.

SEIGNELAY (Jérôme). Fils du précédent. Brillant en lettres. Nul en sciences. Succès en 5e et en 4e au lycée de Dijon. Boursier à Louis-le-Grand en 3e et 2e. Bidault. L'exode avec Mathilde. Première à Dijon avec Nivat. Médiocre au concours général. Philosophie avec Fouassier. Retour à Paris. Rencontre Alquié sur le boulevard Saint-Michel. Hypokhâgne et khâgne à Henri-IV. Hyppolite Alba. Mathilde s'éloigne. Disparition d'André Bernard. Rencontre avec le docteur Rémy. Reçu rue d'Ulm. Se lie avec le narrateur, avec

Agustin et avec Atalanta. Indigné par la mort du docteur Rémy. Vire à droite. Retrouve Bidault. Entre à *France-Soir* avec Lazareff. Familier de Glangowness. Epouse Mary Lennon à la stupeur enchantée du narrateur qui est témoin à leur mariage.

SERGE (Victor Lvovitch Kibaltchik, dit Victor). Fils d'un officier russe devenu médecin et d'une mère polonaise. Communiste. Anarchiste. Au temps de la Bande à Bonnot, dirige l'*Anarchie* avec sa maîtresse Rirette Maîtrejean. Arrêté. Condamné. Gagne la Russie. Arrêté. Libéré sur intervention d'André Gide, d'André Malraux, de Romain Rolland. Auteur de *S'il est minuit dans le siècle.*

STALINE (Iossif Vissarionovitch Djougatchvili, dit). Séminariste géorgien. Communiste. Dictateur. Concentre entre ses mains la totalité du pouvoir. Assiste à la signature du pacte germano-soviétique et boit à la santé du Führer. Disparaît pendant douze jours à la suite de l'invasion de la Russie par les troupes allemandes. Reçoit Pandora, à la fin de juin 41, dans sa datcha de Sotchi. Lui propose d'envoyer en Sibérie Molotov et Beria. Met au point avec elle son discours du 3 juillet. Fait libérer Carlos Romero et Simon Finkelstein. Objet de l'admiration et de la méfiance du premier et de l'antipathie du second. Les décore l'un et l'autre de l'ordre du Drapeau rouge. Exige l'ouverture d'un second front. Triomphe. Meurt en 1953. Dénoncé en 1956 par Nikita Khrouchtchev au XXe congrès du parti communiste.

TEMPS (le). Passe et dure. Sépare et unit. Détruit et construit. Personnage principal du *Vent du soir,* de *Tous les hommes en sont fous,* du *Bonheur à San Miniato* – et de la vie en général.

VYCHINSKI (Andreï Ianouarievitch). Procureur général de l'URSS. Procès de Moscou. Adjoint de Molotov aux Affaires étrangères. Procureur au procès de Carlos Romero et de Simon Finkelstein. Dénoncé par Khrouchtchev pour avoir fourni « la base juridique des répressions illégales pendant le culte de la personnalité de Staline ».

WALTERSPIEL. Directeur de l'hôtel Vier Jahreszeiten à Munich. Accueille Vanessa, Agustin et le narrateur.

WEBERN (Kurt von). Hobereau allemand. Une histoire d'amour. Déportation de deux jeunes gens. Sa volonté de vengeance. Le rendez-vous avec Geoffrey sur le pont d'Istanbul. Meurt assassiné au pied de la tour de Galata.

YAMAMOTO (Isoroku). Amiral. Commandant en chef de la flotte japonaise. Attaque Pearl Harbor. Victoires dans le Pacifique. Trouve la mort dans son avion abattu par les Américains au-dessus des îles Salomon.

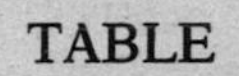
TABLE

ŒUVRES DE JEAN D'ORMESSON

L'AMOUR EST UN PLAISIR, Le Livre de Poche.
DU CÔTÉ DE CHEZ JEAN, Folio.
UN AMOUR POUR RIEN, Folio.
AU REVOIR ET MERCI, N.R.F.
LES ILLUSIONS DE LA MER, Le Livre de Poche.
LA GLOIRE DE L'EMPIRE, N.R.F.
AU PLAISIR DE DIEU, N.R.F.
LE VAGABOND QUI PASSE SOUS UNE OMBRELLE TROUÉE, N.R.F.
DIEU, SA VIE, SON ŒUVRE, N.R.F.
MON DERNIER RÊVE SERA POUR VOUS, Jean-Claude Lattès.
JEAN QUI GROGNE ET JEAN QUI RIT, Jean-Claude Lattès.
LE VENT DU SOIR, Jean-Claude Lattès.
TOUS LES HOMMES EN SONT FOUS *(Le Vent du soir **)*, Jean-Claude Lattès.
LE BONHEUR À SAN MINIATO *(Le Vent du soir ***)*, Jean-Claude Lattès.

Dans Le Livre de Poche

(Extrait du catalogue)

Jean d'Ormesson
Mon dernier rêve sera pour vous 5872

Une biographie sentimentale de Chateaubriand.

La gloire plaît aux femmes et les fascine comme le pouvoir. Chateaubriand – sans doute le plus grand écrivain français – lia plus que personne sa vie sentimentale à la vie politique et littéraire. L'indifférence et la passion qui flottaient autour de lui faisaient se lever sur ses pas dcs bataillons de jeunes femmes, armées et casquées pour les combats de l'amour. A chacune il fut tenté de murmurer *Mon dernier rêve sera pour vous.* A une seule, avant sa mort, il dira ces quelques mots qui unissent aux yeux de l'histoire deux destins d'exception.

La première biographie de Jean d'Ormesson : le portrait d'un séducteur par un écrivain – et peut-être aussi l'inverse.

Jean d'Ormesson
Le Vent du soir 6467

Le Vent du soir est le premier tome d'une trilogie dont le deuxième volume est : *Tous les hommes en sont fous* et le troisième : *Le Bonheur à San Miniato.*

Ce que raconte *Le Vent du soir,* c'est une histoire dans l'Histoire. L'action commence vers le milieu du siècle passé; la scène, le monde : du Brésil à Venise, de la Russie aux Indes, en Afrique du Sud, en Ecosse, à Vienne... Les personnages, dont un grand seigneur russe, une négresse de Bahia, un jeune juif polonais, un dictateur d'Amérique du Sud, une Française égarée à Saint-Pétersbourg, Verdi... vivent des passions dévorantes, des aventures en cascade, des coups de tête, des coups de cœur, des coups du sort et même des coups de théâtre.

Jean d'Ormesson
Tous les hommes en sont fous 6600

Tous les hommes en sont fous, second volet de la trilogie *Le Vent du soir*, dont le troisième est *Le Bonheur à San Miniato*, raconte les destins croisés des quatre frères Romero et des quatre sœurs O'Shaughnessy. Carlos, Agustin, Javier, Luis Miguel sont Argentins, brillants et riches. Pandora, Atalanta, Vanessa, Jessica commencent à devenir légendaires par leur charme et leur beauté entre la crise économique de 1929 et la prise du pouvoir par Hitler en 1933. En suivant leurs passionnantes aventures, leurs amours, de Londres à Rome, Paris, Hollywood, Barcelone..., d'une croisière en Grèce aux Brigades Internationales, de fêtes à Venise à la Nuit des Longs Couteaux, nous nous trouvons plongés au cœur des années 30, cette époque de toutes les audaces et de tous les bouleversements.

Michelle Clément-Mainard
La Fourche à loup 6604

Marie Therville n'a que huit ans quand son père la place comme bergère dans une ferme de Gâtine à la Saint-Michel 1844. Haïe par sa famille, cette petite fille n'a guère connu que la pauvreté et la violence les plus extrêmes. Vive et décidée, elle gagne rapidement l'affection de tous les gens de la ferme. Et même leur admiration lorsqu'elle ose se battre avec un loup à l'âge de neuf ans.

Marie découvre un bonheur de vie qu'elle n'aurait jamais imaginé autrefois parmi les siens, qui l'ont abandonnée si facilement. Pourquoi cet abandon? Le livre nous en dévoile la raison à travers un personnage étrange surgi dans la région un demi-siècle plus tôt : Jean Therville, son grand-père. Ce révolutionnaire excentrique a ruiné la famille et semé des légendes, laissant derrière lui un héritage dont Marie ne soupçonne pas le poids dans son propre destin.

La Fourche à loup nous révèle l'équilibre précaire d'un monde paysan où les saisons et la misère font la loi. Les secrets et les passions qui habitent les êtres viennent rompre cet ordre.

Antonine Maillet
Pélagie-la-Charrette 5496

Antonine Maillet est à l'Acadie ce que Jean Giono fut à la Provence et Ramuz au Valais. Son originalité reste cependant entière. Femme, elle a choisi de dire à travers des femmes l'histoire d'un peuple écorché vif, assommé, taillé à merci, et toujours renaissant.

Jacques Cellard, *Le Monde*

Ceux qui vont lire *Pélagie-la-Charrette,* où la romancière raconte superbement l'exode et l'épopée de ces « boat people » du XVIIIe siècle, en sauront bien davantage encore sur ces cousins d'Amérique oubliés depuis trois cents ans.

Matthieu Galey, *L'Express*

Pélagie-la-Charrette, cet immense tableau de maître qui n'est autre que la peinture d'un peuple tout entier.

... Avec cette femme venue de l'autre côté de l'Atlantique, la littérature a un goût de fête. Merci, Antonine Maillet, d'exister.

Jérôme Garcin, *Les Nouvelles littéraires*

Pélagie-la-Charrette a obtenu le Prix Goncourt

Antonine Maillet
La Gribouille 5918

1880. Dans cette Acadie lointaine qui s'éveille de son long sommeil colonial, Pélagie-la-Gribouille est un personnage. Epoux, enfants, cousins, parentèle, il n'est pas un habitant du Fond-de-la-Baie sur qui elle ne règne avec l'autorité qu'elle tient sans doute de son aïeule, l'héroïne légendaire du Grand Dérangement. Mais il suffit que débarquent un Jérôme-le-Menteux, ou le mystérieux Renaud à la jambe de bois, un Français de France, pour que Pélagie et les siens soient emportés vers d'étranges aventures maritimes et sentimentales, doublées d'une course au trésor fertile en réjouissantes surprises...

Après *Pélagie-la-Charrette*, Prix Goncourt 1979, Antonine Maillet nous donne avec *La Gribouille* un roman-chronique d'une force extraordinaire, qui fait revivre tout un monde foisonnant, facétieux, babillard, gai comme la vie, simple comme la terre, et vrai, et jeune, comme nous ne savons plus l'être dans les « vieux pays ».

Catherine Paysan
La Colline d'en face 6639

L'automne de nos six ans. De la cour d'école à la première salle de classe, c'est un déchirement. Il a fallu abandonner la liberté des courses folles dans les bois et les champs, tout le merveilleux de l'enfance. Même si vous vous appelez « Annie Roulette, d'Aulaines », *alias* Catherine Paysan, et que l'institutrice, la belle obèse à la voix d'or, est votre mère, il faut vous plier à la règle.

Depuis l'entrée au cours primaire jusqu'à sa première communion, on suit l'auteur : on entre dans sa famille, son milieu; on la voit, myope, découvrir le monde grâce à sa première paire de lunettes, apprendre à lire et à écrire avec sérieux et voracité, voyager avec ses parents jusqu'au Mans, en Mona (Renault achetée après moult sacrifices).

Tout le passé enfoui dans la mémoire resurgit grâce au talent de conteuse et à l'art d'écrivain de Catherine Paysan, dans une langue rythmée, musicale, attentive aux arbres, aux rivières... et à la colline d'en face, qui borne l'horizon de l'enfant, mais promet l'avenir.

La Colline d'en face : un remarquable tableau des mœurs en milieu agreste entre les deux guerres.

Georges Walter

Faubourg des Amériques 6543

La nuit du 6 septembre 1620, dans la brume et la discrétion, un trois-mâts ventru quitte le port de Plymouth avec cent deux passagers à bord. Le navire s'appelle le *Mayflower*... L'aventure prodigieuse de ce voyage reste ignorée, et le narrateur, qui vit dans l'étrange faubourg à demi détruit d'une moderne Métropolis, rêve d'en faire un film à grand spectacle. Déjà il projette sur l'écran de son imagination l'odyssée grandiose qu'il en a tirée, mêlant à la traversée des premiers émigrants puritains, des instantanés de l'Amérique de Howard Hughes, ainsi que le reflet de son humble et très mystérieuse existence.

Introduit dans son rêve, on découvre les drames, les angoisses, les divisions qu'engendre une traversée de soixante-six jours dans des conditions que seules la foi ou la misère permettent d'endurer; on vit les épidémies, la promiscuité, la tempête et les tentatives de mutinerie, fermement dominées par le groupe des « Saints », qui se savent les élus de Dieu. Singulier récit d'aventures, le roman de Georges Walter conjugue en une même vision l'épopée messianique des origines avec l'Amérique triomphante sous le délire de ses confetti.

Salman Rushdie
Les Enfants de minuit *biblio* 3122

« Je suis né dans la maternité du docteur Narlikar, le 15 août 1947. (...) Il faut tout dire : à l'instant précis où l'Inde accédait à l'indépendance, j'ai dégringolé dans le monde. Il y avait des halètements. Et, dehors, de l'autre côté de la fenêtre, des feux d'artifice et la foule. Quelques secondes plus tard, mon père se cassa le gros orteil; mais cet incident ne fut qu'une vétille comparé à ce qui m'était arrivé, dans cet instant nocturne, parce que grâce à la tyrannie occulte des horloges affables et accueillantes, j'avais été mystérieusement enchaîné à l'histoire, et mon destin indissolublement lié à celui de mon pays. (...) Moi, Saleem Sinai, appelé successivement par la suite Morve-au-Nez, Bouille-sale, Déplumé, Renifleux, Bouddha et même Quartier-de-Lune, je fus étroitement mêlé au destin – dans le meilleur des cas, un type d'implication très dangereux. Et, à l'époque, je ne pouvais même pas me moucher. »

Saga baroque et burlesque qui se déroule au cœur de l'Inde moderne, mais aussi pamphlet politique impitoyable, Les Enfants de minuit *est le livre le plus réussi et le plus attachant de Salman Rushdie. Traduit en quinze langues, il a reçu en 1981 le* Booker Prize.

Charles Le Quintrec
Chanticoq 6583

Chassé par sa mère, Yann rencontre Maljean et décide de le suivre. Commence une aventure douloureuse et bouleversante dans une Bretagne encore plongée dans le drame de la séparation de l'Eglise et de l'Etat et de ce qu'on a appelé les Inventaires.

Les longs chemins de Yann et Maljean, de La Jatte et de Marité, de Jeanne-Thérèse et de ses deux enfants sont ceux de la pauvreté alors partout répandue, de la joie de vivre malgré tout, de l'amour qui ne savait pas toujours s'exprimer et de la mort. Ici, les passions sont le ressort même d'une quête qui ressemble à une terrible initiation.

C'est toute une époque que Charles Le Quintrec fait revivre à travers des personnages émouvants, vrais, d'un charme prenant ou d'une truculence folle qui collent à une terre qui ne saurait mentir.

Kenizé Mourad

De la part de la princesse morte 6565

« Ceci est l'histoire de ma mère, la princesse Selma, née dans un palais d'Istamboul... »

Ce pourrait être le début d'un conte; c'est une histoire authentique qui commence en 1918 à la cour du dernier sultan de l'Empire ottoman.

Selma a sept ans quand elle voit s'écrouler cet empire. Condamnée à l'exil, la famille impériale s'installe au Liban. Selma, qui a perdu à la fois son pays et son père, y sera « la princesse aux bas reprisés ».

C'est à Beyrouth qu'elle grandira et rencontrera son premier amour, un jeune chef druze; amour tôt brisé. Selma acceptera alors d'épouser un raja indien qu'elle n'a jamais vu. Aux Indes, elle vivra les fastes des maharajas, les derniers jours de l'Empire britannique et la lutte pour l'indépendance. Mais là, comme au Liban, elle reste « l'étrangère » et elle finira par s'enfuir à Paris où elle trouvera enfin le véritable amour. La guerre l'en séparera et elle mourra dans la misère, à vingt-neuf ans, après avoir donné naissance à une fille : l'auteur de ce récit.

Grand Prix littéraire des lectrices de « Elle » 1988.

Saul Bellow

L'Hiver du Doyen 6643

Albert Corde, doyen d'une université de Chicago, et sa femme Minna, astrophysicienne de réputation internationale, Roumaine passée à l'Ouest, se trouvent bloqués en hiver à Bucarest où la mère de Minna, médecin- psychiatre, ex-ministre de la Santé, se meurt à l'hôpital...

En juxtaposant Bucarest, sinistre, oppressante et Chicago, violente et décadente, Bellow met en lumière les deux pôles entre lesquels oscille le monde moderne : la bureaucratie barbare d'un Etat policier et l'anarchie d'une « société de plaisir », qui ne supporte pas de reconnaître les monstruosités qui la gangrènent.

Mais comme toujours dans les romans de Bellow, prix Nobel de littérature, les tribulations du héros, à la fois angoissantes et comiques, sont traitées avec cet humour qui souligne la relativité des choses.

IMPRIMÉ EN FRANCE PAR BRODARD ET TAUPIN
Usine de La Flèche (Sarthe).
LIBRAIRIE GÉNÉRALE FRANÇAISE - 6, rue Pierre-Sarrazin - 75006 Paris.
ISBN : 2 - 253 - 05276 - 0
30/6752/7